図解 即 戦力

はじめて実務する人にも
カラーで見やすく親切！

小さな会社の
経理・人事・
総務

これ
1冊で
の 仕事が
しっかりわかる本

税理士
土屋裕昭

社会保険労務士
佐藤敦規
監修

JN044061

技術評論社

ご注意：ご購入・ご利用の前に必ずお読みください

はじめに

　会社には、事業活動を裏で支える管理部門があります。優れた営業力や企画力、技術力があっても、管理業務がおろそかになっていれば、会社としては成長できません。会社の日常業務がスムーズにできるのは、管理部門が機能していればこそです。

　管理部門には経理、人事、総務などがあります。経理は会社の"お金"を扱い、人事は会社の"人"に関する業務を担当します。総務は会社全体の事務を統括します。

　こうした仕事ではミスが大事につながります。経理のミスは決算のミスとなり、それは税務申告のミスにつながり、法令違反となってしまいます。人事のミスは労務トラブルにつながる可能性をはらみますし、総務のミスは事業活動の停滞につながります。

　本書では、管理部門の各業務について、「何を」「いつ」「どのように」行えばいいのかを、わかりやすく解説しています。

　一方で、各部門の住み分けを的確に行って分業できれば効率的に仕事ができますが、人員に限りがある中小企業などではそうもいきません。経理や総務といった部署が、人事や労務などの業務を兼任している場合も多いでしょう。そこで、「経理は経理、人事は人事」というように分けるのではなく、管理部門の業務として理解できるように総括して説明するようにしました。

　必要なときに、必要な情報を調べることができる一書として手元に置き、日々の業務に活用していただければ幸いです。

2023年12月

税理士　土屋裕昭

社会保険労務士　佐藤敦規

CONTENTS

Chapter 1

経理・人事・総務の
仕事の基本をおさえる

Chapter 2

給与計算の基本をおさえる

日・月単位の経理業務

Chapter 4

社会保険と労働保険の手続き

Chapter 5

採用時の手続き

Chapter 6

退職時の手続き

Chapter 7

休業者への対応と福利厚生

Chapter 8

年末調整など年末年始の業務

Chapter 9

会社の資産を管理する

Chapter 10

決算処理を行う

Chapter 11

必要に応じて行う業務

本書の使い方

本書の構成

　本書は、基本的に見開き2ページ単位の解説と、関連する書式の記入例で1つの節を構成しています。まず左ページの解説を読み、その後に、右ページの図解や表を確認すると理解が深まります。その後、記入例を参考にして自らの事情に合わせて書類を作成していってください。

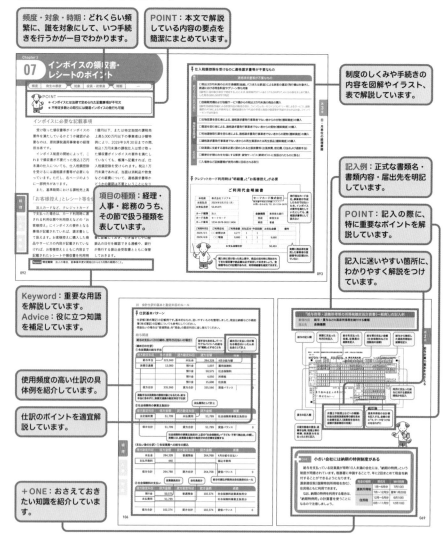

頻度・対象・時期：どれくらい頻繁に、誰を対象にして、いつ手続きを行うかが一目でわかります。

POINT：本文で解説している内容の要点を簡潔にまとめています。

制度のしくみや手続きの内容を図解やイラスト、表で解説しています。

項目の種類：経理・人事・総務のうち、その節で扱う種類を表しています。

記入例：正式な書類名・書類内容・届出先を明記しています。

POINT：記入の際に、特に重要なポイントを解説しています。

記入に迷いやすい箇所に、わかりやすく解説をつけています。

Keyword：重要な用語を解説しています。
Advice：役に立つ知識を補足しています。

使用頻度の高い仕訳の具体例を紹介しています。

仕訳のポイントを適宜解説しています。

＋ONE：おさえておきたい知識を紹介しています。

ダウンロードできる書式シート

経理・人事・総務の業務に役立つ書式・書類等をまとめました。本書のサポートページからダウンロードできますので、有効活用してください。

●ダウンロードURL
https://gihyo.jp/book/2024/978-4-297-13895-0/support

●ダウンロードできる書類一覧

解説ページ	ファイル名	概要
1章P32	雇用契約書（docx）	会社と労働者の双方が労働条件に合意して取り交わす契約書です。双方が労働条件について合意したことの証になります※3。
2章P64	賃金台帳（xlsx）	法定三帳簿のひとつで、各従業員に賃金を、いつ、いくら支払ったのかを記録する台帳です。全従業員分を作成し、賃金を支払うたびに記入します。
3章P99	電子取引データの訂正及び削除の防止に関する事務処理規程（法人用）（docx）※1	事務処理規程を備えることで、電子取引データの保存要件の1つである「真実性の要件」を満たすことができます。
3章P100	勘定科目の5つのグループと借方・貸方のルール（pdf）	勘定科目の増減等による借方・貸方の基本的なルールです。仕訳の際の早見表として活用できます。
3章P100	主要勘定科目一覧（pdf）	主な勘定科目の一覧です。迷ったときに利用してください。
3章10・11・12 10章03・04・05・06	仕訳例一覧（pdf）	本書に登場する全仕訳を一覧にしてあります。仕訳の辞書代わりに活用できます。
5章P150	労働条件通知書（docx）※2	会社から本人への交付が義務づけられている書類です。勤務時間や給与などの労働条件を書面で明示します。
6章P162	退職者合意書（docx）	離職理由や退職日までの出勤の要否、在職中に知り得た情報の守秘義務などについて、会社と従業員が合意のうえで交わす書類です※3。
7章P192	休職者近況報告書（docx）	休職している労働者および担当医などから、状況を報告してもらうための書類です。復職可否の判断材料になります※3。
10章P256	固定資産耐用年数表（pdf）	主な固定資産についての法定耐用年数の一覧表です。
11章P272	就業規則（変更）届・意見書（docx）※2	従業員が常時10人以上働く事業場を持つ会社は、就業規則の作成時・変更時に管轄の労働基準監督署への提出が必要です。
11章P277	催告書（docx）	支払い等が長期にわたって滞っている際に、債務の履行を請求する書類です。

※1は国税庁、※2は厚生労働省のサイトからもダウンロード可能
※1 https://www.nta.go.jp/law/joho-zeikaishaku/sonota/jirei/0021006-031.htm
※2 https://www.mhlw.go.jp/stf/seisakunitsuite/bunya/koyou_roudou/roudoukijun/roudoukijunkankei.html
※3は法律上の作成義務はありません

ダウンロード書類の使い方

　ダウンロードファイルはZIP形式で圧縮されていますので、展開してご利用ください。展開するにはWindowsの場合、ファイルを右クリックして「すべて展開」を選択します。展開されたフォルダーに前ページの複数のファイルが現れます。

　書類は、用途に応じてWord形式またはExcel形式で作成されています。ファイルを開いて記入内容を編集するには、お使いのパソコンにMicrosoft Officeアプリケーションが別途必要です。同じ書類のPDF形式を用意していますので、印刷して手書きで記入する場合はご利用ください。PDFファイルはAdobe Acrobat Reader（無料）で開くことができます。

●ダウンロードできる書類例

賃金台帳

第1章

経理・人事・総務の
仕事の基本をおさえる

経理・人事・総務などの管理部門は、会社の売上に直結する業務ではありませんが、経営資源を管理・活用し、会社の経営や運営を後方支援する大切な部門です。売上に直結する部門と会社全体をサポートする管理部門があって初めて、企業経営は円滑に進むのです。第1章では、経理・人事・総務とは何か、管理部門の業務の基本を説明していきます。

01 経理の仕事とは?

POINT
- 経理の仕事は期限の遵守を求められるものが多い
- 日々の仕事は入出金の管理と帳簿付けが中心

経営判断や会社の信用を左右するお金についての業務

経理の仕事は、会社のお金に関わる業務全般です。日々の入出金の管理から毎月の給与の支払い、年に1度の決算作業、税金の納付など、業務内容は多岐にわたります。

特徴的なのは、期限厳守の業務が多いことです。たとえば、税金については法律で申告や納付の期限が定められていて、遅れると加算税や延滞税などが発生します。また、経理が作成する資料類も遅れるとさまざまな影響が出ます。キャッシュフロー計算書や資金繰り表、決算書などは会社の経営判断に欠かせないものです。作成が遅れれば、経営判断も遅れます。融資や助成金の実施のタイミングなどにも影響する可能性があり、資金繰りにも影響します。

ミスが許されないのも特徴です。給与や取引先への支払い額が1円でも違っていれば、信用を失いかねません。経営判断に必要な資料についても、そもそものデータが間違っていれば、判断を誤る原因になります。

日、月、年単位の仕事がある

経理の仕事のうち、日々の仕事の中心は、入出金の管理と帳簿付けです。特に現金の動きを記録する現金出納帳は、原則として毎日記帳します。

月々の仕事には、給与計算や請求・支払い業務、従業員の経費精算や源泉所得税・住民税の納付などがあります。売掛金や買掛金も集計し、月次試算表や資金繰り表などを作成します。

そして、年に1度の仕事として、年末調整と決算業務を行います。年末調整の時期は年末と決まっていますが、税金の納期限については決算日(事業年度の終了日)によって異なります。3月決算の会社であれば、法人税の中間申告は11月、9月決算であれば、5月になります。前述のとおり、税金の申告・納付や申告には法律によって期限が設けられているので、スケジュール管理が重要です。

📌 経理の主な仕事

頻度	必要な業務	概　要
日単位 （発生の都度）	現金の出納管理	口座残高・小口現金の確認、仮払金の支払いなど
	従業員の経費精算	従業員が立て替えた経費の精算、 仮払金の払い出し・精算
	伝票の起票・整理、 帳簿に記帳	現金取引を中心に、仕訳が発生する取引について 伝票を起票または帳簿に記帳
日または 月単位	受注・出荷・売上の集計	商品やサービスの受注・出荷(提供)・ 売上等を記帳
	請求書や領収書の 発行・受領	請求書の発行については 月単位で処理することが多い
	棚卸資産の受払処理の確認	在庫の入出庫の記録・管理
月単位	売掛金・買掛金の確認	売掛帳(売上帳)、買掛帳に記帳
	取引先からの入金の確認	売掛帳(売上帳)に記帳
	取引先への支払い	買掛帳(売上帳)に記帳
	給与の支払い	額の計算については、経理ではなく、 人事や総務(労務)が行うことも多い
	源泉所得税・ 住民税の支払い	納期限は毎月10日。納期の特例(67ページ)を申 請している事業者は年2回(所得税は1月・7月、住 民税は12月・6月に)まとめて納税
	社会保険料の納付	納期限は毎月末
	月次決算、資金繰りの確認	月次試算表(決算書)の作成、 資金繰り表などの更新
年単位	賞与の支払い	支給は年4回まで。額の計算については、経理では なく、人事や総務(労務)が行うことも多い
	棚卸	事業年度末の在庫を確認し、売上原価を算出
	年末調整と 法定調書の作成	従業員の年間の所得税を確定させる。 法定調書を作成し、税務署に提出
	決算・確定申告	決算書および税務申告書類の作成
	納税	法人税、法人事業税、法人地方税、消費税などを 納付する。納期限は事業年度終了日の翌日から2 カ月以内
その他	税務調査への対応	通常3〜10年おきくらいに税務調査が入る

02 人事の仕事とは?

POINT
- 給与・賞与の計算や社会保険・労働保険の手続きも行う
- 個人情報を取り扱うのでコンプライアンスを持つ

採用から退職まで人に関する業務を担う

経理がお金を扱うのに対し、人事は人に関する業務を扱います。従業員の採用から退職までに発生する、人に関わる多様な業務に携わります。経理や総務の仕事とクロスするものも多く、どこまでを業務範囲とするかは会社によります。

一般的には、従業員の採用、人材育成、入社・退職の手続き、給与・賞与計算、社会保険等の手続き、配属先の決定、人事評価制度の設計・運営など

が、人事の主な仕事となります。

このうち、採用については、経営方針と密接に関係するため、経営層や採用責任者、各部署とのすり合わせながら、採用計画の立案から求人募集、採用試験、面接までをサポートします。

入社・退職の手続きでは、さまざまな書類を用意する必要があるため、漏れがないか、確認が大切です。新卒採用者と中途採用者では、提出してもらう書類も異なります。

給与・賞与計算や社会保険等の手続きについて知識が必要

給与・賞与計算については、社会保険労務士に頼まない場合、自分で計算方法を学ばなければなりません。

給与と賞与では、源泉徴収額や社会保険料の計算方法が異なります。また、同じ支給額でも、扶養家族（従業員の養っている家族）の人数が違えば、税額が違ってきます。残業代（割増賃金）の計算方法も複雑です。

社会保険（健康保険・厚生年金保

険）や労働保険（雇用保険・労災保険）の手続きも人事の仕事です。社会保険料の定時決定や随時改定、労働保険の年度更新などについての知識が必要になります。

なお、人事の仕事では、従業員の居住地や電話番号、家族構成、収入など、個人情報を取り扱う機会が多くなります。会社、本人ともに、高いコンプライアンス意識が求められます。

経理

人事

総務

📌 人事の主な仕事

仕事	1月	2月	3月	4月	5月	6月
採用業務				学生向けの会社説明会 ●————————●		
				● 新卒社員の入社		
				● 新卒採用の情報解禁		
人事業務	● 賃金台帳・出勤簿等の準備		● 被扶養者届の提出	● 雇用保険の料率改定チェック		● 労働保険の年度更新
			● 健康保険・介護保険の料率改定チェック			● 特別徴収額の更新
			● 昇給・昇格の決定	● 新入社員の社会保険資格取得届		● 夏季賞与の計算
	●————————— 給与計算 ————————————————————●					
異動・育成等	● 定期異動等		● 研修体系の策定			
	新入社員研修 ●———●					
	●————— 階層別研修、スキルアップ研修等 ————————————————————●					

仕事	7月	8月	9月	10月	11月	12月
採用業務	インターンシップの実施 ●————●				● 次年度の採用準備	
	採用試験・面接 ●————————————————●					
人事業務	● 社会保険の定時決定		● 社会保険の標準報酬月額の更新			● 年末調整
			● 厚生年金保険の料率改定チェック		● 年末調整の準備	● 源泉徴収票の交付
						● 冬季賞与の計算
	●————————— 給与計算 ————————————————————●					
異動・育成等	●————— 階層別研修、スキルアップ研修等 ————————————————————●					

ONE 採用直結型インターンシップが解禁

　近年、就職活動前の学生に短期間、自社の仕事を体験する機会を設け、関心を持ってもらうインターンシップを開催する会社が増えています。2025年卒対象学生の選考からは、一定の要件を満たすインターンシップについては、企業がそこで得た学生の情報を選考材料にできる、採用直結型インターンシップが認められるようになります。採用のスタンダードが変わっていくかもしれません。

03 総務の仕事とは?

| 頻度 | ― | 対象 | ― | 時期 | ― |

POINT
- 総務の業務範囲は広く、経理、人事、労務の仕事が含まれることがある
- 働きやすい環境を整備し、組織が円滑に機能するように図る

従業員が働きやすい職場環境を整備する

総務の仕事は、機器・備品管理、清掃など施設管理、契約書などの書類管理、郵便物の発送・仕分け、来客への応対のほか、健康診断の手配、社内行事の企画・運営、株主総会や取締役会の事務局業務、社内外慶弔への対応など多様です。

会社によって業務範囲はさまざまで、総務が経理や人事、労務を兼ねている会社も珍しくありません。

このうち、労務とは、労働環境の整備を任務とするものです。主な業務としては、就業規則の整備、労働時間の管理、労災や労務トラブルへの対応などが挙げられます。とはいえ、経理、人事、総務、労務の業務範囲に、明確な境界はありません。本書では、総務に労務を含めて解説します。

組織が円滑に機能するための業務

総務担当者がまずすべきことは、業務範囲の確認です。そのうえで、ただ業務をこなすだけでなく、組織の効率化を目指して、改善案を提案していくことが求められます。

たとえば、時代や法律が変われば、就業規則の見直しが必要になります。契約書なども、今後、電子契約が広まっていくことは明らかで、管理方法が問われます。

労使トラブルへの対応も重要な仕事です。会社と従業員との間に立ち、就業規則や法律と照らし合わせて解決に導かなければなりません。

福利厚生に関する業務としては、健康診断の手配・実施があります。実施しないと、50万円以下の罰金が課せられます。未実施で健康被害が出れば、安全配慮義務違反に問われて、多額の賠償金を請求される可能性もあります。

そのほか、株主総会等の招集・運営・議事録の作成や慶弔対応などは、ミスが許されません。一つひとつの業務に丁寧に対応することが大切です。

経理

人事

総務

📌 総務の主な仕事

機器・備品管理

管理番号、物品名、種別、購入場所、購入日・数量などを記録した備品管理台帳などを作成して、備品に過不足のないように管理する

施設管理

清掃業者の手配や空調・照明の調整、オフィスのレイアウト変更などのほか、防火設備の維持や防災訓練等を実施する

書類管理

仕入れ先との取引や事務所の賃貸、複写機などのレンタルやリース、従業員との労働契約書などあらゆる契約書の管理を行う

健康診断の手配

従業員に対する健康診断の実施は法律で義務づけられている。多忙等の理由で健康診断を受けない従業員には受診をすすめる

就業規則の作成・見直し

就業規則を作成する。作成後も法改正等をチェックして定期的に見直しを行う。作成や変更の都度、労働基準監督署への届け出が必要

勤怠管理

遅刻・欠勤の確認のほか、残業時間や有給取得日数など、労働条件が守られているかを管理する。人事評価にも影響する重要な業務

労働災害・労務トラブルへの対応

業務中や通勤中の事故は、労働災害として対応し、労働基準監督署へ届け出る。従業員と会社の間に起こったトラブルにも対応する

株主総会・取締役会の事務局業務

会場の手配や通知の発送、配布資料の作成・準備のほか、当日の会の進行の補助や、議事録の作成などを担当する

その他

郵便物の配布等、来客・電話応対、社内外慶弔への対応、社内イベントの企画・運営、自社サイト等の更新、役員の秘書業務など

●労務トラブルの5大原因

トラブル1　**ハラスメント:** パワハラ、セクハラ、マタハラなど

トラブル2　**労働時間:** 長時間労働や残業代の未払い

トラブル3　**解雇:** 就業規則および法律に基づかない解雇は不当

トラブル4　**人事異動:** 転勤、配置転換、出向、降格、降給など

トラブル5　**労働災害:** 事故や過労死、うつ病等。業務との関連性が争点

04 保存が必要な書類と保存期間

POINT
- 経理上、税務上重要な書類には保管期間が決められている
- 保存期間は書類によって起算日が異なる

保存すべき書類と保存期間が決まっている

経理、人事、総務では、さまざまな書類を作成したり受け取ったりします。これらの書類の多くは経理上や税務上、非常に重要な書類なので、法律で保存が義務づけられています。種類ごとに保存期間が10年、7年、2～5年と決められています。

保存期間は原則として最低限の年数なので、それ以上に保存してもかまいません。ただし、マイナンバーが記載されている書類に限っては、保存期間を超えて保存することはできません。

なお、保存期間は、書類によって起算日が異なるので、注意が必要です。

それぞれの保存期間を確認する

株主総会や取締役会などの議事録、総勘定元帳や株式帳簿などの会計帳簿、決算書類は10年の保存義務があります。

経理・税務関係の書類は7年の保存義務があります。該当するのは、取引に関する帳簿書類（現金出納帳や売掛帳、買掛帳など）、現金取引等に関して作成または受領した証憑書類（領収書や契約書など）、取引証憑書類（請求書や注文書など）、有価証券の取引に関して作成された証憑書類（有価証券受渡計算書など）、給与所得者の源泉徴収に関する申告書（給与所得者の扶養控除等（異動）申告書、退職所得

の受給に関する申告書、源泉徴収票など）です。

また、監査報告書や会計監査報告書は5年、雇用保険の被保険者に関する書類は4年、四半期報告書や賃金台帳、雇い入れ・解雇・退職に関する書類、労災保険に関する書類は3年が保存期間となっています。

なお、電子帳簿保存法の改正によって、2024年1月以降に電子取引で受け取った書類については、電子データのままの保存が義務づけられているので注意しましょう（3-08）。

経理

人事

総務

📌 主な書類の保存期間

保存期間	書類		起算日
永久	定款		会社の設立日
10年	株主総会、取締役会、監査役会の議事録		それぞれの実施日
	会計帳簿と事業に関する重要書類	総勘定元帳、仕訳帳、各種補助簿、株式申込簿、株式台帳、配当簿	会計帳簿を閉鎖した日
	計算書類と明細書	貸借対照表、損益計算書、税務報告書、個別注記表、固定資産台帳	作成日
	製品の製造・加工・輸入・販売についての記録	製品安全管理規定、品質管理データ、売買契約書、保証書	製造物の引き渡し
7年	証憑書類	契約書、請求書、注文書、領収書、見積書、納品書、検収書控え、請求書控え、見積書控え、納品書控え	事業年度終了日の翌日から2カ月経過した日
	有価証券の取引に関して作成された証憑書類	有価証券受渡計算書、有価証券預り証、売買報告書、社債申込書	
	給与所得者の源泉徴収に関する申告書	給与所得者の扶養控除等（異動）申告書、給与所得者の基礎控除申告書 兼 配偶者控除等申告書 兼 所得金額調整控除申告書、給与所得者の保険料控除申告書、退職所得の受給に関する申告書	申告書の提出期限の属する年の翌年1月10日の翌日
	源泉徴収票		法定申告期限
5年	従業員の身元保証書・誓約書、各種健康診断個人票、面接指導結果報告書、ストレスチェックの記録結果		作成日
	監査報告書、会計監査報告書、会計参与による計算書類・附属明細書、会計参与報告書		株主総会の日の1週間前
4年	雇用保険被保険者資格取得等確認通知書、雇用保険被保険者資格喪失確認通知書、雇用保険被保険者離職証明書（事業主控）、雇用保険被保険者休業開始時賃金月額証明書（事業主控）、育児休業給付受給資格確認票・（初回）育児休業給付金支給申請書、介護休業給付金申請書、雇用保険被保険者氏名変更届受理通知書		従業員の退職・解雇・死亡の日
3年	賃金台帳、労働者名簿、出勤簿		従業員の退職・解雇・死亡の日
	雇い入れに関する書類	契約書、労働条件通知書、履歴書、身元引受書	
	解雇・退職に関する書類	解雇通知書控え、解雇予告手当または退職手当の受領書、退職届	
	労災保険に関する書類	労働者災害補償保険特別加入申請書、各種給付請求書、領収書、診断書、補償金支払請求書、保証金受領書、死亡診断書	
	賃金その他労働関係に関する重要な書類	賃金決定関係書類、昇給・減給関係書類、労使協定書、タイムカード、残業命令書、残業報告書	
	年次有給休暇管理簿		休暇期間の満了日
2年	健康保険・厚生年金保険に関する書類	被保険者資格取得確認通知書、被保険者資格喪失確認通知書、標準報酬月額決定通知書、標準報酬月額改定通知書	従業員の退職・解雇・死亡の日
	雇用保険に関する書類	適用事業所設置届、事業主各種変更届、被保険者関係届出事務等代理人選任・解任届	

05 印鑑・電子印鑑の種類と押印のルール

| 頻度 | ― | 対象 | ― | 時期 | ― |

POINT

- 印鑑には代表者印、銀行印、角印などの種類がある
- 電子印鑑は代表者印として利用できない

印鑑の種類、押印のルールを理解する

2020年に行政手続きの押印廃止を公表し、社会保険関係の手続きなどでは押印が不要になりましたが、法人登記などでは実印や代表者印が必要です。民間企業の契約書などでも押印が必要とされる場面はまだ多いでしょう。

印鑑にはいくつか種類があり、用途が異なります。

代表者印（会社実印）は、法務局に届けた正式な印鑑で、法人登記の手続きや契約書の締結時に使用します。契約書では、代表者印があることで契約成立の有効性をより強く証明すること

ができます。

銀行印は、金融機関に届け出た印鑑で、窓口での払い出しや小切手・手形の発行の際に使います。代表者印と同一のものでもかまいません。

角印（社印、社判）は、見積書や請求書を発行する際など、会社の認印として重要度の低い書類に使用します。

ゴム印は社名や住所を自署する代わりに押印するものです。

押印には契印、割印、捨印、消印などのルールがあります。右ページを参考に、覚えておいてください。

電子印鑑に法的な効力はない

電子データでのやり取りが増えてきたことで、電子印鑑の使用頻度が高まってきています。電子印鑑は実際の印鑑を紙に押印したものをスキャナで読み込み、画像データにしたものです。

今後、電子データのやり取りが増えていくのは確実です。電子印鑑を用意していない場合は作成しておくことを

おすすめします。

ただし、電子印鑑に法的効力はないため、代表者印、銀行印としては利用できません。角印として利用することはできます。

最近は印影に日時情報を組み込むことが可能なサービスも登場していますが、認印程度の扱いと心得ましょう。

経理

人事

総務

印鑑の押し方

契印

契印書が複数枚になるときに、1つの契約書であることを証明するた

めに押印するもの。ホチキス留めの場合は全ページの見開き部分に、袋とじの場合は裏表紙と帯の継ぎ目の部分に押印する

割印

契約書の正本と副本、原本と写しなどの2枚の書類が、対であったことを証明するために両方にまたがって押印するもの。使用する印鑑は、署名捺印した印鑑と同じである必要はない

捨印

契約書などの内容に訂正が出た場合のために、前もって欄外に押印するもの。捨印を悪用される可能性もあるので、捨印を押印した場合は文書のコピーを取っておいたほうがいい

消印

収入印紙などの再使用を防ぐため、印紙と文書にまたがって押印するもの。認印でもよく、印鑑がなければサインでもOK。収入印紙の貼付は税法上のためなので、印紙や消

印なしでも契約書自体は有効と認められる

ONE 印鑑登録証明書の取得方法

　会社の設立時に、会社の代表者印とするハンコの印影を、事業所管轄の法務局（登記所）に届け出ると、実印として登録されます。この届出された実印であることを証明するのが、印鑑登録証明書（印鑑証明）です。印鑑登録証明書には、届け出た印鑑の印影のほか、本店所在地、商号、代表者の役職名・氏名、発行年月日などが記載されます。印鑑登録証明書は、法人口座の開設や金融機関への融資の申し込み、不動産の売買契約や所有権の移転登記などに、押印する印鑑が実印であることを証明するために提出を求められることがあります。

　印鑑登録証明書を取得するには、印鑑カードが必要になります。印鑑カードは、印鑑カード交付申請書を提出すると発行されるもので、もし申請を済ませていない場合は先に発行手続きを行いましょう。この印鑑カードと印鑑登録証明書交付申請書を最寄りの法務局に提出すると印鑑登録証明書が発行されます（手数料が450円かかります）。証明書発行請求機がある場合は印鑑カードのみで発行できます。なお、個人と違ってコンビニでは発行できません。申請者は会社代表者でなくてもかまいません。

06 マイナンバーの取り扱い

| 頻度 | ― | 対象 | ― | 時期 | ― |

POINT
- マイナンバーの利用目的は就業規則に記載しておく
- マイナンバーの流出を防ぐ体制をつくる

マイナンバー提出の際のポイント

源泉徴収票の作成や社会保険関係の手続き、市区町村に提出する給与支払報告書など、従業員のマイナンバーの記載が必要となる場合があります。そのため、会社は従業員のマイナンバーを収集しなければなりません。

マイナンバーの提出の際には、あらかじめ利用目的を明らかにし、その目的以外の利用はできません。たとえば、最初の利用目的の中に「介護休業給付金支給申請書への利用」が含まれていなければ、介護休業給付金の申請時に申請書にマイナンバーを勝手に記入できません。従業員への通知が必要になり

ります。その都度、通知をするのは面倒なので、就業規則にマイナンバーの利用目的を記載するようにしたほうがいいでしょう。

マイナンバーを提出してもらう際、従業員がマイナンバーカードを持っていれば、カードを提出してもらうだけでかまいません（コピー可）。マイナンバーカードを持っていない場合は、通知カードかマイナンバーが記載された住民票を提出してもらいます。このときは本人確認のために、免許証やパスポートなどの身分証明書も合わせて提出してもらいます。

マイナンバーは重大な個人情報であることを心得る

マイナンバーは重要な個人情報のため、慎重な取り扱いが求められます。管理するときは1カ所にまとめ、管理者と責任者を明確にし、マイナンバーを扱える担当者も限定する必要があります。従業員が退職するなどしてマイナンバーが不要になったら、速やかに

廃棄しなければなりません。

マイナンバーの外部への流出は大ごとであり、会社へのダメージは計り知れません。厳格な社内ルールを策定するとともに、流出がないかを責任者が定期的にチェックするなどの体制をつくりましょう。

経理

人事

総務

 **マイナンバーの取得から廃棄まで**

マイナンバーの収集

利用目的の明示
何のためにマイナンバーを使うのかを明確にして周知しなければならない

本人確認の徹底
マイナンバーカードを持っていない従業員については、免許証やパスポートなどで本人確認を行わなければならない

マイナンバーの利用

法律内で利用
法律で定められた範囲内で利用する。外部に委託する場合は、業務委託契約を結ぶ

履歴の管理
マイナンバーを使ったときは、どの書類に使ったのか利用記録をつけ、管理する

マイナンバーの管理

安全管理措置の実施
情報を漏えいさせないための措置を行わなければならない。ガイドラインを参考にするとよい（下図参照）

取扱規程の策定
マイナンバーを扱う担当者を限定し、保管場所を定める。そのほか、収集・利用・保管・廃棄について、処理方法を規定する

マイナンバーの廃棄

速やかに廃棄
必要のなくなったマイナンバーは即刻廃棄する。外部に委託する場合は廃棄証明書を必ずもらう

> 従業員が100人超の会社では、取扱規程の策定は法律上の義務。100人以下の会社も、特定個人情報等の取り扱いを明確化しなければならない

● **安全管理措置のルール**

組織的 安全管理措置
- 責任の所在、担当者と取り扱い範囲を決める
- 取り扱い状況を記録する
- 情報流出した際の初動対策を決める

> 責任者や監督者、業務フローを増やしすぎない

人的 安全管理措置
- マイナンバー管理に携わる従業員に対し、必要かつ適切な監督と教育を行わなければならない

物理的 安全管理措置
- マイナンバーを取り扱う区域の管理
- データの暗号化やパスワードによる保護を行う
- マイナンバーを管理するパソコン等の盗難防止策を行う

技術的 安全管理措置
- 取り扱い端末やアクセス権限を限定するなど、アクセス制御を行う
- アクセス者を識別・認証する
- 不正アクセスを防止する仕組みを導入する

07 個人情報・パスワードの取り扱い

| 頻度 | ― | 対象 | ― | 時期 | ― |

POINT

- 個人情報は個人情報保護法に基づいて管理する
- 社内規程にパスワードの管理に関する項目を定める

個人情報は法律に基づいて管理する

会社は従業員の個人情報を取得しています。氏名や住所はもちろん、保険者番号や免許証番号、健康診断の検査結果、家族構成、学歴、収入など、多くの個人情報が会社に保管されています。従業員だけでなく、取引先や顧客の情報も個人情報です。会社はこうした情報を、個人情報保護法に基づいて厳格に管理しなければなりません。

個人情報の管理で大切なのは、まずはセキュリティの強化です。従業員の誰もが個人情報にアクセスできる状態であれば、情報漏えいのリスクは当然高まります。誰がどの情報にアクセスできるのかを明確に定め、責任者を決めます。また、個人情報にアクセスできる部屋への入退室の管理を徹底するなど、社内規程も整備します。

そして、何より大切なのが、経営層を含む全従業員のコンプライアンス意識です。個人情報に関する教育や啓発を行い、個人情報保護に対する意識を高めていきましょう。従業員との間に、秘密保持契約を締結する会社さえありますが、意識を高めてもらうには有効な方法ともいえます。

パスワードの管理は社内規定で定める

会社では日常的に多くの情報端末やクラウドサービスなどを利用します。そこには個人情報や会社にとって重要な情報も含まれており、多くの場合がパスワードで管理されています。

パスワード管理で重要なのは、使い回さないこと、単純な文字列を使わないことです。また、各従業員が好きにパスワードを管理していると、万が一、本人が事故に遭った、パスワードを忘れてしまった場合にアクセスできなくなってしまいます。社内規程を設け、会社で管理しましょう。

なお、退職者のID・パスワードは速やかに変更・削除し、本人がアクセスできないようにします。

経理
人事
総務

📌 個人情報の漏えいの原因

● 原因別事故報告の状況

| 誤送付 63.6% | その他漏えい 18.7% | 紛失 12.5% | その他 4.7% |

盗難 0.6%

● 誤送付の内訳

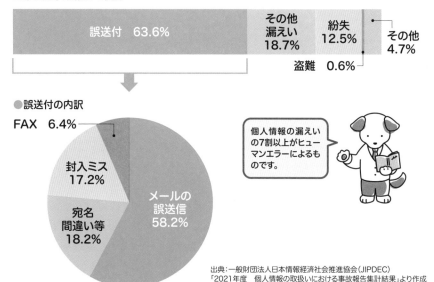

FAX 6.4%
封入ミス 17.2%
宛名間違い等 18.2%
メールの誤送信 58.2%

> 個人情報の漏えいの7割以上がヒューマンエラーによるものです。

出典:一般財団法人日本情報経済社会推進協会(JIPDEC)
「2021年度　個人情報の取扱いにおける事故報告集計結果」より作成

📌 個人情報保護のために会社が守るべきルール

ルール 1　個人情報を取得・利用するとき

個人情報を取得する際は、利用目的を明らかにし、利用目的を具体的に示す必要がある。取得後に利用目的を変更する場合は、変更前の利用目的と関連性を有すると合理的に認められる範囲でなければならない。また、本人への通知または公表が必要

ルール 2　個人情報を保管するとき

会社は、個人情報(紙・電子データともに)を取り扱うための体制を整えるとともに、個人情報を扱う従業員の教育を行う義務を負う。不正アクセスに対しても十分な予防措置を行わなければならず、セキュリティレベルの高いサービスやツールを選ぶことが重要となる

ルール 3　個人情報を他人に渡すとき

第三者に個人情報を渡す場合、原則として本人の同意が必要となる。書面による同意は必要ないが、トラブル防止のために書面での明示が望ましい。個人情報を外部委託する場合は、個人データの安全管理が図られるよう、委託者へ必要かつ適切な監督を行う義務がある

ルール 4　本人から個人情報の開示を求められたとき

本人から開示請求があった場合は、保有している個人情報の開示、訂正、利用停止などに対応しなければならない。個人情報の利用停止や消去などを請求しやすくするため、情報漏えいが発覚したときは、個人情報保護委員会に報告しなければならない

08 就業規則・雇用契約書の取り扱い

頻度	―	対象	―	時期	―

POINT

- 就業規則は10人以上雇っている事業所では作成義務がある
- 就業規則はつくりっぱなしではなく定期的に見直す

就業規則の役割と作成・届出

従業員の労働条件について記したものとして、就業規則、雇用契約書(労働契約書)、労働基準法などがあります。この3つがどのように関連し合っているのかを説明します。

就業規則は、すべての従業員が守るべき会社のルールや、賃金や労働時間など労働条件を定めた規則のことです。会社が独自に作成するものですが、労働基準法により、常時10人以上(パートやアルバイトなども含む)を雇用する事業場は作成を義務づけられています。事業場とは、支社、営業所、店舗、工場など、同一の住所で独立した組織として業務を行っている場所のことです。会社単位ではないことに注意してください。

法律上義務のない、従業員が10人未満の事業場も、トラブルに備えて作成することをおすすめします。

就業規則の作成にあたっては、必ず記載すべき項目(絶対的必要記載事項)と、事業場によっては記載しなければならない項目(相対的必要記載事項)が決められています(右ページ参照)。

就業規則を作成したら、労働者の過半数で組織する労働組合または従業員の過半数を代表する者の意見書を添付したうえで、管轄の労働基準監督署に届け出ます。届出後は、就業規則を従業員に配布するか、事業所内の見やすい位置に提示する、または備えつけるなどして、従業員に周知する義務があります。

雇用契約書は法律上の作成義務はない

雇用契約書と労働契約書は、どちらも労働条件について記したものです。厳密にいえば両者は別物ですが、内容的にはほとんど同じですので、本項では区別せず、雇用契約書として説明します。従業員を雇い入れる際、会社は

経理

人事

総務

📌 労働基準法などの優先順位

労働基準法	>	労働協約	>	就業規則	>	雇用契約書

そのほか会社法や労働契約法などの法律も含む

会社と労働組合が締結した取り決め

従業員にとって条件のいいほうが優先される

📌 就業規則に記載すべき項目

種別		内容
絶対的記載事項	労働時間関係	・始業および就業の時刻 ・休憩時間の有無とその時間 ・休日の有無、有給休暇などの取得方法 ・交代勤務を行う場合の期日や順序
	賃金関係	・適用範囲（正社員のみか、パートも含むか、など） ・賃金の構成（基本給・各種手当など） ・基本給・各種手当の金額の計算方法 ・時間外、休日、深夜などの割増賃金の計算方法 ・給与から控除するもの ・遅刻、早退、欠勤、中途入退社時の計算方法 ・支払いの方法 ・賃金の締め日と支払い日 ・昇給や定期昇給の条件など、昇給に関する事項
	退職関係	・退職、解雇、定年の事由 ・退職、解雇、定年の手続き方法

絶対的記載事項は、就業規則を作成する場合に、必ず記載しなければならない

種別		内容
相対的記載事項	退職手当関係	・適用範囲 ・退職手当の決定 ・退職手当の計算方法、支払い方法 ・支払いの時期
	臨時の賃金・最低賃金	・賞与の支給月 ・賞与の評価期間、評価方法 ・賞与の対象者 ・事業所で定めた最低賃金
	費用負担関係	・食費や作業用品などの負担に関する事項
	安全衛生に関する事項	
	職業訓練に関する事項	
	災害補償、業務外の疾病扶助に関する事項	
	表彰、制裁に関する事項	
	その他、全労働者に適用される事項	

相対的記載事項は、会社に該当するルールがある場合に限り、記載しなければならない

労働条件通知書の交付が義務づけられ
ていますが（150ページ）、同時に雇
用契約書を締結する場合もあります。

雇用契約書は法律上の義務ではありま
せんが、双方が労働条件について合意
したことの証になります。

就業規則と労働契約書の優先順位

　雇用契約書は就業規則の内容にした
がって作成します。もし雇用契約書と
就業規則とで内容が異なっている場合
は、従業員にとって有利なほうが優先
されます。

　たとえば、就業規則では毎年賞与を
支給すると定められていて、雇用契約
書では賞与に関する記載がない場合、
賞与は必ず支給しなければなりません。
反対に、就業規則で賞与についての記
載がなく、雇用契約書で支給の記載が
ある場合は、雇用契約書の定めが優先

されます。

　もちろん、就業規則や雇用契約書よ
りも、労働基準法などの法律が常に優
先されることはいうまでもありません。
また、労働協約（労働組合と使用者が
労働条件などで合意した取り決めを書
面にしたもの）が就業規則や雇用契約
書より優先されます。

　つまり、優先順位の高い順に並べる
と、①労働基準法、②労働協約、③就
業規則または雇用契約書（従業員にと
って有利なほう）となります。

就業規則は定期的な見直しが必要

　就業規則は作成して放置しておくと、
時代に合わないものになってしまいま
す。押印廃止の風潮やリモートワーク
に関する規程、情報保護に対するセキ
ュリティの問題など、就業規則は常に
アップデートしていく必要があります。
法律の改正のタイミングなどで見直す
ようにしましょう。

　また、パートやアルバイトを雇って
いる場合は、正社員用とパート用で就
業規則を別につくったほうがいいでし
ょう。同一の場合、正社員と同じ待遇
でパートやアルバイトも雇わなくては
ならなくなります。

　就業規則を改定したら、雇用契約書
も見直しましょう。

経理

人事

総務

🖈 雇用契約書の例

正社員、パートタイマー、アルバイトなど、雇用形態を明記し、業務内容を記載する

POINT
雇用期間が決まっている場合は、「●年●月●日から●年●月●日まで」と具体的な年月日を明記する。期間が決まっていない場合は「期間の定めなし」と記入

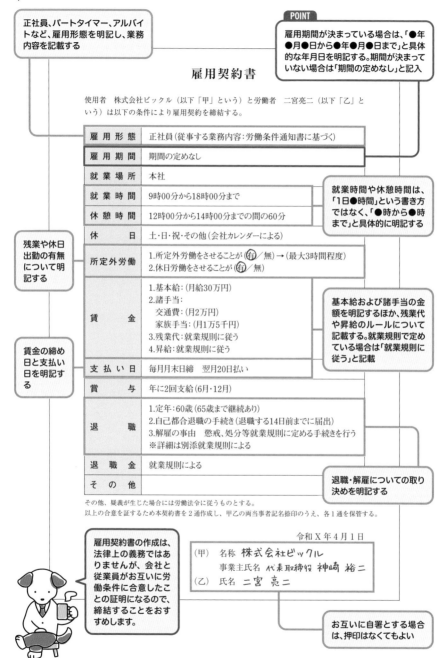

雇用契約書

使用者　株式会社ビックル（以下「甲」という）と労働者　二宮亮二（以下「乙」という）は以下の条件により雇用契約を締結する。

雇 用 形 態	正社員（従事する業務内容：労働条件通知書に基づく）
雇 用 期 間	期間の定めなし
就 業 場 所	本社
就 業 時 間	9時00分から18時00分まで
休 憩 時 間	12時00分から14時00分までの間の60分
休 日	土・日・祝・その他（会社カレンダーによる）
所定外労働	1.所定外労働をさせることが（有）／無）→（最大3時間程度） 2.休日労働をさせることが（有）／無）
賃 金	1.基本給（月給30万円） 2.諸手当： 　交通費：（月2万円） 　家族手当：（月1万5千円） 3.残業代：就業規則に従う 4.昇給：就業規則に従う
支 払 い 日	毎月月末日締　翌月20日払い
賞 与	年に2回支給（6月・12月）
退 職	1.定年：60歳（65歳まで継続あり） 2.自己都合退職の手続き（退職する14日前までに届出） 3.解雇の事由　懲戒、処分等就業規則に定める手続きを行う ※詳細は別添就業規則による
退 職 金	就業規則による
そ の 他	

その他、疑義が生じた場合には労働法令に従うものとする。
以上の合意を証するため本契約書を2通作成し、甲乙の両当事者記名捺印のうえ、各1通を保管する。

令和X年4月1日
（甲）　名称　**株式会社ビックル**
　　　　事業主氏名　代表取締役　神崎 裕二
（乙）　氏名　二宮 亮二

就業時間や休憩時間は、「1日●時間」という書き方ではなく、「●時から●時まで」と具体的に明記する

残業や休日出勤の有無について明記する

基本給および諸手当の金額を明記するほか、残業代や昇給のルールについて記載する。就業規則で定めている場合は「就業規則に従う」と記載

賃金の締め日と支払い日を明記する

退職・解雇についての取り決めを明記する

雇用契約書の作成は、法律上の義務ではありませんが、会社と従業員がお互いに労働条件に合意したことの証明になるので、締結することをおすすめします。

お互いに自署とする場合は、押印はなくてもよい

契約・登録にも
税金がかかる

印紙税を支払う必要がある文書とは

事業活動をしていると、さまざまな場面で税金を支払わなければなりません。印紙税と登録免許税も、そんな税金のひとつです。

印紙税とは、契約書や有価証券、領収証（受取書）など、印紙税法で定められた文書を作成した際にかかる税金です。印紙税を支払わなければならない文書のことを課税文書といいます。

課税文書は原則として、金銭のやり取りに関わるものですが、すべての契約書や領収証に税金がかかるわけではありません。たとえば、領収証の場合、記載された受け取り金額が5万円未満であれば非課税となりますし、契約金額が1万円未満の請負契約書も非課税です。

そのほか、電子文書で発行した領収証や電子契約書は、金額の多寡にかかわらず、印紙税はかかりません。また、クレジットカードで支払った場合は、領収証の金額が5万円以上でも非課税です。

印紙税は、通常の税金とは違い、収入印紙を文書に貼付することで納税します。税額は文書の種類や受け取り金額、契約金額によって異なります。収入印紙を貼ったら消印を押します。消印がないと納税したことにはなりません。

課税文書に収入印紙を貼り忘れていたり金額が不足していたりすると、過怠税として印紙税の2倍の金額を支払うことになります。契約書や領収証を作成したときは、印紙税が必要かどうかを確認しましょう。

登記や免許を申請するときには登録免許税が必要

登録免許税とは、不動産登記や会社の商業登記などの登録や免許を申請する際に課せられる税金です。印紙税と同様に、登録免許税も収入印紙を申請書に貼って納税します。オンライン登記を行う場合はインターネットバンキングなどの電子納付も可能ですが、事前に金融機関で手続きが必要になることもあるので確認しておきましょう。

税額は登記や免許の種類、金額で異なります。たとえば、株式会社設立登記では、資本金額×0.7％と15万円のどちらか高いほうが税額となります。

第 2 章

給与計算の
基本をおさえる

給与計算は、従業員の生活に直結する仕事です。一方で、社会保険料や労働保険料、税金を納めるための業務でもあります。そのため、正確さが何より大切な仕事といえます。1つのミスが重大なミスにつながる仕事なので、給与計算に必要な知識をしっかり身につけましょう。

01 給与計算の3つの要素を知ろう

| 頻度 | ー | 対象 | ー | 時期 | ー |

POINT
- 支給項目の基礎となるのが勤怠項目
- 3つの要素を集計して差引支給額を計算する

給与には3つの要素がある

給与は、基本給に通勤手当などの各種手当を足し、社会保険料や税金などを差し引いて支給されます。

これらの詳細を記したものが給与支払明細書です。給与支払明細書の発行は法律上、特に決まりはありませんが、通常は毎月発行し、給与支払い日に従業員に渡されます。

そして、給与支払明細書に欠かせないのが、①勤怠項目・②支給項目・③控除項目の3つです。この3要素について解説していきます。

勤怠項目は労働時間を確認する項目

①の勤怠項目は一般的に、出勤日数や欠勤日数、遅刻や早退時間、有給休暇日数、時間外労働時間（残業時間）など、毎月の給与の基礎となる労働時間のことです。

給与の支払いには「**ノーワーク・ノーペイの原則**」というものがあり、欠勤や早退・遅刻で仕事をしなかった日や時間については、賃金は発生しないというのがルールです。勤怠項目は、この原則にしたがって、各従業員の当該月の労働時間を確認する部分になります。

基本給と各種手当を確認する支給項目

②の支給項目は、従業員に支払う項目です。基本給のほか、各種手当を記載します。手当の内容や金額、名称については会社ごとに異なります。たとえば、同じ内容の手当でも、家族手当のことを扶養手当、役職手当のことを管理職手当と呼ぶ会社もあります。時間外手当や通勤手当も支給項目に含まれます。基本給と各種手当を集計したものが総支給額になります。

Keyword *ノーワーク・ノーペイの原則* 従業員が働いていない時間は、賃金の支払い義務が発生しないこと。労働契約上、働くことになっている時間帯に従業員の都合で欠勤・早退・遅刻した場合に適用される。

経理
人事
総務

📌 給与支払明細書と給与の"3要素"

給与支払明細書

株式会社○○○○
202X年○月度

社員番号：
氏名：

❶ 勤怠

	就業日数	出勤日数	労働時間	欠勤日数	休日出勤日数	有休消化日数
	20	20	160			
	平日普通残業	平日深夜残業			遅刻早退時間	有給残日数
	8					

❷ 支給

	基本給	役職手当	資格手当	住宅手当	家族手当	
	308,000		10,000			
	通勤手当	残業手当	深夜勤務手当	法定休日手当		総支給額
		34,454				352,454

❸ 控除

	健康保険	厚生年金保険	厚生年金基金	介護保険	雇用保険	社会保険合計
	15,542	34,770		345	2,097	
	所得税	住民税	税額合計	共済費	財形貯蓄	総控除額
	7,490	27,800				91,157

❹ 差引支給額　261,297

給与明細は大きく分けて「勤怠項目」「支給項目」「控除項目」の3つの項目が記載されています。給与明細に決まったフォーマットはないので、会社が独自に用意します。

❶ 勤怠項目	出勤日数や欠勤日数、労働時間、残業時間など、給与締め日までの1カ月間のうちの労働日数や労働時間を記載する項目
❷ 支給項目	基本給と各種手当を集計。残業手当（時間外労働手当）、深夜労働手当、法定休日手当以外の手当に支給義務はなく、会社が独自に設定する
❸ 控除項目	支給項目の「総支給額」から天引きされる金額を集計。社会保険料と税金は法律で天引きが義務づけられている。そのほかは労使協定などで決める
❹ 差引支給額	総支給額から総控除額を差し引いた金額。これが手取り額となる

毎月の給与から差し引かれる控除項目

③の控除項目は、総支給額から差し引かれる項目を記したものです。健康保険、厚生年金保険、介護保険、雇用保険といった社会保険料や、所得税、住民税といった税金のほか、**財形貯蓄**や労働組合費など会社が独自に決めている控除があれば記載されます。

財形貯蓄や労働組合費などを控除項目とする場合は、会社と従業員の代表者があらかじめ**労使協定**を結ぶ必要があります。ただし、労使協定さえ結べばなんでも控除項目にできるわけではありません。たとえば、社宅費や団体加入生命保険料を控除項目にするのは

合理的な理由がありますが、社内預金を強制するようなものは控除として認められません。

法律で給与からの天引きが定められている社会保険や税金を「法定控除」、財形貯蓄など労使協定で取り決めたものを「協定控除」といいます。法定控除はどの会社でも同じですが、協定控除は会社によって異なります。自社の協定控除を確認しておきましょう。

前ページで説明した総支給額から控除項目の合計額を差し引いたものが差引支給額で、これが従業員に実際に支払われる手取り額となります。

前月の支給・控除項目から変更がないかを確認

支給項目には、所定内賃金と所定外賃金があります。

所定内賃金とは、会社が決めた通常の労働時間（所定労働時間）内の労働に対して支払われる賃金のことです。一般的には毎月固定で支払われるもので、基本給のほか、通勤手当や役職手当などの各種手当です。資格手当や技能手当などの仕事給手当も、所定内賃金に含まれます。

所定外賃金とは、会社が決めた通常

の労働時間（所定労働時間）外の労働に対して支払われる賃金のことです。時間外手当（残業手当）や休日労働手当、深夜勤務手当などがこれに当たり、基本的に毎月額が変動します。

給与の計算で大切なのは、自社の給与システムがどのような構造になっているかを把握することです。特に、基本給以外の各種手当として、どのようなものがあるのかを確認しましょう。

経理

人事

総務

Keyword **財形貯蓄** 会社員が加入できる積立制度の一つ。正式には勤労者財産形成貯蓄という。
労使協定 労働者と使用者との間で結ぶ特定の合意のこと。書面で締結する。

📌 代表的な手当の例

役職手当	役職に応じて支払われる手当
資格手当	会社が定める資格を保有している場合や、取得した場合に支払われる手当
住宅手当	住宅費用を補助する手当
家族手当	配偶者や子どもなどの扶養家族がいる場合に支払われる手当
地域手当	物価が高い地域や離島などの不便な地域、光熱費がかさむ寒冷地域などで勤務している場合に支払われる手当
出張手当	出張した期間や移動距離に応じて支払われる手当
皆勤手当	特定の期間中に欠勤がなかった場合に支払われる手当

時間外労働手当などの法定手当以外は、支給が義務づけられていません。手当の内容や金額は会社によって異なるため、どのような手当を設けているかを確認しましょう。

📌 主な控除項目

法定控除	社会保険料	健康保険料	病気・けがの治療などにかかる医療費に備えて毎月支払う社会保険のこと
		厚生年金保険料	会社員や公務員が入っている公的な年金。健康保険料と合わせて天引きされる
		介護保険料	高齢者の介護を支えるための社会保険。満40歳になった月から自動的に加入する
		雇用保険料	失業や育児休業に備えて加入している保険
	税金	所得税	課税所得に対して国に支払う税金のこと。「源泉所得税」として毎月天引きされる
		住民税	前年の課税所得に対して地方自治体に支払う税金。都道府県税と市区町村税の2種類があり、合わせて徴収される
協定控除	会社独自の控除		財形貯蓄や積立金、社宅費、団体加入生命保険料など、会社が独自に設定するもの。会社独自の控除をする場合は、労使協定を結ばなければならない

協定控除は各会社で異なります。控除内容を確認しましょう。

02 賃金支払いの5原則を確認しよう

| 頻度 | － | 対象 | － | 時期 | － |

POINT

- 給与の支払い方には法律で決められたルールがある
- 原則にも例外はある

給与の支払い方は法律で決められている

給与の支払い方については、**労働基準法**で5つのルールが定められています。一般に「賃金支払いの5原則」と呼ばれるものです。

法律で決められているので、守ることが原則ですが、適用しづらいケースもあります。その場合の対処法も合わせて、順に見ていきましょう。

給与を支払う際の5つの原則を理解する

①通貨かつ現金で支払う

通貨とは、国内で通用する貨幣のことです。外国通貨や小切手などでの支払いは認められません。外国人労働者を雇っている場合も、その従業員の母国の通貨で支払うことはできず、日本円で支払う必要があります。

現在は金融機関への振込が主流ですが、法律上は現金払いが原則です。そのため、給与を振込で支払う際には、本人に同意を取らなければならないとされています。また、振込先は本人が指定した本人名義の口座でなければなりません。

②直接本人に支払う

賃金は、労働者に直接支払う必要があります。たとえ、委任状を持った親権者や法定代理人であってもダメです。

③全額を支払う

給与の一部を来月に繰り越したり、賞与に組み込んで支払ったりすることはできません。

④毎月1回以上支払う

最低でも月に1回というルールなので、月2回払いや週払い、日払いは可能です。年俸制だからといって、年に1回という支払い方はできません。

⑤一定期日に支払う

「毎月第4金曜日に支払う」とか、「10日もしくは20日に支払う」といった支給日が不明確な方法は不可です。ただし、月末払いは許されています。

Keyword **労働基準法** 賃金や残業時間、休憩時間、休日など、最低限の労働条件について定めた法律。改正されることもあるので、経理・人事・総務担当者は常にチェックしておかなければならない。

経理

人事

総務

賃金支払いの5原則とは？

原則 1 現金かつ通貨で支払う

✕ 外国通貨で支払う
✕ 現物で支払う

例外 ・本人の同意があれば口座振込も可
・通勤手当を定期券で支払う

原則 2 直接本人に支払う

✕ 親や子どもなど代理人に支払う

例外 ・本人が入院しているなど、やむを得ない事情があるときは、使者への支払いは可

原則 3 全額を支払う

✕ 分割で支払う
✕ 一部を賞与に組み込む

例外 ・法令で定められている社会保険料と税金の控除は可
・労使協定に基づく財形貯蓄の天引きなど

原則 4 毎月1回以上支払う

✕ 年俸を一括で支払う
✕ 翌月に2カ月分をまとめて支払う

例外 ・賞与、臨時の手当、報奨金など

原則 5 一定期日に支払う

✕ 「第2金曜日支払い」などは不可

例外 ・毎月末日払いは可
・支払い日が休日の場合、直前の営業日に支払う

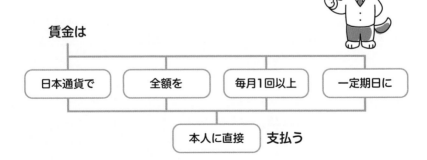

賃金は

| 日本通貨で | 全額を | 毎月1回以上 | 一定期日に |

本人に直接 支払う

03 労働時間と休日に関する基礎知識

| 頻度 | ― | 対象 | ― | 時期 | ― |

POINT
● 労働時間は法律で最低限の時間が決められている
● 休日も法律で厳密に決められている

法定労働時間と所定労働時間は違う

労働基準法により、労働時間は原則として1日8時間まで、週に40時間までと決められています。これを「法定労働時間」といい、法定労働時間以内であれば、従業員の労働時間は原則として会社が自由に定めることができます。

また、会社が決めた労働時間を「所定労働時間」といい、就業規則や雇用契約書に定めなければなりません。所定労働時間には休憩時間は含まれず、始業時間と終業時間を規定します。

休憩時間については、労働時間6時間超8時間未満の場合は45分以上、8時間を超える場合は1時間以上と決められています。

残業や休日出勤など、法定労働時間を超えた労働は時間外労働となります。会社が時間外労働を命じるには、事前に会社と従業員の間で36協定を結び、労働基準監督署に届け出ておく必要があります。36協定の締結・届出なしに、残業等を命じることはできません。また、時間外労働については、通常の賃金に上乗せして、割増賃金を支払うことが義務づけられています。

法定休日と所定休日の違いを知っておく

休日についても労働基準法で、1週間に1日もしくは4週間に4日と定められていて「法定休日」といいます。一方、会社が独自に設定した休日を「法定外休日」もしくは「所定休日」といいます。多くの会社が週休2日制を採用していますが、2日間の休みのうち、1日は法定休日、1日は所定休日（法定外休日）ということになります。また、一定の条件を満たした従業員には「年次有給休暇」を与える義務があるので、確認しておきましょう。

Keyword **36協定** 法定労働時間を超えて時間外労働や休日労働を従業員にさせる場合に締結する労使協定。正式には時間外・休日労働に関する協定という。

📌 法定労働時間と所定労働時間の違い

| 法定労働時間 | ➡ | 労働基準法で定められている、最低限守らなければならない | ➡ | 原則1日8時間、週40時間 |
| 所定労働時間 | ➡ | 就業規則によって会社が定めた労働時間 | ➡ | 法定労働時間を順守すれば自由に決められる |

法定労働時間を超えたら、割増賃金が発生します。

所定労働時間を超えても、法定労働時間以内であれば割増賃金は発生しません。

📌 法定休日と所定休日の違い

| 法定休日 | ➡ | 労働基準法で定められた最低限の休日 | ➡ | 1週間で1日、もしくは4週間に4日 |
| 所定休日
（法定外休日） | ➡ | 法定休日以外の、会社が独自に設定した休日 | ➡ | 会社が自由に設定できる |

法定休日のほかに、会社は「年次有給休暇」を与える義務があります（2-05参照）。

法定休日を与えなかった場合、6カ月以下の懲役または30万円以下の罰金が課される

週休2日制の会社の場合、どちらかの休日が法定休日で、もう一方の休日は所定休日になります。

所定休日に働いた場合でも、週の労働時間が40時間を超えていなければ、割増賃金は発生しない

04 36協定と割増賃金の関係を知っておこう

頻度	―		対象	―		時期	―

POINT
- 時間外労働を要請するためには36協定が必要
- 時間外労働や深夜労働、休日労働には割増賃金が発生する

割増賃金が発生する労働

前節で述べたように、法定時間外労働と法定休日労働には割増賃金が発生します。法定時間外労働と深夜労働は通常賃金の25％、法定休日労働は35％を最低でも賃金に上乗せして支払わなければなりません。

1カ月の法定時間外労働が60時間を超えた場合は、割増率が50％になります。あるいは、割増率を25％のままにして、引き上げ分の割増賃金の代わりに、代替休暇を付与することも

できます。該当する従業員が代替休暇を取らなかった場合は、50％分を支払わなければなりません。

法定時間外労働と深夜労働、法定休日労働と深夜労働は、条件が重なった場合は合算して支払うことになります。たとえば、法定労働時間を超えた労働が22時以降までおよんだら、割増率は50％になります（時間外労働が月60時間を超える場合は75％）。

残業と休日出勤には36協定が必要

法定時間外と法定休日に従業員に働いてもらうには、36協定を締結し、事前に労働基準監督署へ届け出る必要があります。

36協定は、法定時間外労働と法定休日労働について、会社と従業員の代表が取り決めた労使間の協定です。そのため、事業主や一定の権限を持つ管理職などには適用されません。

36協定を結んでも、時間外労働の上限は原則として月45時間以内、年360時間以内です。ただし、繁忙期や緊急の対応が必要になる職種や業種は、特別条項付き36協定（274ページ）を結ぶことで、上限時間を拡大できます。上限時間を拡大して時間外労働を要請できるのは、年6回までなので注意しましょう。

経理
人事
総務

Keyword **深夜労働** 午後10時から午前5時までの労働で、労働基準法によって定められている。深夜労働をさせる場合、会社は割増賃金を支払わなければならない。

📌 割増賃金が発生する労働

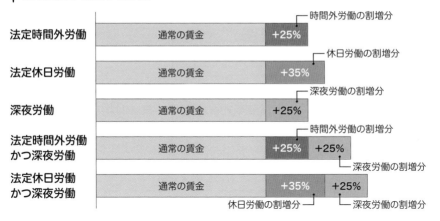

法定時間外労働	通常の賃金	+25%	時間外労働の割増分
法定休日労働	通常の賃金	+35%	休日労働の割増分
深夜労働	通常の賃金	+25%	深夜労働の割増分
法定時間外労働かつ深夜労働	通常の賃金	+25% +25%	時間外労働の割増分／深夜労働の割増分
法定休日労働かつ深夜労働	通常の賃金	+35% +25%	休日労働の割増分／深夜労働の割増分

📌 割増賃金の考え方

CASE❶ 所定労働時間が9:00〜17:00までの場合

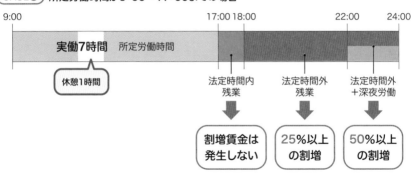

CASE❷ 法定休日に働いた場合

05 年次有給休暇を理解し、管理しよう

| 頻度 | 毎月 | 対象 | 従業員 | 時期 | ― |

POINT
- 一定の条件を満たした従業員には有給を付与しなければならない
- 有給をいつ取得するかは、原則として従業員の自由

契約社員やアルバイトも有給を取れる

労働基準法で、一定の条件を満たした従業員には「年次有給休暇」を与えなければならないとされています。年次有給休暇とは、会社から給与が支給される休暇のことです。一般には、「有給休暇」「有休」「有給」と省略して表記されることがあります（以降「有給休暇」）。

有給休暇の取得は、法律に定められた従業員の権利です。有給休暇は正社員だけでなく、契約社員やパートタイマーにも付与する必要があります。

有給休暇を付与する条件を確認しよう

有給休暇の取得条件は、入社してから6カ月以上継続して勤務し、雇用契約などで決められた労働日の8割以上に出勤していることが原則です。所定休日の出勤についてはカウントしないため、注意しましょう。

同条件に該当する従業員には、年間10日以上の有給休暇を付与しなければなりません。以降、継続勤務期間が1年増えるごとに1日ずつ、3年目以降は1年増えるごとに2日ずつ付与日数が増え、最大で年間20日の有給休暇を与える義務があります。

なお、パートタイマーなどは付与の条件が異なります。細かい条件等は右ページの表を参照してください。

有給休暇をいつ取得するかは従業員の自由です。ただし、事業の正常な運営を妨げると判断できる場合は、取得時期を変更するように従業員にお願いすることはできます。これを時季変更権といいますが、そのときは、代わりの取得時期を提案しましょう。

有給休暇取得の時効は2年間ですので、前年付与分の繰り越しを加えて最大で年間40日になります。

経理

人事

総務

Keyword **時季変更権** 会社が従業員の有給休暇の取得日を変更できる権利。事業の正常な運営を妨げる場合に限り行使できる。ただし、強制力はない。

📌 有給休暇の付与日数

●一般社員の付与日数（週の所定労働日数が5日以上、または所定労働時間が30時間以上）

継続勤務年数	6カ月	1年6カ月	2年6カ月	3年6カ月	4年6カ月	5年6カ月	6年6カ月以上
付与日数	10日	11日	12日	14日	16日	18日	20日

●パートタイマーなどの付与日数（週の所定労働日数が4日以下、または所定労働時間が30時間未満）

週の所定労働日数	1年間の所定労働日数	継続勤務年数						
		6カ月	1年6カ月	2年6カ月	3年6カ月	4年6カ月	5年6カ月	6年6カ月以上
4日	169～216日	7日	8日	9日	10日	12日	13日	15日
3日	121～168日	5日	6日	6日	8日	9日	10日	11日
2日	73～120日	3日	4日	4日	5日	6日	6日	7日
1日	48～72日	1日	2日	2日	2日	3日	3日	3日

📌 有給休暇の時効は2年（当年が6年6カ月以上勤務の人の例）

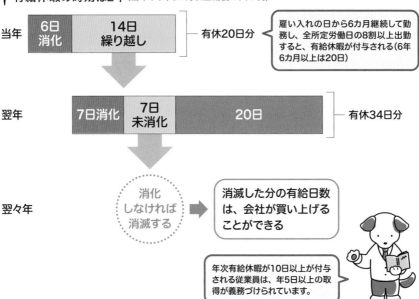

当年　6日消化　14日繰り越し　─ 有休20日分

雇い入れの日から6カ月継続して勤務し、全所定労働日の8割以上出勤すると、有給休暇が付与される（6年6カ月以上は20日）

翌年　7日消化　7日未消化　20日　─ 有休34日分

翌々年　消化しなければ消滅する　➡　消滅した分の有給日数は、会社が買い上げることができる

年次有給休暇が10日以上が付与される従業員は、年5以上の取得が義務づけられています。

06 労働時間を集計し 割増賃金を計算する

| 頻度 | 毎月 | 対象 | 従業員 | 時期 | ― |

POINT
- 割増賃金は基準内賃金をベースに計算する
- 基準内賃金から1時間あたりの基礎賃金を計算する

基準内賃金について確認する

給与を計算する際に必要となるのが、各従業員の労働時間です。多くの会社は、パートタイマーやアルバイトなどの時間給労働者を除く社員については、所定労働時間に対して毎月一定額の「基本給」を決めています。この基本給に加えて、各種手当のほか、時間外労働や深夜労働などの賃金（割増賃金を含む）を加えたものが、毎月の給与総額（賃金総額）となります。

割増賃金は、基本給と諸手当を加えた「基準内賃金」をベースに計算します。諸手当については労働基準法により、基準内賃金から除外できるものと、除外できないものがあります。さらに住宅手当・家族手当・通勤手当については、条件によって除外できる場合とできない場合があるので、注意が必要です。右ページの表で確認してください。

割増賃金のベースとなる基礎賃金を計算する

基準内賃金が確定したら、1時間あたりの**基礎賃金**を、以下の手順で計算します。

まず、年間の所定労働日数を数えてから年間の所定労働時間を算出し、1カ月の平均所定労働時間を出します。次に、1カ月の基準内賃金を1カ月の平均所定労働時間で割り、1時間あたりの基礎賃金を計算します。これが割増賃金の基礎となる時間単価となりま

す。時間単価は基本給や手当に変化がない限り、1年を通して同じ額を使用します。

割増賃金は、「1時間あたりの基礎賃金×対象となる労働時間×割増率」で計算します。割増率は労働基準法によって、労働の時間帯等によって最低ラインが決まっています。各会社の割増率は、就業規則に定められているので確認しましょう。

経理
人事
総務

Keyword **基礎賃金** 1時間あたりの賃金額のこと。基本給に各種手当を加えた合計額を所定労働時間数で割って算出する。

📌 基準内賃金からはずせる手当

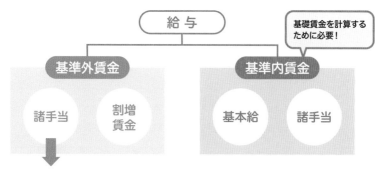

●基準内賃金からはずせる手当

手当の種類	基準内賃金からはずせる条件	基準内賃金からはずせない場合
家族手当(扶養手当)	扶養家族の人数に応じて支給されていること	扶養家族の人数に関係なく一律に支給されている
通勤手当	通勤距離などにしたがった実費で支給されていること	実際の通勤距離などに関係なく、定額を一律で支給している
別居手当（単身赴任手当）	無条件	単身赴任ではなく、単に独身者に支給している
子女教育手当	無条件	——
住宅手当	賃貸料や、持ち家の購入費・管理費用に応じて支払われている	社員全員に一律に支給、住宅の形態ごとに定額を支給している
臨時に支払われる手当	無条件	——
1カ月を超える期間ごとに支払われる手当	無条件	——

表に記載以外の手当は基準内賃金に含めて計算します。

●1時間あたりの基礎賃金の計算方法

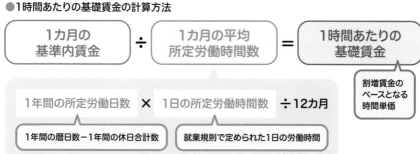

07 振替休日と代休の違いを確認し、管理する

| 頻度 | 毎月 | 対象 | 従業員 | 時期 | ― |

POINT
- 振替休日は同一週内であれば割増賃金は発生しない
- 代休は、休日労働後に休日をとるので割増賃金が発生する

振替休日と代休には大きな違いがある

法定休日や所定休日に働いた場合、従業員は代わりの休日として、「振替休日」もしくは「代休」をとることができます。

振替休日も代休も、休日に働いた代わりの休日である点では同じですが、両者は明確に定義や扱いが異なります。

振替休日となるのは、休日労働する前に、あらかじめ代わりに休む労働日が決まっている場合です。

一方、代休は、休日労働のあとで、その埋め合わせとして休む労働日を決めた場合をいいます。

休日労働のあと、事前に決めた振替休日は必ずとらなければなりませんが、代休は必ずしもとる必要がないものとなっています。

振替休日には割増賃金が発生しない

振替休日と代休では、給与計算も違ってきます。

振替休日は、労働日と休日を入れ替えるだけなので、休日に働いても休日労働には当たりません。したがって、割増賃金は原則発生しません。

ただし、振替休日でも、次のようなときは割増賃金が発生します。休日を同一週内ではなく、翌週の労働日と入れ替えたときです。この場合、翌週の労働時間が1日分増えることになりま

す。その結果、法定労働時間の40時間を超えると、超過分は時間外労働となり、割増賃金が発生します。

一方、代休は、休日労働をした時点では、代わりに休みをとるかどうかは未定です。したがって、休日労働をした日と代休を切り離して考えます。そのため、働いた日が法定休日なら35％以上、法定外休日なら1週間の労働時間が40時間超の場合、25％以上の割増賃金を加算して支払います。

Keyword 同一週　週の起算日は会社が任意で決めることができる。特に決まりがない場合は、起算日は日曜日となる。日曜日が起算日の場合、同一週の最終曜日は土曜日となる。

経理
人事
総務

📌 振替休日と代休の違い

項目	振替休日	代休
要件	・就業規則で規定されている ・4週で4日の休日を確保したうえで、振替休日を特定する ・会社が前日までに振替休日について本人に予告する ・暦日で与える（半日単位・時間単位は違反）	・制度として行う場合は、就業規則への記載が必要
日付の指定	・振替日を事前に指定する ・休日労働日より前に振替休日を指定することもできる	・休日労働をした後に代休日を指定する ・会社による指定でも、従業員の申請でもどちらでも可能
賃金	・休日労働日と振替休日が同一週であれば、割増賃金は発生しない ・同一週でない場合は、時間外労働として割増賃金が発生することもある ・振替休日には賃金は発生しない	・休日労働日に割増賃金が発生する ・休日に賃金が発生するかは、就業規則などの定めによる

> 休日をあらかじめ指定するかどうかが違う

> 割増賃金が発生するかどうかが大きな違い

📌 振替休日で割増賃金が発生するケース

CASE❶ 同一週内に振替休日をとる

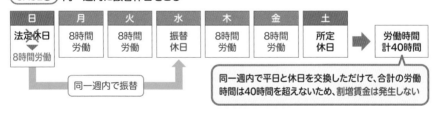

同一週内で平日と休日を交換しただけで、合計の労働時間は40時間を超えないため、割増賃金は発生しない

CASE❷ 翌週に振替休日をとる

翌週に振替休日をとると、1週目の労働時間が40時間を超えるため、超過分の割増賃金が発生する

08 遅刻・欠勤による減給と懲戒処分の減給の違い

| 頻度 | 毎月 | 対象 | 従業員 | 時期 | ― |

POINT
- 欠勤や遅刻、早退はその分を給与から差し引ける
- 懲戒処分をするためには就業規則への記載が必要

働かなかった分は支払わなくてよい

「ノーワーク・ノーペイの原則」（36ページ）により、遅刻や早退、所定休日や有給以外の欠勤については、その分を給与から差し引くことができます。これを「欠勤控除」もしくは「不就労控除」といいます。

欠勤控除は、無条件にはできません。差し引けるのは不就労の賃金分だけです。遅刻などであれば、1分単位で正確に計算する必要があります。また、どのようなケースで、どのように計算して差し引くのか、労働基準法では定めていません。各会社で就業規則や労働契約書に明記しておく必要があります。

病欠などの欠勤については、事後の届出により、有給扱いとすることを認めている会社もあります。就業規則などをよく確認しておきましょう。

欠勤控除の具体的な計算方法については、右ページを参照してください。なお、欠勤控除は非課税です。給与計算の際に、課税合計額を間違えないように注意しましょう。

無断欠勤が続けば懲戒処分できる

無断欠勤や遅刻の数が多い場合、会社は懲戒処分として減給処分を課すことができます。ただし、懲戒処分の規定が就業規則に明記されていることが条件です。

また、労働基準法により、1つの服務違反に対しての減給は1回のみ、減給額は1日の平均賃金の2分の1以内と定められています。複数の服務違反に対して一度に懲戒処分する場合には、月給あるいは一賃金支払い期における賃金総額に対して10分の1を超す減給は禁じられています。

懲戒処分で重いペナルティを科すことは難しいといえるでしょう。まずは本人に是正を促すことが大切です。

Keyword **懲戒処分** 従業員が就業規則や企業秩序に違反した場合に会社が科す処分のこと。戒告から懲戒解雇まで、処分の種類はいくつかあり、その種類と処分を科す理由を就業規則で定める。

📌 欠勤控除を計算する

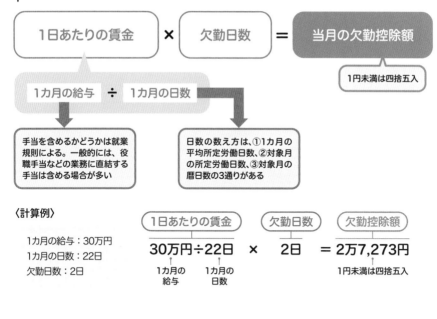

〈計算例〉

1カ月の給与：30万円
1カ月の日数：22日
欠勤日数：2日

1日あたりの賃金		欠勤日数		欠勤控除額
30万円÷22日	×	**2日**	=	**2万7,273円**
1カ月の　1カ月の 給与　　　日数				1円未満は四捨五入

📌 懲戒処分としての減給の注意点

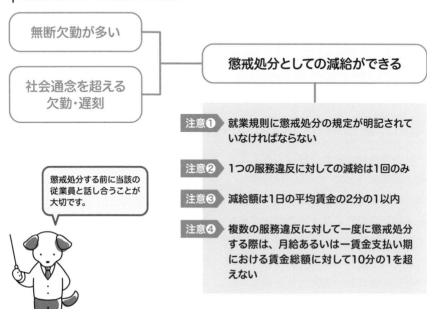

09 毎月控除する社会保険料と雇用保険料とは

| 頻度 | ― | 対象 | ― | 時期 | ― |

POINT

- 標準報酬月額は毎年見直す
- 雇用保険料は基本的に毎月計算する

社会保険料を決める標準報酬月額とは

毎月の給与からは社会保険料（健康保険料、厚生年金保険料、介護保険料）、雇用保険料が控除されます。

雇用保険以外の社会保険料の額は、各従業員の標準報酬月額によって変わります。標準報酬月額は、4〜6月の3カ月間の給与の総支給額の1カ月あたりの平均額（報酬月額）に基づいて決まります。標準報酬月額は9月〜翌年8月までの社会保険料の算定基準となります。報酬月額の変動に応じて、毎年見直す必要があります。

報酬月額を確認したら、従業員ごとに健康保険・厚生年金保険の保険料額表に報酬月額をあてはめ、該当する標準報酬等級の行を確認します。

なお、社会保険料は会社と従業員で折半することになっています。健康保険・厚生年金保険の保険料額表には折半額も記載されているので便利です。健康保険・厚生年金保険料額表は日本年金機構から送られてきますが、同機構のホームページにも準備されているので参照してください。

雇用保険料のしくみを知っておこう

社会保険料のほかに控除する法定控除が雇用保険料です。雇用保険料は、毎月の総支給額をもとに計算するため、基本的には毎月計算することになります。総支給額は時間外労働手当などによって毎月変わるからです。

雇用保険料は「毎月の賃金総額×雇用保険料率」で計算します。雇用保険料率は「一般の事業」「農林水産・清酒製造の事業」「建設の事業」の3種類があり、毎年4月1日に改定されます。社会保険料とは違って労使折半ではなく、前記の事業ごとに負担率が変わります。たとえば、一般事業の場合は労働者負担が0.6％、事業主負担が0.95％となっています（2023年4月現在）。

経理

人事

総務

Keyword **法定控除** 法律で差し引かれることが決められている控除のこと。健康保険、介護保険、厚生年金保険、雇用保険の各保険料と、所得税と住民税がこれにあたる。

📌 雇用保険、労災保険、子ども・子育て拠出金の保険料率(2023年度)

保険の種類	保険料率	労使の負担分	徴収年齢
雇用保険 (一般事業の場合)	1.55% (全国一律)	会社負担： 0.95% 従業員負担：0.6%	全年齢
労災保険	2.5/1000〜88/1000 (事業の種類によって異なる)	全額会社負担	全年齢
子ども・ 子育て拠出金	0.36% (全国一律)	全額会社負担	70歳未満

雇用保険は労使の負担割合が異なる

社会保険の保険料率については59ページに掲載してあります。

📌 雇用保険は事業によって保険料が異なる(2024年3月31日まで)

事業の種類	保険料率	会社負担	従業員負担
一般の事業	1.55%	0.95%	0.60%
農林水産・清酒製造の事業	1.75%	1.05%	0.70%
建設の事業	1.85%	1.15%	0.70%

下2つ以外の事業はすべて「一般の事業」となる

園芸サービス、牛馬の育成、酪農、養鶏、養豚、内水面養殖、特定の船員を雇用する事業については「一般の事業」の保険料率が適用される

雇用保険の保険料率は4月と10月に改定されることがあるので、最新の料率をチェックしましょう。

10 所得税・住民税を計算する

頻度	毎月	対象	役員・従業員	時期	―

POINT
- 所得税は扶養親族等の数で税額が変わる
- 住民税は各自治体からの通知に記された額を控除する

給与所得の源泉徴収税額表と照合して所得税を求める

毎月の給与からは社会保険料のほかに、所得税と住民税も控除されます。税金を給与や収入から天引きすることを源泉徴収といいます。所得税については、このほか2037年まで復興特別所得税も徴収します。

所得税は、その月の給与の総支給額から通勤手当などの非課税所得と社会保険料を差し引いた金額に課税されます。この金額を「課税対象額」といいます。非課税所得には通勤手当があり、ほかに宿直や日直の手当や出張の際に支給される手当などがあります。

続いて、課税対象額を給与所得の源泉徴収税額表と照合して、所得税額を出します。同表に記載の所得税額には、復興特別所得税も含まれているため、実際に税額を計算する必要はありません。なお、所得税は扶養親族等の数で税額が変わります。各従業員の扶養親族等の数を確認しましょう。扶養親族等の数は、年末調整時に従業員に提出してもらった給与所得者の扶養控除等（異動）申告書で確かめます。

住民税は自治体が計算して通知してくれる

住民税は、各従業員の住所地の自治体が前年1月1日～12月31日までの所得をもとに計算します。会社側で税額を計算する必要はありません。

徴収方法には本人が直接納付する「普通徴収」と、会社が給与から天引きして納付する「特別徴収」があります。会社の場合、特別徴収が原則です。

毎年5月頃、各自治体から特別徴収税額の決定・変更通知書が送られてきます。同通知書には6月から翌年5月までの住民税額が記載されており、記載どおりの金額を徴収するだけです。なお、新卒社員や前職のない従業員については、前年に所得がないため、徴収の開始は翌年6月からとなります。住民税は前年度の収入に対して課税されるので、産休や育休などの休業中でも、前年に収入があれば住民税を支払わなければなりません。

経理

人事

総務

所得税の計算時のチェックリスト

- ☐ 当月に扶養親族等に変更がないか
- ☐ 通勤手当など非課税所得を除いたか
- ☐ 通勤手当のうち課税通勤費はないか
- ☐ 当月の社会保険料に間違いはないか
- ☐ 社会保険料は正しく控除したか
- ☐ 課税対象額と扶養人数から源泉所得税を計算したか
- ☐ 扶養控除等（異動）申告書を未回収の従業員は乙欄で計算しているか
- ☐ 日雇い労働者がいる場合、日額表を用いて計算しているか

非課税となる手当等の例

通勤手当
非課税限度額（公共交通機関の場合は月15万円）の範囲内のもの

資格手当
業務に直接必要な資格のみ。建築業の一級建築士や不動産業の宅地建物取引士など

出張旅費
通常必要であると認められる範囲内のもの。必要以上に高額の場合は課税対象

宿直・日直手当
勤務1回につき4,000円まで

見舞金・祝金
支給を受ける者の地位等に照らして社会通念上相当と認められる範囲内のもの

社宅・寮費
1カ月あたり一定額以上の家賃を受け取っている場合

11 社会保険料・労働保険料を控除する

| 頻度 | 毎月 | 対象 | 役員・従業員 | 時期 | ― |

POINT

- 社会保険料、雇用保険料の従業員負担分の50銭以下の端数は切り捨てる
- 社会保険料の種類により徴収開始・終了の年齢があるので注意する

社会保険料で端数が出たときの対応

社会保険料（健康保険料、介護保険料、厚生年金保険料）は、毎月の給与から前月分の保険料を控除し、会社負担分と合わせて、その月の末日までに日本年金機構に納付します。たとえば、4月分の保険料の場合、5月の給与から天引きし、5月末日までに納付することになります。

社会保険料は労使折半が原則です。東京都を例にとると、健康保険料は保険料率が10％ですが（協会けんぽ）、5％ずつを会社と従業員が負担します。

折半して1円以下の端数が出た場合、従業員負担分は「50銭以下を切り捨て、50銭を超えたら切り上げて1円」として処理します。たとえば、折半額が5,395.5円だった場合、従業員負担分は0.5円を切り捨てて5,395円になります。このような処理をした結果、合計額が納付額と合わなくなってしまう場合は、端数処理による不足分は会社が負担します。

社会保険料は介護保険の有無で額が変わる

社会保険料は健康保険・厚生年金保険の保険料額表（標準報酬月額表）を使って計算します。手順は以下のとおりです。

通常は4〜6月の総支給額の平均である「報酬月額」を計算します。報酬月額には基本給のほか、残業手当や通勤手当など各種手当や、年4回以上支給される場合の賞与などが含まれます。一方、出張旅費や傷病手当、交際費、年3回までの賞与などは含みません。

報酬月額を計算したら、前出の標準報酬月額表に当てはめ、標準報酬月額を確認します。その行に記載されている健康保険料、厚生年金保険料が源泉徴収する保険料です。

なお、健康保険料については40歳以上65歳未満の従業員は介護保険料も発生するため、合わせて徴収します。同表の「介護保険第2号被保険者に該当する場合」の列に記載された保険料を徴収してください。

📌 健康保険・厚生年金保険の保険料額表の見方（協会けんぽ・東京都）

令和5年3月分（4月納付分）からの健康保険・厚生年金保険の保険料額表

- 健康保険料率：令和5年3月分〜 適用
- 介護保険料率：令和5年3月分〜 適用
- 厚生年金保険料率：平成29年9月分〜 適用
- 子ども・子育て拠出金率：令和2年4月分〜 適用

（東京都）　　　　　　　　　　　　　　　　　　　　　　　　　　　　　　　（単位：円）

標準報酬		報酬月額		全国健康保険協会管掌健康保険料				厚生年金保険料（厚生年金基金加入員を除く）	
				介護保険第2号被保険者に該当しない場合		介護保険第2号被保険者に該当する場合		一般、坑内員・船員	
等級	月額			10.00%		11.82%		18.300%※	
		円以上	円未満	全額	折半額	全額	折半額	全額	折半額
1	58,000	～	63,000	5,800.0	2,900.0	6,855.6	3,427.8		
2	68,000	63,000 ～	73,000	6,800.0	3,400.0	8,037.6	4,018.8		
3	78,000	73,000 ～	83,000	7,800.0	3,900.0	9,219.6	4,609.8		
4(1)	88,000	83,000 ～	93,000	8,800.0	4,400.0	10,401.6	5,200.8	16,104.00	8,052.00
5(2)	98,000	93,000 ～	101,000	9,800.0	4,900.0	11,583.6	5,791.8	17,934.00	8,967.00
6(3)	104,000	101,000 ～	107,000	10,400.0	5,200.0	12,292.8	6,146.4	19,032.00	9,516.00
7(4)	110,000	107,000 ～	114,000	11,000.0	5,500.0	13,002.0	6,501.0	20,130.00	10,065.00
8(5)	118,000	114,000 ～	122,000	11,800.0	5,900.0	13,947.6	6,973.8	21,594.00	10,797.00
9(6)	126,000	122,000 ～	130,000	12,600.0	6,300.0	14,893.2	7,446.6	23,058.00	11,529.00
10(7)	134,000	130,000 ～	138,000	13,400.0	6,700.0	15,838.8	7,919.4	24,522.00	12,261.00
11(8)	142,000	138,000 ～	146,000	14,200.0	7,100.0	16,784.4	8,392.2	25,986.00	12,993.00
12(9)	150,000	146,000 ～	155,000	15,000.0	7,500.0	17,730.0	8,865.0	27,450.00	13,725.00
13(10)	160,000	155,000 ～	165,000	16,000.0	8,000.0	18,912.0	9,456.0	29,280.00	14,640.00
14(11)	170,000	165,000 ～	175,000	17,000.0	8,500.0	20,094.0	10,047.0	31,110.00	15,555.00
15(12)	180,000	175,000 ～	185,000	18,000.0	9,000.0	21,276.0	10,638.0	32,940.00	16,470.00
16(13)	190,000	185,000 ～	195,000	19,000.0	9,500.0	22,458.0	11,229.0	34,770.00	17,385.00
17(14)	200,000	195,000 ～	210,000	20,000.0	10,000.0	23,640.0	11,820.0	36,600.00	18,300.00
18(15)	220,000	210,000 ～	230,000	22,000.0	11,000.0	26,004.0	13,002.0	40,260.00	20,130.00
19(16)	240,000	230,000 ～	250,000	24,000.0	12,000.0	28,368.0	14,184.0	43,920.00	21,960.00
20(17)	260,000	250,000 ～	270,000	26,000.0	13,000.0	30,732.0	15,366.0	47,580.00	23,790.00
21(18)	280,000	270,000 ～	290,000	28,000.0	14,000.0	33,096.0	16,548.0	51,240.00	25,620.00
22(19)	300,000	290,000 ～	310,000	30,000.0	15,000.0	35,460.0	17,730.0	54,900.00	27,450.00
23(20)	320,000	～	330,000	32,000.0	16,000.0	37,824.0	912.0	560.00	9,280.00

- 左の数字は健康保険料の等級、（　）内の数字は厚生年金保険料の等級
- 報酬月額が25万〜27万円の場合は、この行を見る
- 保険料率は都道府県ごとに変わる

●報酬月額とは？

報酬月額 ＝ 4月〜6月の総支給額の平均

各種手当や時間外賃金などを含む

📌 社会保険料の負担割合（2023年度、東京都の例）

保険の種類		保険料率	会社負担／本人負担	徴収年齢	保険料率の説明
社会保険	健康保険料（協会けんぽ）	10%	5%／5%	75歳未満	保険料率は都道府県によって異なる
	介護保険料（協会けんぽ）	1.82%	0.91%／0.91%	40〜64歳	保険料率は全国一律
	厚生年金保険料	18.3%	9.15%／9.15%	70歳未満	一般、坑内員・船員とも同じ保険料率に（2017年より）

標準報酬月額 ✕ **保険料率** ÷ 2 ＝ **給与から控除する保険料（本人負担分）**

報酬月額（4〜6月の平均給与）で決まる

…

報酬月額に含まれる給与：基本給、諸手当、通勤手当、残業代、賞与（年4回以上の場合）など

報酬月額に含まれない給与：退職金、祝い金、見舞金、賞与（年3回以下）、休業補償手当、傷病手当、出張費など

このほかに、社会保険ではなく税金ですが、会社の全額負担で「子ども・子育て拠出金」も加算して、厚生年金保険料と一緒に日本年金機構に納付する必要があります。納付額については

協会けんぽに所属している場合、毎月20日頃、日本年金機構から送られてくる保険料納入告知額・領収済額通知書に記載されています。納付期限は、告知書送付の当月末日です。

社会保険料の徴収の開始月と終了月

社会保険料は年齢によって徴収の開始月と終了月が異なります。その際、年齢は誕生日ではなく、年齢到達日が基準になります。年齢到達日とは、社会保険では原則、誕生日の前日のことです。たとえば、1日生まれの人は前月末日、2日生まれの人は当月1日が年齢到達日です。

40歳になった従業員は、介護保険の第2号被保険者として、介護保険料の支払い義務が年齢到達日の月から発生します。給与からの徴収はその翌月からです。

65歳になると、介護保険第2号被保険者の資格を年齢到達日の月に喪失します。その前月分まで保険料の支払い義務があるため、給与からの徴収は年齢到達日の月が最後となります。

70歳は厚生年金の被保険者の資格を喪失する年齢です。介護保険と同様に、誕生日の前日に資格を失います。健康保険料のみ引き続き徴収します。

75歳になると、健康保険の被保険者の資格を喪失し、後期高齢者医療の被保険者となります。ほかのケースと違い、資格喪失日は誕生日当日です。

雇用保険の改定と徴収開始月

会社は、従業員を1人でも雇っていれば、社会保険のほかに労働保険（雇用保険、労災保険）に加入しなければなりません。

雇用保険料は、会社と従業員がそれぞれ負担しますが（54ページ）、労災保険料は会社が全額負担します。

雇用保険料の従業員負担分の計算で端数が出る場合は、50銭以下を切り捨て、50銭超を切り上げ処理します。

なお、雇用保険料は賞与も対象で、

給与とは別に計算するので注意してください。

雇用保険料は通常、毎年4月1日に改定され、改定後、最初の締め日の給与分から徴収を開始します。締め日が20日で支払い日が翌月5日であれば、5月5日分の給与から徴収を開始します。

納付については、年に1回、雇用保険料と労災保険料をまとめて納めます。納付期日は毎年6月1日から7月10日の間です。

経理　人事　総務

📌 社会保険の対象年齢

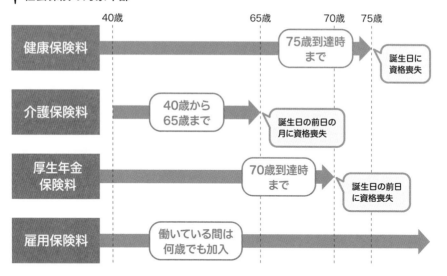

●資格喪失時に提出する書類

健康保険料➡健康保険被保険者資格喪失届（管轄する年金事務所に提出）

介護保険料➡届出不要

厚生年金保険料➡厚生年金保険70歳以上被用者該当届
　　　　　　　（該当者のみ、管轄する年金事務所に提出）

雇用保険料➡雇用保険被保険者資格喪失届（管轄するハローワークに提出）

📌 雇用保険料率改定後の徴収開始月

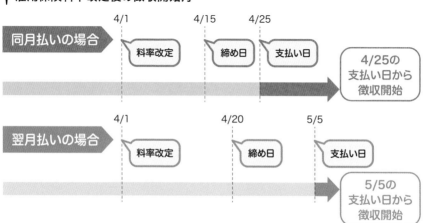

12 給与支払明細書・賃金台帳の作成と振込

| 頻度 | 毎月 | 対象 | 役員・従業員 | 時期 | ― |

POINT
- 給与を支給したら給与支払明細書を発行する
- 従業員への支払い状況をもとに賃金台帳を作成する

給与支払明細書の発行は法律上の義務

給与を支払う際には、給与支払明細書を各従業員に発行することが、所得税法で義務づけられています。正社員だけでなく、パートタイマーやアルバイトも含む全従業員が対象です。また、給与支払明細書は給与の支払いの際に交付しなければなりません。

給与支払明細書を発行しないと、1年以下の懲役または50万円以下の罰金が科される可能性があります。発行の遅延についての罰則はありません。

給与支払明細書には、月の労働時間（出勤日数・欠勤日数などの労働時間数）、支給額（基本給・各種手当）、控除額（社会保険料・雇用保険料など）、口座振込額（支給額から控除額を引いた額）を記すことになっています。有給休暇の取得日数や残日数などは記載の義務はありませんが、明記する会社も多いようです。

給与支払明細書は電子データでの発行も可能

通常、給与支払明細書は書面で交付しますが、一定の要件を満たせばPDFなど電子データで交付（電子交付）することも認められています。

ただし、電子交付するには、以下の要件を満たさなければなりません。

①従業員に対して、あらかじめ明細書の電子交付の種類および内容を示し
たうえで、**電磁的方法**または書面で承諾を得る

②電磁的方法について、映像面への表示および書面への出力ができ、従業員に対し給与支払明細書を電子交付したことを通知する

③従業員から請求があったときは書面により交付する

経理

人事

総務

Keyword **電磁的方法** 紙を使わず、電子メールや磁気ディスクなど、コンピュータを使用して電子的に処理する方法のこと。ただし、受け取った情報を書面として作成できないとならない。

📌 給与を銀行振込するときの注意点

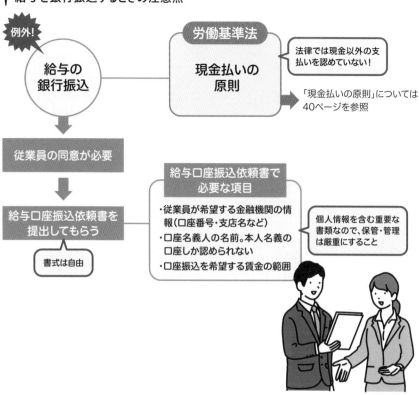

例外！

給与の
銀行振込

労働基準法

現金払いの
原則

法律では現金以外の支払いを認めていない！

「現金払いの原則」については
40ページを参照

従業員の同意が必要

給与口座振込依頼書を
提出してもらう

書式は自由

**給与口座振込依頼書で
必要な項目**

・従業員が希望する金融機関の情報（口座番号・支店名など）
・口座名義人の名前。本人名義の口座しか認められない
・口座振込を希望する賃金の範囲

個人情報を含む重要な書類なので、保管・管理は厳重にすること

第2章　給与計算の基本をおさえる

ONE **給与のデジタル払いが解禁**

　キャッシュレス決済が普及した社会背景を踏まえて、「PayPay」や「楽天 Edy」などのデジタルマネーで給与を支払うことができるように法改正がなされました（給与デジタル払い）。デジタルマネーで給与を支払えるようになれば、会社にとっては振込手数料の削減につながります。銀行振込の場合、3万円以上を他行宛てに振り込むと660円の手数料がかかることもあります。多くの従業員を雇っている会社だと、その負担は馬鹿にはできません。デジタルマネーなら、銀行振込より手数料の負担を安くおさえることができます。ただし、2023年10月現在では、デジタルマネー業者の審査中の段階で、実際にはまだ利用できません。今後のスケジュールに注意しておきましょう。

063

給与の支払い状況を賃金台帳に記入する

給与支払明細書を発行するとともに、賃金台帳を作成します。賃金台帳は従業員への支払い状況を記したもので、出勤簿・労働者名簿と合わせて法定三帳簿といわれる重要な書類です。正社員だけでなく、管理職、パートタイマーやアルバイト、日雇い労働者を含むすべての労働者について作成することが、労働基準法で義務づけられています。

賃金台帳は記載しなければならない項目が決まっています。右ページの①〜⑨です。これらの項目がすべて記載されていれば書式は自由です。

給与計算や賞与計算を終えるごとに転記しましょう。その際、給与支払明細書と同一項目については、記載内容に齟齬がないか確認しましょう。

賃金台帳は保存の義務がある

賃金台帳は作成の義務だけでなく、保存の義務もあります。保存期間は、原則として最後の賃金を記入した日（記録した日よりも賃金の支払いが遅い場合は、その支払い日）から5年とされています。ただし、現在は経過措置として「当分の間は3年」となっています。保存の方法は書面でもデジタルデータでもかまいません。

気をつけたいのは、賃金台帳は事業所ごとに作成・保存しなければならない点です。本社が一括して管理することはできません。

賃金台帳は、労働基準監督署から提出を求められることもあります。そのため、いつでも対応できるように適切に保管しておきましょう。

給与の振込手数料は会社が負担

給与を支払う際、銀行振込にしている会社がほとんどでしょう。しかし、法律上、振込は例外扱いとされていて、給与を振込で支払うときは、事前に従業員から書面による同意を得る必要があります。従業員から給与口座振込依頼書を提出してもらいましょう。

給与を振り込む際の振込手数料については、会社側が全額負担します。労働基準法の「賃金の全額払いの原則」（40ページ）により、従業員の給与から差し引くことはできません。

Keyword **当分の間は3年**　賃金台帳の保存期間である5年（経過措置3年）は労働基準法によるものです。法人税法では保存期間を7年間としています。

経
理

人
事

総
務

賃金台帳を作成する

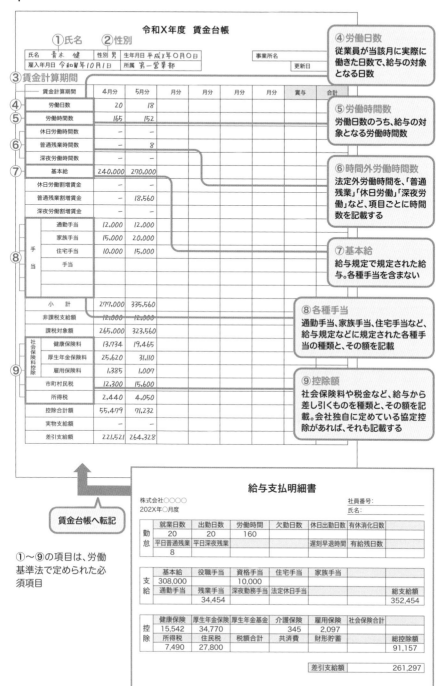

令和X年度　賃金台帳

① 氏名　② 性別

氏名	青木 健	性別	男	生年月日 平成X年〇月〇日	事業所名	
雇入年月日 令和W年10月1日		所属 第一営業部			更新日	

③ 賃金計算期間

賃金計算期間	4月分	5月分	月分	月分	月分	月分	賞与	合計
④ 労働日数	20	18						
⑤ 労働時間数	165	152						
休日労働時間数	–	–						
⑥ 普通残業時間数	–	8						
深夜労働時間数	–	–						
⑦ 基本給	240,000	270,000						
休日労働割増賃金	–	–						
普通残業割増賃金	–	18,560						
深夜労働割増賃金	–	–						
⑧ 手当 通勤手当	12,000	12,000						
家族手当	15,000	20,000						
住宅手当	10,000	15,000						
手当								
小　計	277,000	335,560						
非課税支給額	12,000	12,000						
課税対象額	265,000	323,560						
⑨ 社会保険料控除 健康保険料	13,734	19,465						
厚生年金保険料	25,620	31,110						
雇用保険料	1,385	1,007						
市町村民税	12,300	15,600						
所得税	2,440	4,050						
控除合計額	55,479	71,232						
実物支給額	–	–						
差引支給額	221,521	264,328						

④ 労働日数
従業員が当該月に実際に働いた日数で、給与の対象となる日数

⑤ 労働時間数
労働日数のうち、給与の対象となる労働時間数

⑥ 時間外労働時間数
法定外労働時間を、「普通残業」「休日労働」「深夜労働」など、項目ごとに時間数を記載する

⑦ 基本給
給与規定で規定された給与。各種手当を含まない

⑧ 各種手当
通勤手当、家族手当、住宅手当など、給与規定などに規定された各種手当の種類と、その額を記載

⑨ 控除額
社会保険料や税金など、給与から差し引くものを種類と、その額を記載。会社独自に定めている協定控除があれば、それも記載する

賃金台帳へ転記

①〜⑨の項目は、労働基準法で定められた必須項目

給与支払明細書

株式会社〇〇〇〇
202X年〇月度

社員番号：
氏名：

	就業日数	出勤日数	労働時間	欠勤日数	休日出勤日数	有休消化日数
勤怠	20	20	160			
	平日普通残業	平日深夜残業		遅刻早退時間	有給残日数	
	8					

	基本給	役職手当	資格手当	住宅手当	家族手当	
支給	308,000		10,000			
	通勤手当	残業手当	深夜勤務手当	法定休日手当		総支給額
		34,454				352,454

	健康保険	厚生年金保険	厚生年金基金	介護保険	雇用保険	社会保険合計	
控除	15,542	34,770		345	2,097		
	所得税	住民税	税額合計	共済費	財形貯蓄		総控除額
	7,490	27,800					91,157

差引支給額	261,297

13 アルバイトやパートタイマーの給与計算のポイント

| 頻度 | 毎月 | 対象 | 従業員 | 時期 | ― |

POINT

● 所定外労働時間に割増賃金を支払うかは就業規則による
● アルバイトなどでも法定外時間労働には割増賃金が発生する

アルバイトなどは所定労働時間に注目

アルバイトやパートタイマーの給与計算では、労働時間の把握が大切です。正社員よりも、一人ひとり出勤日や所定労働時間（42ページ）が異なることが多いため、より慎重にカウントする必要があります。

所定労働時間を超えて働いた分は、所定外労働時間となります。所定外労働時間でも、法定労働時間内（1日8時間、週40時間）に収まっていれば、法的な割増賃金は発生しません。

一方、所定外労働時間が法定労働時間を超えた分に対しては、割増賃金が発生します。また、22時～翌朝5時まで働いた場合は深夜労働となり、やはり割増賃金が発生します。

ただし、法定労働時間内に収まっていても、所定外労働時間に対して割増賃金を支払うという会社独自のルールを設けている場合もあります。就業規則や雇用契約書、または労働条件通知書をよく確認しましょう。

時給制や日給制などの場合の計算方法

法定外労働時間の割増賃金率は、正社員の場合と同じで25％です。注意が必要なのは、割増賃金の基礎となる賃金の計算法です。

基礎となる賃金は各労働者の時間単価です。時給制の従業員は時間給が時間単価となりますが、日給で働いている場合は、日給を1日の所定労働で割って計算します。月給日給制の場合は、月給を1カ月の**平均所定労働時間**で割って算出します。

また、年俸制で働く従業員は、総支給額を12カ月で割って、時間単価を計算します。原則として賞与は含めませんが、年俸に賞与が含まれている場合は、賞与も含めて計算します。

Keyword **平均所定労働時間** 1カ月あたりの平均の所定労働時間。1年間の所定労働時間の合計を12（1年の月数）で割って算出する。基礎賃金や割増賃金などを計算する際に使用する。

経理
人事
総務

📌 パート・アルバイトの労働時間の考え方

例 始業時刻9:00／終業時刻15:00／休憩時間:1時間／20:00まで残業

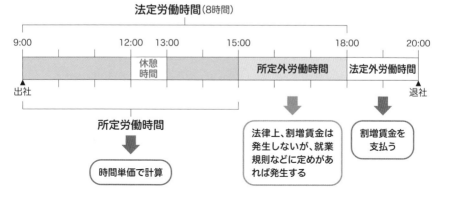

📌 時給制・日給制・歩合給制の割増賃金の計算

CASE❶ 時給制の場合

時給:1,000円／勤務日数:20日／時間外労働時間:10時間

〈計算例〉・時間単価＝時間給

・割増賃金＝時間単価×1.25×時間外労働時間

1,000円×1.25× 10時間 ＝1万2,500円

CASE❷ 日給制の場合

日給:1万円／1日の所定労働時間:8時間／時間外労働時間:10時間

〈計算例〉・時間単価＝日給÷1日の所定労働時間(1万円÷8時間=1,250円)

・割増賃金＝時間単価×1.25×時間外労働時間

1,250円×1.25× 10時間 ＝1万5,625円

CASE❸ 日給制の場合

固定給:20万円／歩合給:4万円／総労働時間:170時間／1カ月の平均所定時間:160時間／
時間外労働時間:10時間

〈計算例〉・固定給部分の時間単価＝固定給÷1カ月の平均所定時間(20万円÷160時間=1,250円)

・歩合給部分の時間単価＝歩合給÷総労働時間(4万円÷170時間=235円)

・固定給部分の割増賃金＝1,250円×1.25×10時間＝1万5,625円 ⎤
　　　　　　　　　　　　　　　　　　　　　　　　　　　　　　　　　計:1万6,212円
・歩合給部分の割増賃金＝235円×0.25×10時間＝587円 ⎦

14 給与から控除した税金・社会保険料等の納付

| 頻度 | 毎月 | 対象 | 役員・従業員 | 時期 | 各納付の期限内 |

POINT

● 所得税は税務署、住民税は従業員の居住地の市区町村に納付する
● 社会保険料は日本年金機構に納付する

所得税は税務署、住民税は市区町村に納付する

会社は毎月、従業員から社会保険料や税金を給与から天引きしています。従業員に給与を支払ったら、会社は従業員から徴収した社会保険料や税金をまとめて納付しなければなりません。

税金として納付するのは、源泉所得税と住民税です。源泉所得税は、会社の所在地を管轄する税務署に、原則として給与の支払い日の翌月10日までに納付します。通常、金融機関を通じて納めますが、このとき金融機関に所得税徴収高計算書を提出します。

住民税の納付期限も、原則として給与の支払い日の翌月10日です。特別徴収税額の決定・変更通知書（56ページ）に同封された納付書を金融機関に提出して納付します。

納付書は1年分がまとめて送られてくるので、何月分の納付書かを必ず確認しましょう。

社会保険料は金融機関を通して日本年金機構に納付する

社会保険料は、会社負担分と従業員負担分を合わせて、日本年金機構に納付します。

このとき、「子ども・子育て拠出金」を加算して支払います。

協会けんぽに所属している場合、毎月20日頃に日本年金機構から保険料納入告知額・領収済額通知書が送られてくるので、それを金融機関に提出して納付します。納付期限は告知書送付月の末日です。

もしくは健康保険・厚生年金保険保険料口座振替納付（変更）申出書に必要事項を記入し、口座振替を利用する金融機関の確認を受けたあと、所在地を管轄する事務センターまたは年金事務所に提出しておけば、毎月口座から自動で引き落とされるため、納付の手間がなくなります。

雇用保険料は、労災保険料とともに労働局に、年に1回まとめて納付します（60ページ）。雇用保険料と労災保険料の納付方法は変則的なので、第4章で詳しく説明します。

経理

人事

総務

「給与所得・退職所得等の所得税徴収高計算書（一般用）」の記入例

書類内容	給与・賞与などの源泉所得税を納付する書類
届出先	金融機関

給与の記入欄

実際に支払った年月日を記入

給与を支払った役員、従業員の総数を記入

給与等の支払い金額（社会保険料などの控除前の金額）

給与から徴収した源泉所得税の総額を記入

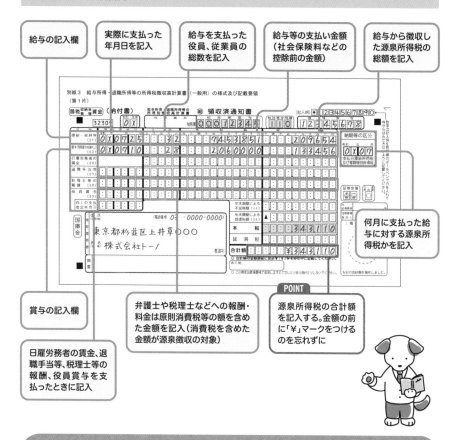

何月に支払った給与に対する源泉所得税かを記入

賞与の記入欄

弁護士や税理士などへの報酬・料金は原則消費税等の額を含めた金額を記入（消費税を含めた金額が源泉徴収の対象）

POINT

源泉所得税の合計額を記入する。金額の前に「¥」マークをつけるのを忘れずに

日雇労働者の賃金、退職手当等、税理士等の報酬、役員賞与を支払ったときに記入

ONE 小さい会社には納期の特例制度がある

給与を支払っている従業員が常時10人未満の会社には、「納期の特例」という制度が用意されています。税務署に申請することで、年に2回まとめて税金を納付することができるようになります。

源泉徴収税（復興特別所得税を含む）、住民税ともに利用できます。

なお、納期の特例を利用する場合は、「納期特例用」の計算書を使うことになるので注意しましょう。

税金の種類	徴収月	納付期限
源泉所得税	1月～6月分	7月10日
	7月～12月分	翌年1月20日
住民税	12月～5月分	6月10日
	6月～11月分	12月10日

15 賞与計算の流れを把握しよう

| 頻度 | 年3回まで | 対象 | 役員・従業員 | 時期 | 会社規定の月 |

POINT
- 賞与は就業規則などに記載があるときに支払う
- 賞与を支給する際に用意する書類がある

賞与の支給は義務づけられているわけではない

毎月定期的に支給される給与（基本給や各種手当など）とは別に、「ボーナス」「期末手当」「夏期手当」「年末手当」「特別手当」など年に1～3回、臨時支給される賃金は賞与となります。

賞与は法律上では、支払い義務のない賃金のため、金額や支払い時期など については各会社の就業規則などで定めますが、税法上、年4回以上の賞与については給与となります。

賞与からも給与と同じく、社会保険料・雇用保険料・所得税を徴収しますが（72ページ）、住民税は徴収しません。

賞与を誰に、いつ、いくら支給するかを確認

賞与計算では、就業規則や賞与規程などに基づき、支給額を確認します。特に注意が必要なのは、新入社員や退職者の扱いです。賞与の対象者の条件は各会社で異なるため、「勤続月数が〇カ月以上」「支給日に在籍している従業員のみ支給」「会社都合による解雇の場合は在籍期間に応じた賞与を支払う」など、就業規則でどのように定められているかを確認しましょう。

支給月に40歳になる従業員の介護保険料（58ページ）の徴収を忘れがちですので、年齢の確認も必要です。また、支給月に産前産後休業や育児休 業に入ったり、退職したりする従業員がいる場合も、社会保険料の計算が変わります（132ページ）。そのほか、財形貯蓄など、会社独自の控除項目がある場合もあるので注意しましょう。

支給日が近づいたら、賞与支払明細書や健康保険・厚生年金保険被保険者賞与支払届などの書類を作成し、各金融機関に対し振込の予約をします。

賞与を支給したら、控除した社会保険料や所得税を各機関に納付します。従業員からは徴収しませんが、会社負担の労災保険料も一緒に納めます。いずれも納付期限は給与と同じです。

経理
人事
総務

賞与支給の手続きの流れ

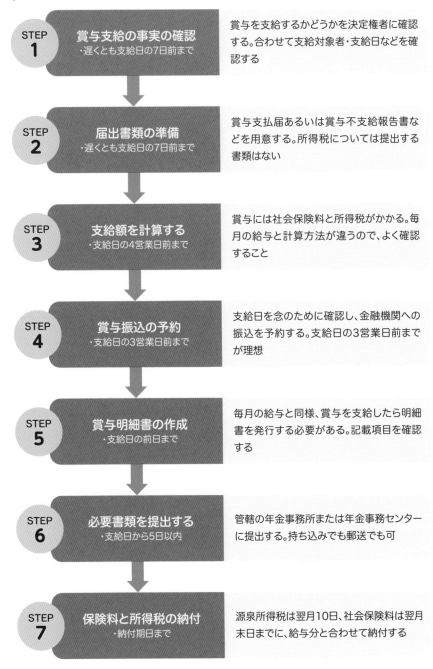

STEP 1 賞与支給の事実の確認
・遅くとも支給日の7日前まで

賞与を支給するかどうかを決定権者に確認する。合わせて支給対象者・支給日などを確認する

STEP 2 届出書類の準備
・遅くとも支給日の7日前まで

賞与支払届あるいは賞与不支給報告書などを用意する。所得税については提出する書類はない

STEP 3 支給額を計算する
・支給日の4営業日前まで

賞与には社会保険料と所得税がかかる。毎月の給与と計算方法が違うので、よく確認すること

STEP 4 賞与振込の予約
・支給日の3営業日前まで

支給日を念のために確認し、金融機関への振込を予約する。支給日の3営業日前までが理想

STEP 5 賞与明細書の作成
・支給日の前日まで

毎月の給与と同様、賞与を支給したら明細書を発行する必要がある。記載項目を確認する

STEP 6 必要書類を提出する
・支給日から5日以内

管轄の年金事務所または年金事務センターに提出する。持ち込みでも郵送でも可

STEP 7 保険料と所得税の納付
・納付期日まで

源泉所得税は翌月10日、社会保険料は翌月末日までに、給与分と合わせて納付する

16 賞与の社会保険料・労働保険料・所得税を控除する

| 頻度 | 発生の都度 | 対象 | 役員・従業員 | 時期 | 会社規定の月 |

POINT
- 賞与に対する社会保険料の額を計算する
- 賞与を支給したら所得税を支払わなければならない

賞与からの社会保険料の徴収方法

賞与の社会保険料（健康保険料・介護保険料・厚生年金保険料）は、標準賞与額を基礎に計算します。標準賞与額は、税引前の賞与の総支給額から1,000円未満を切り捨てて算出します。たとえば、賞与の総支給額が72万3,300円であれば、標準賞与額は72万円です。

標準賞与額には上限があり、健康保険と介護保険はその年度の累計が573万円、厚生年金保険は1カ月あたり150万円です。たとえば、6月と12月に300万円ずつ支給した場合、6月の健康保険の標準賞与額は300万円、厚生年金保険の標準賞与額は150万円となり、12月はそれぞれ273万円と150万円となります。

この標準賞与額にそれぞれの保険料率をかけて保険料を計算します。保険料率は改定されることもあるので、最新の保険料率をホームページなどで確認しておきましょう。保険料は、給与のときと同様、会社と従業員が折半して負担します。

雇用保険料は、給与のときと同じで、賞与の総支給額に保険料率をかけて算出します。労災保険料も計算は同様ですが、会社が全額を負担します。

賞与には所得税もかかる

賞与にかかる源泉所得税は、賞与に対する源泉徴収税額の算出率の表を使って算出します。従業員ごとに、前月の給与から社会保険料等を控除後の額と扶養人数を表と照らし合わせて税率を調べていきます。

課税の対象となるのは、賞与額から社会保険料と雇用保険料を差し引いた額です（課税対象額）。課税対象額に税率をかけて、源泉所得税を計算していきます。

前節で触れたとおり、賞与からは住民税の徴収は不要です。住民税は前年の1月1日から12月31日までの1年間の所得に対してかかるためです。

経理

人事

総務

📌 賞与にかかる社会保険料の計算方法

標準賞与額	×	保険料率	=	賞与にかかる社会保険料
税引き前支給額の1,000円未満を切り捨てた額		毎月の給与にかかる保険料率と同じ		毎月の給与にかかる保険料と同じで労使で折半する

●例:6月と12月に300万円ずつ賞与を支給した場合

標準賞与額の上限

健康保険料:年度累計573万円
厚生年金保険料:
　　　　　　1回につき150万円

支給月	標準賞与額	健康保険料に対する標準賞与額	厚生年金保険料に対する標準賞与額
6月	300万円	300万円	150万円
12月	300万円	273万円	150万円

年度累計が573万円を超えるので、超過分を差し引く

どちらの月も上限額が標準賞与額となる

📌 賞与にかかる雇用保険料の計算方法

賞与額	×	保険料率	=	賞与にかかる雇用保険料
標準賞与額ではなく、1,000円未満は切り捨てない		毎月の給与にかかる保険料率と同じ		毎月の給与にかかる保険料と同じ負担割合

📌 源泉徴収税額の計算方法(前月に通常の給与を支給している場合)

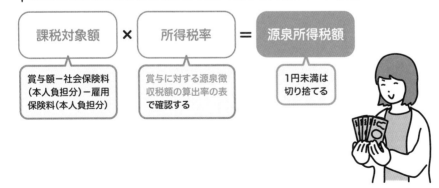

課税対象額	×	所得税率	=	源泉所得税額
賞与額−社会保険料(本人負担分)−雇用保険料(本人負担分)		賞与に対する源泉徴収税額の算出率の表で確認する		1円未満は切り捨てる

17 賞与明細書の発行と控除した保険料・税金の納付

| 頻度 | 発生の都度 | 対象 | 役員・従業員 | 時期 | 会社規定の月 |

POINT
- 賞与を支給したら日本年金機構に支給の事実を伝える
- 賞与の支給にも明細書の発行が必要

賞与の支給は日本年金機構に知らせなければならない

賞与の支給後の処理は、日本年金機構に賞与支払い予定月を事前に登録しているかどうかで異なります。

所轄の年金事務所または事務センターへ健康保険 厚生年金保険 事業所関係変更（訂正）届を提出済みの場合は、支払い予定月の前月までに被保険者賞与支払届（賞与支払届）が郵送されてきます。賞与を支給したら5日以内に、所轄の日本年金機構または事務センターに同書類を提出します。これにより、保険料や年金の計算の基礎となる標準賞与額が決まります。

なお、賞与支払い予定月を登録しているのに、何らかの事情で賞与を支給しない場合は、賞与不支給報告書を忘れずに提出しましょう。

賞与支払い予定月を登録せずに賞与を支給した場合は、日本年金機構のホームページから前出の賞与支払届をダウンロードするなどして入手し、賞与の支給日から同じく5日以内に、管轄の年金事務所または健康保険組合に提出します。

登録済みか、未登録かを問わず、賞与支払届を提出すると、翌月に日本年金機構から通常の給与と賞与の社会保険料を合算した納入告知書（口座振替の場合は納入告知額通知書）が送られてきます。記載されている額を末日までに納付します。

賞与を支給したら明細書を発行する

賞与に対する源泉所得税は、毎月の給与にかかる源泉所得税と合わせて、賞与を支給した翌月10日までに納付します。ただし、給与と賞与では、税額を計算する際に使用する源泉徴収税額表などが異なる（56ページ、72ペ

ージ）ので注意してください。

なお、賞与についても、支給したら賞与支払明細書の発行が必要です。賞与の支給額や控除項目ごとの金額を記載します。同じく賃金台帳にも、賞与の支給額等を記録します。

経理

人事

総務

健康保険・厚生年金保険被保険者賞与支払届の記入例

書類内容　賞与支払い予定月を未登録の事業所が賞与支給後に提出する書類
届出先　　事務所管轄の年金事務所・年金事務センターまたは健康保険組合

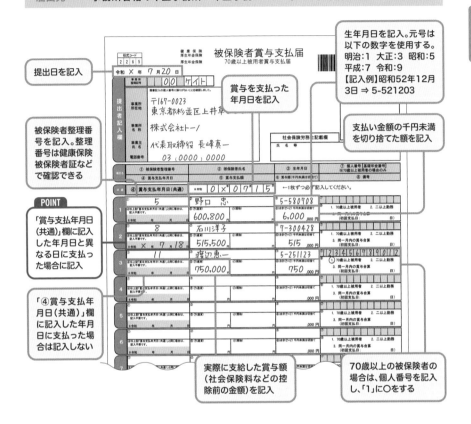

提出日を記入

生年月日を記入。元号は以下の数字を使用する。
明治:1　大正:3　昭和:5
平成:7　令和:9
【記入例】昭和52年12月3日 ⇒ 5-521203

賞与を払った年月日を記入

支払い金額の千円未満を切り捨てた額を記入

被保険者整理番号を記入。整理番号は健康保険被保険者証などで確認できる

POINT

「賞与支払年月日（共通）」欄に記入した年月日と異なる日に支払った場合に記入

「④賞与支払年月日（共通）」欄に記入した年月日に支払った場合は記入しない

実際に支給した賞与額（社会保険料などの控除前の金額）を記入

70歳以上の被保険者の場合は、個人番号を記入し、「1」に〇をする

📌 賞与の社会保険料納付までのスケジュール

●賞与支払い予定月を登録している場合

●賞与支払い予定月を登録していない場合

給与計算でミスを
したらどうするか？

給与計算のミスは当月中に対応する

　給与計算は従業員の生活に直結するとともに、税金の納付にも関わる業務です。何よりも正確さが求められます。一方で、ミスを完全になくすことはできません。源泉徴収する金額を間違えるなどして、給与の支給額に過不足が生じたり、ある従業員の振込を忘れてしまったりすることも、ときには起こり得ます。

　給与額を間違えてしまったときは、原則として当月中に調整することが労働基準法で定められています。翌月分の給与で過不足を調整すればいいだろうと安易に考えがちですが、法律上は認められません。本人の同意があれば翌月分の給与での調整も認められますが、会社と従業員の立場を考えると、会社側にそのつもりはなくても、同意を強制されたと感じる従業員がいるかもしれません。なるべく早めに対応するようにしましょう。

　給与額を間違えてしまった場合、簡単な対処方法は、現金で過不足を調整することです。その後、給与明細を修正します。修正する項目によっては、社会保険料や税金を改めて計算しなければならないので、よく確認しましょう。所得税に訂正があった場合は、源泉所得税及び復興特別所得税の誤納額充当届出書を税務署に提出します。

原因を究明して再発を防止する

　いずれにしても、給与支給に関するミスが発覚したら、すぐに従業員に説明と謝罪を行いましょう。給与明細を作成し直したり、過不足を調整したりする必要がありますが、それらの対応をする前に、まずは謝罪することが大切です。

　また、再発防止のためにも、原因の究明も必要です。給与計算のミスは、残業の割増率などの計算間違い、労働時間の集計ミス、保険料の変更の対応漏れなど、さまざまな要因で発生します。徹底的に原因を追求し、部署内で共有しましょう。

第 3 章

日・月単位の
経理業務

経理業務で大切なことのひとつが日々の現金管理です。
そのためには会計の知識が不可欠となります。帳簿の
種類や記帳の目的から会計仕訳と勘定科目のルール、
立替金や売掛金・買掛金の管理など、経理業務の基本
をおさえておきましょう。2023年10月からインボ
イス制度、2024年1月から改正電子帳簿保存法が
スタートしました。これら新制度への対応のポイント
も合わせて説明していきます。

01 帳簿の種類、記帳の目的を理解しよう

| 頻度 | — | 対象 | — | 時期 | — |

POINT
- 仕訳帳と総勘定元帳は必ず作成しなければならない
- 各帳簿はお互いに関連し合っている

帳簿には、大きく主要簿と補助簿がある

経理には、お金の動きの把握と納税額の計算という2つの大きな役割があります。そのための基礎資料となるのが、会社のお金や資産の増減を記録した帳簿です。帳簿は右ページのとおり、主要簿と補助簿に大別されます。

主要簿は、会社法で作成が義務づけられている、会社の全**取引**を記録した帳簿です。仕訳帳は取引の日付順に、総勘定元帳は取引内容（勘定科目）別

（100ページ）に記録したものです。損益計算書や貸借対照表などの決算書はこの主要簿から作成します。

一方、補助簿は、主要簿の明細にあたる帳簿です。「現金」「預金」「売掛」「買掛」「経費」「固定資産」など重要度の高い勘定科目について、取引の詳細を記録したものです。補助簿に作成の義務はなく、どんな補助簿を作成するかは各会社の判断によります。

会計ソフトでは自動で転記される

主要簿と補助簿の区別なく、すべての帳簿は連携しています。たとえば、口座から現金を引き出した場合、現金出納帳、預金出納帳、仕訳帳、総勘定元帳のそれぞれに同一の取引を記録しなければなりません。

ただし、会計ソフトでは、どれか一つの帳簿に記帳すると、関連する帳簿に自動的に転記されます。その一方で、同一の取引を間違えて複数の帳簿に記

帳してしまうと、それぞれが関連する帳簿に転記されてしまい、二重記帳などのミスが起こります。「○○については、△△の帳簿から記帳する」など、ルールを決めておくようにしましょう。

なお、インボイス制度（3-03）がスタートしたことでルールが複雑化しています。特に原則課税方式（82ページ）を採用している事業者は会計ソフトの利用が必須といえるでしょう。

Keyword **取引** 会計上の取引には、一般の取引の意味と違って「商談」などは含まない。

📌 帳簿の種類・分類

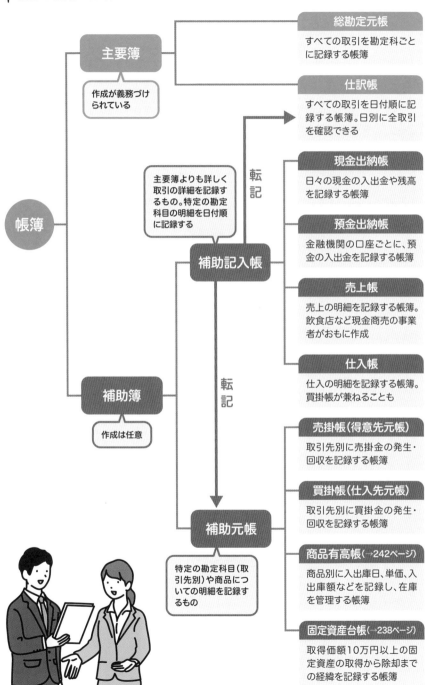

帳簿

主要簿
作成が義務づけられている

総勘定元帳
すべての取引を勘定科ごとに記録する帳簿

仕訳帳
すべての取引を日付順に記録する帳簿。日別に全取引を確認できる

転記

主要簿よりも詳しく取引の詳細を記録するもの。特定の勘定科目の明細を日付順に記録する

補助記入帳

現金出納帳
日々の現金の入出金や残高を記録する帳簿

預金出納帳
金融機関の口座ごとに、預金の入出金を記録する帳簿

売上帳
売上の明細を記録する帳簿。飲食店など現金商売の事業者がおもに作成

仕入帳
仕入の明細を記録する帳簿。買掛帳が兼ねることも

補助簿
作成は任意

転記

補助元帳
特定の勘定科目（取引先別）や商品についての明細を記録するもの

売掛帳（得意先元帳）
取引先別に売掛金の発生・回収を記録する帳簿

買掛帳（仕入先元帳）
取引先別に買掛金の発生・回収を記録する帳簿

商品有高帳（→242ページ）
商品別に入出庫日、単価、入出庫額などを記録し、在庫を管理する帳簿

固定資産台帳（→238ページ）
取得価額10万円以上の固定資産の取得から除却までの経緯を記録する帳簿

02 消費税の基本を理解しよう

| 頻度 | ― | 対象 | ― | 時期 | ― |

POINT

● 消費税は標準税率の10%と軽減税率の8%の複数税率制
● 消費税の会計処理方法は会社側が自由に選択できる

消費税の税率は標準税率と軽減税率の2種類

消費税は商品の販売やサービスの提供時にかかる税金です。消費税率には、標準税率10%と軽減税率8%の2種類あります。

軽減税率の対象品目は、①食品表示法に規定されている飲食料品（アルコール分が1度以上の飲料と外食を除く）、②週2回以上発行される新聞（定期購読契約に基づくもの）です。これら以外の品目については、標準税率の10%が適用されます。

そのため、飲食店によっては、店内の飲食とケータリングは10%、テイクアウトや出前は8%と、2つの消費税率を使い分けることになります。領収書を受け取った側も、会社が原則課税（82ページ）を採用している場合は、どちらの税率か確認して、帳簿付けを行わなければなりません。

なお、価格については消費税を含んだ総額表示（内税表記）が義務化されています。ただし、「本体価格＋税」といった外税表記に対する罰則は特に設けられていません。

「税込経理」と「税抜経理」は会社が選択できる

消費税の会計処理方法には、「税込経理」と「税抜経理」があります。税込経理は消費税を含めた総額で、税抜経理は本体価格と消費税を分けて、帳簿付け等を行うものです。

どちらを選択するかは、会社の判断によりますが、選択した方式は原則的にすべての取引に適用する必要があります（一部例外あり）。自社の会計処理方法を確認しましょう。

なお、中小企業では、期中は手間の少ない税込経理で帳簿付けなどを行い、月末や期末時に会計ソフトの一括税抜処理機能で、売上税額を割り戻して消費税額を算出しているところもあります。税抜経理と同じ結果になります。

Advice 標準税率と軽減税率のどちらか迷うときは、国税庁の「消費税の軽減税率制度に関するQ＆A」（https://www.nta.go.jp/taxes/shiraberu/zeimokubetsu/shohi/keigenzeiritsu/qa_03.htm）が参考になる。

📌 消費税の複数税率と内訳

種別	消費税率	消費税	
		国税	地方税
標準税率	10%	7.8%	2.2%
軽減税率	8%	6.24%	1.76%

📌 軽減税率の適用例

種別	軽減税率8%	標準税率10%
外食・給仕	宅配サービス・出前	飲食店内での飲食
	ファストフード店でのテイクアウト	ファストフード店内での飲食
	コンビニで販売されている飲食物	コンビニのイートイン（容器の返却が必要な飲食物）
	列車内の移動販売	列車内の食堂
	老人ホームでの食事や学校給食	社員食堂での食事、ケータリング
	ホテルの客室内にある冷蔵庫の種類以外の飲料	ホテルのルームサービスやカラオケ店内での飲食
酒・飲料	ノンアルコールビール	酒
	みりん風調味料	みりん
	ペットボトルの水	水道水
	ウォーターサーバーで使用する水	ウォーターサーバーの貸付
	ホッピーなどのアルコール度数1%未満のお酒	
	ウイスキーボンボン、ラムレーズンなどのアルコールを含む菓子・食品	
新聞等	週2回以上発行される定期購読の新聞	駅の売店やコンビニで買う新聞／新聞の電子版／雑誌
その他	食品の販売時に使われる包装紙や容器など	別料金になっている贈答用の包装など
	送料込みの商品	別料金になっている送料
	税抜価格1万以下で食品部分の価格が3分の2以上の食玩等	税抜価格1万以下で食品部分の価格が3分の2未満の食玩等
	自動販売機のジュース、パン	

03 インボイスの基本を理解しよう

POINT

- インボイス（＝適格請求書等）以外は仕入税額控除の対象外となる
- インボイス、簡易インボイス、返還インボイスの3種類がある

インボイスは消費税の納税額についてのルール

2023年10月よりスタートしたインボイス制度（適格請求書等保存方式）は消費税の納税額の計算についての新たなルールです。

会社が納める消費税額の計算方法には、原則課税方式と簡易課税方式（88ページ）があります。インボイス制度の影響が大きいのは、原則課税方式の会社（原則課税適用事業者）です。

原則課税方式では、消費税の納税額を「売上時に預かった消費税−仕入や経費で支払った消費税」で計算します。

この「仕入や経費で支払った消費税」を差し引くことを仕入税額控除といいます。インボイス制度では、登録事業者の発行するインボイス（適格請求書）でなければ、この仕入税額控除を受けられなくなりました。相手から受け取ったインボイス以外の請求書や領収書分の消費税を差し引けなくなれば、その分、消費税の納税額が増えることになります。

ただし、2029年9月30日までは経過措置があります（86ページ）。

インボイスの種類と必要な記載項目

インボイスでは、従来の請求書（区分記載請求書）の項目に加え、「（インボイスの）登録番号」「適用税率」「税率ごとに区分した消費税額等」の記載が必要になります。請求書だけでなく、領収書や仕入明細書なども同様です。

ただし、小売業やタクシー業など不特定多数と取引する事業者については、受領者の氏名や名称を省略した簡易インボイス（適格簡易請求書）の発行が認められています。税率と消費税額についても、どちらかが記載されていればよいことになっており、85ページのように3つのパターンがあります。

このほか、販売した商品の返品や値引き、販売奨励金などにより、売上の返還を行う際に、発行が義務づけられている返還インボイス（適格返還請求

経理

人事

総務

📌 原則課税の計算方法

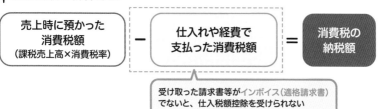

売上時に預かった消費税額（課税売上高×消費税率） － 仕入れや経費で支払った消費税額 ＝ 消費税の納税額

受け取った請求書等がインボイス（適格請求書）でないと、仕入税額控除を受けられない

📌 インボイス（適格請求書）に必要な記載項目

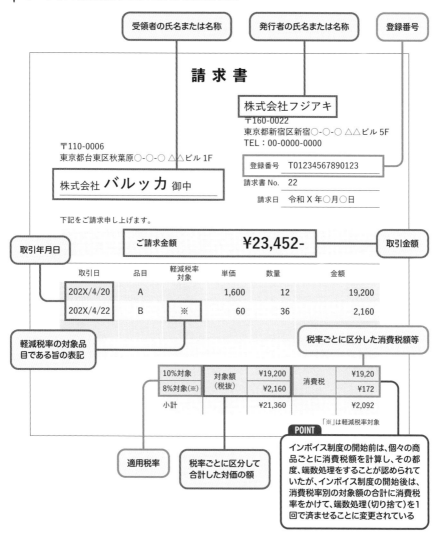

受領者の氏名または名称　発行者の氏名または名称　登録番号

請求書

株式会社フジアキ

〒160-0022
東京都新宿区新宿○-○-○ △△ビル 5F
TEL：00-0000-0000

〒110-0006
東京都台東区秋葉原○-○-○ △△ビル 1F

株式会社 バルッカ 御中

登録番号　T01234567890123
請求書 No.　22
請求日　令和 X 年○月○日

下記をご請求申し上げます。

ご請求金額　　　　¥23,452-

取引金額

取引年月日

取引日	品目	軽減税率対象	単価	数量	金額
202X/4/20	A		1,600	12	19,200
202X/4/22	B	※	60	36	2,160

軽減税率の対象品目である旨の表記

税率ごとに区分した消費税額等

10%対象	対象額（税抜）	¥19,200	消費税	¥19,20
8%対象（※）		¥2,160		¥172
小計		¥21,360		¥2,092

「※」は軽減税率対象

適用税率

税率ごとに区分して合計した対価の額

POINT

インボイス制度の開始前は、個々の商品ごとに消費税額を計算し、その都度、端数処理をすることが認められていたが、インボイス制度の開始後は、消費税率別の対象額の合計に消費税率をかけて、端数処理（切り捨て）を1回で済ませることに変更されている

書）があります。返還インボイスでは、返品や値引きなどの年月日を、「〇月中」「〇月〇日〜〇月〇日」というようにまとめて記載することができます。

インボイスは発行側・受領側の双方で保存が必要

インボイス制度の開始前は、請求書等の控えを作成した場合は保存しておく義務がありました。ただし、控えの発行の義務はありませんでした。つまり、発行していなければ、控えを保存しておく必要のないルールでした。

一方、インボイス制度では、発行した適格請求書等を受け取る側だけでなく、発行側にも控えの保存が義務づけられています。控えの保存を忘れると、原則として発行側も仕入税額控除を受けることができません。

インボイスの修正は発行側で行う

また、区分記載請求書では、軽減税率対象品目の記載や税率ごとに支払い金額が記載されていない場合は、受け取り側による追記が認められていました。しかし、インボイス制度では、受け取り側による修正や追記は一切認められていません。たとえ手書きの領収書であっても、必ず発行元に再発行してもらう必要があります。発行側は元と修正後の両方の適格請求書等の写し

を保存しておかなければなりません。

ただし、例外として、受け取り側が修正した内容で仕入明細書を作成し、発行側の確認を受けて請求書として保存することはできます。適格請求書として仕入税額控除を受けられます。

なお、インボイス制度では、請求書と納品書など複数の書類を組み合わせてインボイスの要件を満たすケースがあります。書類管理を徹底しましょう。

ONE **消費税の端数処理のルール**

軽減税率8％の対象品目については、消費税額を計算する際に小数点以下の端数が出る場合があります。インボイス制度の開始前は通常「①品物ごとに計算した消費税額」と「②請求書や領収書単位で、税率ごとに合計した売上金額をもとに計算した消費税額」のいずれかの端数を切り捨てていました。

しかし、インボイス制度の開始後は、②の端数を切り捨てることで統一されました。請求書の税率ごとに1回の処理で済ませるということです。①の方法で端数を処理していた場合、適格請求書とは認められず、受け取った側は仕入税額控除を受けられません。仕入税額控除を受けるには、再発行が必要になります。

📌 簡易インボイス（適格簡易請求書）の3つの記載パターン

適格簡易請求はいわゆるレシートにあたるもの。適格請求書に必要な記載項目から「購入者の氏名・名称」と、「税率ごとに区分した消費税額等」または「適用税率」のどちらかを省略したもの。

【パターン1】
適用税率のみを記載

```
       バルッカ
    TEL:03-1234-5678
  登録番号T1111111111111

        領収書

発行日 202X/4/30

商品A※           ¥1,080
商品B※           ¥2,160
商品C            ¥5,500

8%対象（税込）     ¥3,240
10%対象（税込）    ¥5,500
       合計       ¥8,740
      お預り      ¥10,000
      お釣り       ¥1,260


※は軽減税率8%適用商品
```

【パターン2】
税率ごとに区分した
消費税額等のみを記載

```
       バルッカ
    TEL:03-1234-5678
  登録番号T1111111111111

        領収書

発行日 202X/4/30

商品A※           ¥1,080
商品B※           ¥2,160
商品C            ¥5,500

      小計1       ¥3,240
（うち消費税額  ¥240）
      小計2       ¥5,500
（うち消費税額  ¥500）
       合計       ¥8,740
      お預り      ¥10,000
      お釣り       ¥1,260

※は軽減税率8%適用商品
```

【パターン3】
適用税率も
消費税額等も記載

```
       バルッカ
    TEL:03-1234-5678
  登録番号T1111111111111

        領収書

発行日 202X/4/30

商品A※           ¥1,080
商品B※           ¥2,160
商品C            ¥5,500

    8%対象        ¥3,240
（うち消費税額  ¥240）
    10%対象       ¥5,500
（うち消費税額  ¥500）
       合計       ¥8,740
      お預り      ¥10,000
      お釣り       ¥1,260

※は軽減税率8%適用商品
```

📌 返還インボイス（適格返還請求書）の記載例

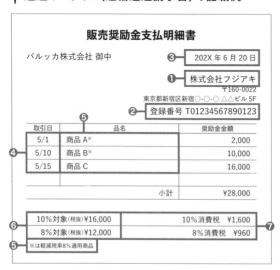

返還インボイスの記載要件

❶ 適格請求書発行事業者の名称または氏名

❷ 登録番号

❸ 対価の返還などを行う年月日

❹ 対価の返還などのもととなった取引を行った年月日

❺ 対価の返還などの取引内容（軽減税率の対象である場合はその旨も記載）

❻ 税率ごとに区分し合計した対価の返還などの金額

❼ 対価の返還などの金額にかかわる消費税額や適用税率

04 原則課税適用事業者の インボイス対応のポイント

POINT

- 受け取ったインボイスが要件を満たしているかを確認する
- 免税事業者から受け取った請求書等については、経過措置がある

インボイスの要件を満たしているかチェック

簡易課税制度の届出を行っていない事業者には、原則課税が適用されます。すでに説明したとおり、原則課税で仕入税額控除を受けるには、受け取った請求書や領収書がインボイスの要件を満たしていなければなりません。そのため、原則課税適用事業者の経理担当者は、請求書等の発行者がインボイス登録事業者かどうかの確認が必要です。国税庁の「適格請求書発行事業者公表サイト」（https://www.invoice-kohyo.nta.go.jp/）にアクセスして、請求書等に記載されている登録番号で検索をかけます。登録済み事業者であれば、

名称や登録年月日などが表示されます。

なお、請求書等に登録番号の記載があっても、架空の番号の可能性もあるので、一度は必ず確認しましょう。新規の取引先などは事前に登録番号を聞いて確認するようにします。

続いて、各請求書や領収書に、インボイスで新たに加わった「適用税率」「税率ごとに区分した消費税額等」が記載されているかをチェックします。ただし、1万円未満の仕入れについては経過措置があり、当分の間は確認不要です。

免税事業者に支払った消費税に対する経過措置

インボイス制度に登録すると、課税事業者になります。見方を変えると、免税事業者はインボイス制度に未登録ということです。免税事業者から受け取った請求書等では仕入税額控除を受けることができません。

ただし、制度変更による影響を軽減

するため、免税事業者に支払った消費税については経過措置が取られています。支払った消費税のうち、2026年9月末までは80%、2029年9月末までは50%を仕入税額控除することができます。2029年10月1日以降は、全額が控除できなくなります。

経理

📌 適格請求書発行事業者公表サイトの使い方

〈トップ画面〉

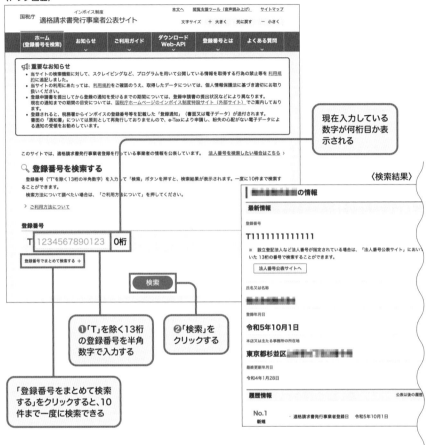

📌 免税事業者に支払った消費税に対する経過措置

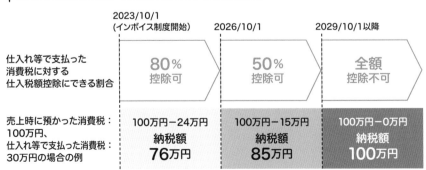

簡易課税適用事業者の インボイス対応のポイント

POINT
- 簡易課税は「売上時に預かった消費税」をもとに仕入税額控除額を計算する
- 受け取った請求書や領収書等の経理処理の方法は従来と変わらない

売上時に預かった消費税をもとに一律に計算

簡易課税を適用できるのは、基準期間（前々期）の課税売上高（消費税がかかる売上高）が5,000万円以下で、現事業年度の開始日以前に消費税簡易課税制度選択届出書を提出済みの事業者です。ただし、2029年9月30日末までは、免税事業者がインボイス制度に登録した事業年度中に前記届出書を提出した場合は、その事業年度の開始日にさかのぼって簡易課税の適用事業者として認められます。

簡易課税と原則課税では、消費税の納税額の計算方法が大きく異なります。原則課税の「売上時に預かった消費税ー仕入や経費で支払った消費税」の「仕入や経費で支払った消費税」部分を、簡易課税では「売上時に預かった消費税×みなし仕入率」で計算します。みなし仕入率は営んでいる事業によって変わります（右ページ）。

受け取った請求書等の経理処理は従来どおり

このように簡易課税では、「売上時に預かった消費税」をもとに、消費税の納税額を一律に計算するため、受け取った請求書や領収書がインボイスの要件を満たしているかどうかを確認する必要がありません。また、発行者が免税事業者であっても、消費税の納税額へは影響しません。ひと言でいえば、受け取った請求書や領収書等については、簡易課税適用事業者の経理処理は従来と変わらないということです。

ただし、自社で発行する請求書や領収書等については、簡易課税適用事業者であってもインボイスの要件を満たさなければなりません。受け取り側が原則課税適用事業者の場合、仕入税額控除を受けるのに必要になるからです。

なお、免税事業者が新規にインボイス制度に登録した場合、原則課税適用事業者、簡易課税適用事業者を問わず、「2割特例」の利用も可能です。次節で説明します。

経理
人事
総務

📌 簡易課税の計算方法

$$\boxed{\begin{array}{c}\text{売上時に預かった}\\\text{消費税額}\\\text{（課税売上高×消費税率）}\end{array}} - \boxed{\begin{array}{c}\text{売上時に預かった}\\\text{消費税額}\\\times\\\boxed{\text{みなし仕入率}}\end{array}} = \boxed{\begin{array}{c}\text{消費税の}\\\text{納税額}\end{array}}$$

〈計算例〉

課税売上高3,000万円のサービス業（第5種事業）の場合

3,000万円×10%－3,000万円×10%×50%

＝ 150万円 ◀ 納付すべき消費税額

受け取った請求書等がインボイス（適格請求書）でなくても、仕入税額控除を受けられる

📌 事業区分とみなし仕入率

事業区分	みなし仕入率	業種	詳細
第1種事業	90%	卸売業	他者から購入した商品をその性質、形状を変更しないで他の事業者に対して販売する事業
第2種事業	80%	小売業、農業・林業・漁業（飲食料品の譲渡に係る事業）	他者から購入した商品をその性質、形状を変更しないで販売する事業で、消費者に販売する事業。農業、林業、漁業については、消費者に対して販売する場合は該当
第3種事業	70%	農業・林業・漁業（飲食料品の譲渡に係る事業を除く）、鉱業、建設業、製造業、電気業など	農業・林業・漁業、鉱業、建設業、製造業（製造小売業を含む）、電気業、ガス業、熱供給業、水道業等のうち、第1種事業、第2種事業に該当するものと、加工賃および加工賃に類する料金を対価とする役務の提供を除いた事業。またテイクアウト専門店など飲食のための設備を持たない持ち帰り専門の弁当屋、パン屋、惣菜屋など事業者自らが製造したものも該当。購入したアイスクリームや飲料を容器に小分けして販売したものは第2業種事業
第4種事業	60%	飲食店業など	飲食などの設備を設けた、食堂、レストラン、喫茶店、そば店、バー、キャバレー、酒場等のほか、第3種から除かれる加工賃その他これに類する料金を対価とする役務の提供を行う事業。店舗において顧客に提供するものと同種の出前は該当するが、持ち帰り用の飲食物は第3種事業。なお、テイクアウト専門店など飲食のための設備を持たない持ち帰りは第2種事業または第3種事業。このほか建設業や製造業のうち、元請け業者から無償で材料の支給を受けて建設や製造を行う場合は第4種事業に該当。また、事業用の固定資産の売却も第4種事業に該当
第5種事業	50%	運輸通信業、金融保険業、サービス業など	第1、2、3種事業に該当しない事業。情報通信業や物品賃貸業、学術研究、専門・技術サービス業、宿泊業（宿泊者以外の人も利用できるレストランやバーなどを除く）、生活関連サービス業、娯楽業、教育・学習支援業、医療、福祉、複合サービス事業、その他の事業に該当しないサービス業など。プロスポーツ選手も該当
第6種事業	40%	不動産業	住宅の貸付を除く、不動産仲介業、賃貸業、管理業等

06 新規課税事業者は「2割特例」の適用が可能か確認する

| 頻度 | － | 対象 | － | 時期 | － |

POINT

● 2割特例の対象は、免税事業者から適格請求書発行事業者になった課税事業者
● 原則課税や簡易課税より消費税の納税額が少なくて済む場合がある

第3〜6種の簡易課税適用事業者は「2割特例」が得

免税事業者は消費税の納税が免除される分を利益（益金）にできます。しかし、インボイス制度に登録すると、課税事業者として消費税を納税するため、益金を得られなくなります。

こうした急激な負担増を軽減するための経過措置として、売上時に預かった消費税額の2割を納税額とする特例（2割特例）が設けられています。適用対象は、右ページ上の要件を満たす事業者です。原則課税や簡易課税より、2割特例のほうが、納税額が少なくて済む場合があります。

たとえば、売上800万円、売上時に預かった消費税80万円のケースの場合、第5種（前ページ）簡易課税適用事業者の消費税の納税額は「80万円－（80万円×みなし仕入率50％）＝40万円」です。一方、2割特例では「80万円×特例20％＝16万円」で済みます。簡易課税に換算すると、2割特例はみなし仕入率80％に相当します。第3〜6種事業では、2割特例を利用したほうが得です。

原則課税適用事業者は試算して選択

原則課税適用事業者の場合は、2割特例とどちらが得になるかはケース・バイ・ケースです。ただし、原則課税で計算すれば還付される場合（売上時に預かった消費税額より、仕入や経費で支払った消費税が超える場合）でも、2割特例では還付を受けられません。

しかし、2割特例の適用に事前の届出は必要なく、消費税の申告時に消費

税の確定申告書に2割特例の適用を受ける旨を付記するだけです。加えて、事業年度単位で適用するかどうかを選択できます。そのため、原則課税適用事業者の経理では、原則課税を前提に普段の帳簿付け等を行っておき、期末が近づいたら、原則課税と2割特例でそれぞれ納税額を試算してみて、得なほうを選択するのがいいでしょう。

経理

人事

総務

📌 2割特例の対象となる事業者

以下のすべての要件に該当すること。

　□ インボイス制度への登録により、免税事業者からはじめて課税事業者となった
　□ 基準期間および特定期間（次ページ）の課税売上高が1,000万円以下である
　□ 課税期間の特例*の適用を受けていない

*適用を受けようとする課税期間前日までに消費税課税期間特例選択・変更届出書を提出して、課税期間を1カ月または
　3カ月ごとの期間に短縮する制度（還付金の早期受け取りなどを目的とする）

📌 2割特例の適用期間

適用期間は、2026年9月30日の属する課税期間まで。よって、「決算期がいつか」によって適用期間は変わる。

〈3月決算の場合〉

2023年		2024年	2025年	2026年	2027年

↑10/1　　　　　　　対象期間3年6カ月　　　　　　↑9/30　↑3/31

〈9月決算の場合〉

2023年		2024年	2025年	2026年		2027年

↑10/1　　　　　　　　対象期間3年　　　　　　　　↑9/30

📌 簡易課税と2割特例の納税額の比較

〈2割特例の計算方法〉

$$\boxed{\text{売上時に預かった消費税額}\ (\text{課税売上高×消費税率})} \times 20\% = \boxed{\text{消費税の納税額}}$$

〈ケース〉 小規模事業者：売上800万円／売上時に預かった消費税額80万円

簡易課税		2割特例
第1種事業　80万円−（80万円×みなし仕入率90%）=納税額8万円	<	
第2種事業　80万円−（80万円×みなし仕入率80%）=納税額16万円	=	80万円×特例20%=納税額 16万円
第3種事業　80万円−（80万円×みなし仕入率70%）=納税額24万円	>	
第4種事業　80万円−（80万円×みなし仕入率60%）=納税額32万円	>	
第5種事業　80万円−（80万円×みなし仕入率50%）=納税額40万円	>	
第6種事業　80万円−（80万円×みなし仕入率40%）=納税額48万円	>	

07 インボイスの領収書・レシートのポイント

| 頻度 | 発生の都度 | 対象 | 役員・従業員 | 時期 | — |

POINT
- インボイスには法律で定められた記載事項が不可欠
- 不特定多数との取引には簡易インボイスの発行も可能

インボイスに必要な記載事項

受け取った領収書等がインボイスの要件を満たしているかどうか確認が必要なのは、原則課税適用事業者の経理担当者です。

インボイス制度の開始によって、これまで領収書が不要だった税込3万円未満の仕入についても、仕入税額控除を受けるには適格請求書等が必要になっています。ただし、右ページのように一部例外があります。

また、基準期間における課税売上高1億円以下、または**特定期間**の課税売上高5,000万円以下の事業者は少額特例により、2029年9月30日までの間、税込1万円未満の課税仕入は受け取った領収書がインボイスの要件を満たしていなくても、帳簿へ記載すれば、仕入税額控除を受けられます。税込1万円未満であれば、当面は消耗品や飲食などの経費について、適格請求書等かどうかの確認は不要ということになります。

「お客様控え」とレシート等を併せて保存

法人カードなど、クレジットカードで支払った場合は、カード利用時に渡される利用伝票や利用控えなどの「お客様控え」にインボイスの要件となる事項が記載されていれば、請求書として扱えます。お客様控えに購入した商品やサービスの内容が記載されていなければ、お客様控えとともに内容まで記載されたレシートや領収書を利用明細書と合わせて保存します。

不動産の賃借料など、銀行口座からの自動引き落としや振込については、適格請求書の記載事項のうち、課税資産の譲渡などの年月日以外を賃貸契約書に記載しておき、引き落としや口座振込の日付を確認できる通帳や、銀行が発行する振込金受取書とともに保管しておきます。

Keyword **特定期間** 法人の場合、前事業年度の開始日から6カ月間の期間のこと。

経理 人事 総務

📌 仕入税額控除を受けるのに適格請求書等が不要なもの

種別	適格請求書等が不要なもの
税込3万円以内の取引	□ 税込3万円未満の公共交通機関(船舶、バスまたは鉄道)による旅客の運送(飛行機は対象外)。鉄道における特急料金やグリーン券も対象 【備考】1回の取引単位で判定する。たとえば、新幹線代が1人あたり15,000円で、4人分の券をまとめて購入した場合は60,000円で判定 □ 自動販売機および自動サービス機からの税込3万円未満の商品の購入 【備考】自動販売機による飲食料品の販売のほか、コインロッカーやコインランドリー等によるサービス、金融機関のATMによる手数料など、機械装置のみで代金の受領と資産の譲渡等が完結するものは対象。コインパーキングは対象外
棚卸資産関連	□ 古物営業を営む者による、適格請求書発行事業者でない者からの古物(棚卸資産)の購入 □ 質屋を営む者による、適格請求書発行事業者でない者からの質物(棚卸資産)の購入 □ 宅地建物取引業を営む者による、適格請求書発行事業者でない者からの建物(棚卸資産)の購入 □ 適格請求書発行事業者でない者からの再生資源または再生部品(棚卸資産)の購入
その他	□ 従業員に支給する通常必要と認められる出張旅費等(出張旅費、宿泊費、日当および通勤手当) □ 郵便切手類のみを対価とする郵便・貨物サービス(郵便ポストに投函されたものに限る) □ 入場券など証拠書類が使用の際に回収される取引

📌 クレジットカード利用時は「明細書」と「お客様控え」が必要

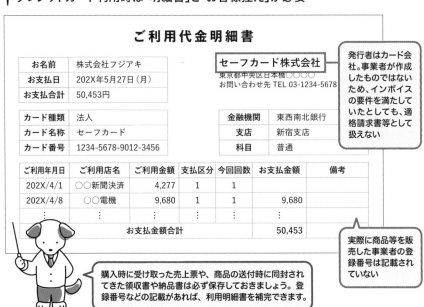

ご利用代金明細書

お名前	株式会社フジアキ
お支払日	202X年5月27日(月)
お支払合計	50,453円

カード種類	法人
カード名称	セーフカード
カード番号	1234-5678-9012-3456

セーフカード株式会社
東京都中央区日本橋○○○○
お問い合わせ先 TEL 03-1234-5678

金融機関	東西南北銀行
支店	新宿支店
科目	普通

発行者はカード会社。事業者が作成したものではないため、インボイスの要件を満たしていたとしても、適格請求書等として扱えない

ご利用年月日	ご利用店名	ご利用金額	支払区分	今回回数	お支払金額	備考
202X/4/1	○○新聞決済	4,277	1	1		
202X/4/8	○○電機	9,680	1	1	9,680	
⋮	⋮	⋮	⋮	⋮	⋮	
	お支払金額合計				50,453	

実際に商品等を販売した事業者の登録番号は記載されていない

購入時に受け取った売上票や、商品の送付時に同封されてきた領収書や納品書は必ず保存しておきましょう。登録番号などの記載があれば、利用明細書を補完できます。

第3章 日・月単位の経理業務

08 電子帳簿保存法の基本を理解しよう

| 頻度 | ― | 対象 | ― | 時期 | ― |

POINT
- 電子帳簿法は紙ではなく電子データで帳簿や書類を保存するときのルール
- 3つの法律で構成され、対応が任意のものと義務化されているものがある

帳簿や書類を電子データで保存

電子帳簿保存法（以下、電帳法）は、国税関係の帳簿・書類を「電子データ」で保存するためのルールです。電子データとは、会計ソフトなどで作成した帳簿等のオリジナルデータやPDFに変換したもの、領収書などをスキャンした画像データなどのことです。

対象となる書類は、仕訳帳、総勘定元帳、現金出納帳などの帳簿類、貸借対照表、損益計算書などの決算関係書類、そのほか契約書、納品書、請求書、領収書、見積書、注文書（自社で発行したものはその控え）などです。

電帳法の施行時は帳簿のみが対象で、その後の改正で範囲が拡大されてきました。そのため、電帳法は実質的に「電子帳簿等保存」「スキャナ保存」「電子取引データ保存」の3つの法律で構成されています。それぞれ保存要件等が異なります。

電子帳簿保存法を構成する3つの法律

電子帳簿等保存は自社で初めからパソコン等で作成した帳簿や書類を電子データのまま保存するときのルールです（「等」は「書類」のこと）。対応は任意のため、電子データではなく、紙に出力して保存してもかまいません。会計ソフトを利用すれば、最低限の保存要件はクリアできます。

スキャナ保存は紙で授受した書類（発行したものはその控え）をスキャンして、JPGやPDFなどの画像データで保存するときのルールです。こちらも対応は任意です。経費精算に必要な領収書なども対象となるため、スキャナ保存を導入する場合はファイル名の付け方など、一般社員にも保存要件を周知・徹底する必要があります。

電子取引データ保存については、2024年1月から対応が義務化されています。次節で詳しく説明します。

経理

人事

総務

Advice 3つの保存方法で要件の詳細は異なるが、「真実性の確保」（作成日や修正履歴が確認できるようにする）と「可視性の確保」（税務調査時に必要な書類をすぐ提示できるようにしておく）が必要となる。

📌 電子帳簿保存法の対象となる書類

国税関係帳簿	国税関係書類		
	決算関係	取引関係	
自己が発行した帳簿	自己が発行した書類	自己が発行した書類の写し	相手方から受領した書類
・仕訳帳 ・総勘定元帳 ・補助元帳 ・売上台帳 ・仕入台帳 ・現金出納帳 ・売掛金台帳 ・買掛金台帳 　　　　　など	・貸借対照表 ・損益計算書 ・棚卸表 ・固定資産台帳 　　　　　など	【重要書類】 ・契約書 ・納品書 ・請求書 ・領収書 【一般書類】 ・見積書 ・注文書 ・検収書 ・入庫報告書 　　　　　など	【重要書類】 ・契約書 ・納品書 ・請求書 ・領収書 【一般書類】 ・見積書 ・注文書 ・検収書 ・入庫報告書 　　　　　など

電子帳簿等保存　【対応任意】

自己が一貫してパソコンなどで作成した（手書きが混在しない）帳簿・書類を電子データのまま保存するときのルール（「電子帳簿等」の「等」は書類のこと）

スキャナ保存　【対応任意】

紙で発行したり・受け取ったりした書類（発行したものはその控え）をスキャンして、JPGやPDFなどの画像データで保存するときのルール

紙または電子データで保存

電子取引
発行・受領した電子データ
・電子メール ・インターネット ・クラウドサービス ・EDI取引*　　　　　　　など

電子取引データ保存　【対応必須】

メールへの添付やクラウド経由で授受した、電子データによる請求書や領収書などを、電子データのまま保存するときのルール

電子データで保存

*企業や行政機関などを専用のデータシステムでつなぎ、書類などの書式を統一した電子データでやり取りするもの

電子取引データ保存で扱う電子データについては、「電子取引データ」と呼ぶこともあります（電子帳簿等保存、スキャナ保存で扱う電子データと区別するため）。

09 電子取引データ保存への対応のポイント

| 頻度 | 発生の都度 | | 対象 | 役員・従業員 | | 時期 | ― |

POINT
- 電子取引データ保存への対応は全事業者に義務化されている
- 事務処理規程を作成して真実性を担保する

電子データの取引関係書類はデータのまま保存

2024年1月よりメールへの添付やクラウドなどウェブ経由で授受した取引関係書類は「電子取引データ保存」のルールにしたがって保存することが義務化されました。

該当するのは、電子データで授受した請求書、領収書、契約書、見積書、納品書などです。メールにPDFで添付された書類だけでなく、ネット通販の利用時にサイトからダウンロードした領収書なども電子取引データ保存の対象となります。

保存する際のファイル形式についての定めはありません。ショッピングサイトなどで備品を購入した際は画面のhtmlファイルやスマホのスクリーンショットでもかまいません。ただし、ファイル名以外は授受したときのデータの状態のままとし、変更を加えてはいけないルールになっています。

「事務処理規程」の作成でコスト削減

また、可視性の確保（94ページ）のため、原則として「日付」「金額」「取引先」の3点でファイルを検索できるようにしておかなければなりません。

ただし、基準期間の**売上高**が5,000万円以下の事業者については税務調査時に、日付や取引先ごとに整理された一覧表のプリントアウトの提示などの求めに応じることができれば、検索機能は不要です。また、売上高5,000万円超の事業者でも、所轄税務署長に「相当の理由がある」と認められ、税務調査時に電子データのダウンロードおよび出力した紙の提示または提出に応じることができる場合は、検索機能は不要となります。

また、真実性の確保（94ページ）のためには、「タイムスタンプの付与」あるいは「訂正削除の記録が残るまたは訂正削除ができないシステムでデータの授受・保存を行う」方法があります。利用する会計ソフトやクラウドサ

Keyword **売上高** ここでの基準は「課税売上高」ではないことに注意。営業外収入や雑収入は含まない。

経理

人事

総務

📌 電子取引データの保存方法

受け取った方法	保存方法
電子メールに添付された書類	ダウンロードしたファイルを保存
メールの本文に記載された書類のデータ	PDF化して保存
インターネットのサイトからダウンロードした書類	ダウンロードしたファイルを保存
クレジット・ICカード・スマホアプリからクラウドサービスなどを通じて受領した請求書や領収書	ダウンロードしたファイルを保存
EDIシステムを利用して受領した書類	システム上でデータ保存、もしくはダウンロードしたファイルを保存
ペーパーレス機能付きのコピー機を利用したFAXデータ	PDF化するなどして保存
DVDなどの記録媒体を介して受領した書類	データをサーバーなどに取り込んでファイルを保存

📌 表計算ソフトでデータを整理する

❶索引簿を作成する

連番	日付	金額	取引先	備考
1	202X0401	120,000	㈱吉商事	請求書
2	202X0410	330,000	ソジネット㈱	注文書
3	202X0412	330,000	ソジネット㈱	領収書
4	202X0415	77,000	㈱幸多	請求書
5	202X0420	550,000	㈱ジャイル	合算請求書
⋮	⋮	⋮	⋮	⋮
⋮	⋮	⋮	⋮	⋮
⋮	⋮	⋮	⋮	⋮

❷検索できるファイル名をつける

〈付け方のルール（例）〉

日付_取引先(名)_金額

202X0401_吉商事_120000

索引簿にしたがって、ファイル名の付け方を統一する

〈合算請求書の場合〉

202X0430_ジャイル_550000_合算請求書

受領した請求書の表紙の日付ではなく、社内の締め日で統一しておくと検索しやすい

合算請求書だとわかるようにしておく

複数の請求書が1つのPDFファイルにまとめられた合算請求書については、請求書ごとにPDFファイルを分割して、それぞれに規則性を持ったファイル名を付けてもかまいません。ただし、分割する前の元のPDFファイルもそのまま保存しておきます。

ービスが、公益社団法人日本文書情報マネジメント協会によるJIIMA認証の「電子取引ソフト法的要件認証」を取得しているものであれば、これらの保存要件を満たしています。

　もしくは、訂正や削除に関する「事務処理規程」を定めて運用する方法もあります。事務処理規程の作成には国税庁のウェブサイトに「電子取引データの訂正及び削除の防止に関する事務処理規程」のひな形が用意されており、カスタマイズも可能です。

PDFと紙の両方を受け取ったときの処理

　そのほか、電子取引データを取り扱う上での注意点がいくつかあります。

　前述のとおり、ファイル名以外の変更は禁止されているため、メールに添付されてきたワード形式の請求書を、社内でPDF形式に統一するために保存し直すようなことはできません。

　また、メールの本文に請求内容や支払い日の指定などの情報が記載されている場合は、メールの本文も電子取引データ保存の対象になります。メーラーやブラウザの印刷機能を使って、PDF形式で出力して保存します。

　同じ請求書を、メールに添付されたPDFなどの電子取引データと、郵送による紙の書類の両方を受け取ることもあります。この場合は社内規定で定めがなければ、どちらか一方を保存します。「電子取引データを正本とする」などの規定があるときは、それに従います。

　また、先に受け取ったPDFなど電子取引データの内容に、後から郵送されてきた紙の書類では追記部分があるような場合は、その両方を保存する必要があります。

スキャナ保存した電子データとの区別が必要

　他部署から経理に転送されてくる請求書などの電子データの取り扱いにも注意が必要です。

　転送されてきたPDFが取引先から送られてきたオリジナルのPDFであれば問題ありませんが、取引先から紙で受け取った請求書を社内でスキャンしてPDF化し、経理に送ってきたことも考えられます。

　この場合、経理側ではそのPDFがオリジナルデータなのか、社内でスキャンしたものなのか、区別がつきません。社内でPDF化していた場合は、電子取引データ保存ではなく、スキャナ保存の対象になります。電子取引データとスキャナ保存では、満たさなければならない要件が異なるため、税務調査時に指摘を受け、罰則を科される可能性があります。

　経理部門だけでなく一般社員にも、ルールの浸透・徹底を図る必要があります。

📌 電子取引データの訂正及び削除の防止に関する事務処理規程（法人用）の作成ポイント

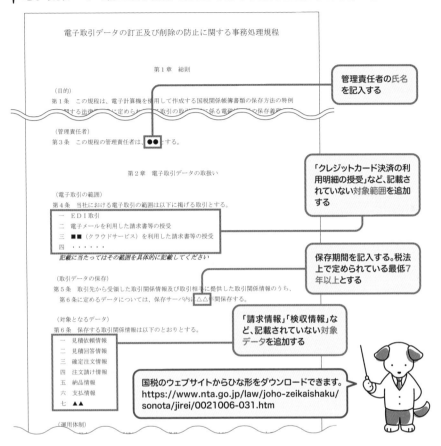

電子取引データの訂正及び削除の防止に関する事務処理規程

第1章　総則

（目的）
第1条　この規程は、電子計算機を使用して作成する国税関係帳簿書類の保存方法の特例に関する法律……に定められ……取引の取引……係る電磁……の保存義務……

（管理責任者）
第3条　この規程の管理責任者は、●●とする。

> 管理責任者の氏名を記入する

第2章　電子取引データの取扱い

（電子取引の範囲）
第4条　当社における電子取引の範囲は以下に掲げる取引とする。
一　ＥＤＩ取引
二　電子メールを利用した請求書等の授受
三　■■（クラウドサービス）を利用した請求書等の授受
四　・・・・・・
記載に当たってはその範囲を具体的に記載してください

> 「クレジットカード決済の利用明細の授受」など、記載されていない対象範囲を追加する

（取引データの保存）
第5条　取引先から受領した取引関係情報及び取引相手に提供した取引関係情報のうち、第6条に定めるデータについては、保存サーバ内に△△年間保存する。

> 保存期間を記入する。税法上で定められている最低7年以上とする

（対象となるデータ）
第6条　保存する取引関係情報は以下のとおりとする。
一　見積依頼情報
二　見積回答情報
三　確定注文情報
四　注文請け情報
五　納品情報
六　支払情報
七　▲▲

> 「請求情報」「検収情報」など、記載されていない対象データを追加する

> 国税のウェブサイトからひな形をダウンロードできます。
> https://www.nta.go.jp/law/joho-zeikaishaku/sonota/jirei/0021006-031.htm

（運用体制）

⌐ONE　契約に至らなかった見積書も保存が必要

　見積書では、当初の提示金額で合意に至らず、改めてやり取りし直したり、複数の業者から相見積もりを取ったりすることもあります。その際、契約に至らなかった見積書であっても、授受したものは保存しておく必要があります。ファイルのタイトルに"不成立"と入れるなど、成立しなかったことがわかるように保存しておきましょう。

　なお、メールの本文や口頭などで見積金額の交渉を行った過程などについての保存義務はありませんが、税務調査の際などに詳細を確認される可能性があるため、できるだけ残しておきましょう。

10 会計仕訳の基本と勘定科目のルール

| 頻度 | 発生の都度 | 対象 | ー | 時期 | ー |

POINT
- 帳簿付けは複式簿記のルールに則って行う
- お金の出入りだけでなく、お金の種類（勘定科目）も記録する

複式簿記、勘定科目とは

家計簿などは、お金の種類ごとに収入と支出を分けて記録します。これを単式簿記といいます。

単式簿記は、現金の増減のみを記録するため、大きな欠点があります。たとえば、一定期間にかかった交通費の総額を知るには、改めて交通費だけを拾い出し、集計し直さなければなりません。また、給与も、借入金も、同じ収入として記録するため、財政状態の把握はできません。

そのため、会社の帳簿付けは、複式簿記で行います。複式簿記は、お金の出入りだけでなく、そのお金がどんな種類のものか（交通費や借入金など）も併せて記録し、種類別の集計も同時に行うものです。このお金の種類のことを勘定科目といいます。

主な勘定科目は、103〜105ページです。ただし、勘定科目は会社独自に設定することもでき、文具であれば、蛍光灯などと同じ消耗品費としているところもあれば、事務用品費として記録している会社もあります。

借方・貸方のルール

複式簿記では、帳簿の左右の欄が、収入・支出ではなく、「借方」（左側）・「貸方」（右側）に分かれています。この借方・貸方のどちらに何を記入するかが記帳のポイントとなります。

勘定科目は性質によって、右ページのように「資産」「負債」「資本」「費用」「収益」の5つのグループに分類されます。このグループ内の勘定科目が取引によって、増加（もしくは発生）し

たか、減少（もしくは消滅）したかで、借方・貸方のどちらに記入するかが決定します。

たとえば、普通預金は資産のグループです。100万円の入金があった場合、資産が増加することになるので、借方に「普通預金1,000,000」と記入します。入金された理由が売掛金の回収であった場合、売掛金も資産のグループで、こちらは資産が減少したことにな

勘定科目の5つのグループと借方・貸方のルール

グループ	業種	借方（左側）	貸方（右側）
資産 会社の所有財産のうち、利益を生む価値を持つもの	【流動資産】現金／普通預金／当座預金／受取手形／売掛金／商品／製品／棚卸資産／前払金（前渡金）／立替金／仮払金／有価証券／未収金（未収入金）／前払費用／短期貸付金／貸倒引当金 【固定資産】建物／機械装置／附属設備／車両運搬具／工器具備品／土地／ソフトウェア／投資有価証券／敷金／差入保証金／長期貸付金／長期前払費用 【繰延資産】開発費	増加	減少 / 残高
負債 支払い義務のあるマイナスの財産	【流動負債】買掛金／短期借入金／預り金／未払金／未払費用／前受金／仮受金 【固定負債】長期借入金／社債／退職給付引当金	減少 / 残高	増加
純資産 資産から負債を差し引いた財産（自己資本）	【株主資本】資本金／資本余剰金／利益剰余金 【株主資本以外】新株予約権／その他有価証券評価差額	減少 / 残高	増加
費用 収益を上げるために直接かかった経費	【売上原価】仕入（高） 【販売費及び一般管理費】給与手当／雑給／外注費（業務委託費）／地代家賃／租税公課／広告宣伝費／荷造運賃費／通信費／旅費交通費／消耗品費／接待交際費／水道光熱費／支払手数料／損害保険料／修繕費／福利厚生費／雑費 【営業外費用】支払利息／雑損失 【特別損失】固定資産除却損／貸倒損失	発生	消滅 / 残高
収益 会社の営業活動内外で獲得した収入	【売上高】売上（高） 【営業外収益】受取利息／売上手数料／雑収入 【特別収益】固定資産売却益／有価証券売却益	消滅 / 残高	発生

ります。したがって、貸方に「売掛金1,000,000」と記帳します。

ただし、実際には、よく使う仕訳パターンは決まっています。106ページ以降に代表的な仕訳パターンを一覧にしました。何回か帳簿を付けているうちに、理屈抜きで借方・貸方のどちらに記帳するかがわかってくるはずです。

消費税の税区分に注意

もう一つの注意点は、消費税の扱いです。基本的には、会計ソフトが勘定科目から判断してくれますが、消費税のかからない不課税取引と非課税取引（下図）を、課税対象にしないようにしなければなりません。課税対象にしてしまうと、その分消費税の納税額が変わってしまいます。

また、原則課税を採用している会社はインボイス制度の導入および免税事業者に支払った消費税に対する経過措置により、税区分が複雑化しています。会計ソフトで税区分を選択する際に注意しましょう。

📌 課税取引の要件と不課税取引・非課税取引

課税取引の要件
❶国内で行う取引である
❷事業者が事業として行う取引である
❸対価を得て行う取引である
❹資産の譲渡、貸付けまたは役務（サービス）の提供をしている

4つの要件をすべて満たしている必要がある

不課税取引（例）
①給与・賃金
②寄付金・祝金・見舞金・国や地方公共団体からの補助金など
③無償の試供品や見本品の提供
④保険金や共済金
⑤株式の配当金等
⑥資産の破棄や盗難・滅失
⑦損害賠償金

課税取引の要件を満たしていない取引

非課税取引（例）	
消費税になじまないもの	政策的に配慮が必要なもの
①土地の譲渡・貸付	⑧医療費
②株式など有価証券の譲渡など	⑨助産費用
③外国為替業務に係る薬務の提供	⑩介護サービスの費用
④利子、保証料、保険料	⑪身体障がい者用物品の譲渡
⑤郵便切手、印紙などの譲渡	⑫埋葬料・火葬料
⑥商品券などの譲渡	⑬学校の入学金や教科書代、授業料
⑦住民票の取得など行政手数料	⑭住宅の家賃

課税取引の要件を満たしているが、課税しない取引

📌 インボイスにおける税区分

- 登録番号ありのもの：標準税率10%、軽減税率8%
- 登録番号なしのもの（〜2026年9月30日）：標準税率10%（経過措置80%）、軽減税率8%（経過措置80%）
- 登録番号なしのもの（2026年10月1日〜2029年9月30日）：標準税率10%（経過措置50%）、軽減税率8%（経過措置50%）

📌 勘定科目一覧表（主なもの）

「資産」グループ

【流動資産】	
現金	硬貨や紙幣などの現金、小切手など
普通預金	出し入れ自由な預金
当座預金	小切手や約束手形の支払いに使う預金。利息は付かない
受取手形	約束手形、為替手形などを受け取ったときに生じる売上債権
売掛金	商品やサービスの提供が完了していて、代金が後払いの約束になっているもの
商品	販売目的で所有する商品
製品	製造業者が販売を目的として製造・加工した生産品
棚卸資産	商品や仕掛品、原材料、貯蔵品など、棚卸により価値を確定させるもの（各名称の科目を使用する）
前払金（前渡金）	商品の仕入などの際に前払いしたもの
立替金	取引先、役員、従業員などに対して、一時的に経費等を立て替えたもの
仮払金	使用目的や金額が未確定な出金に対して、一時的に使う科目
有価証券	売買目的で所有する株式、国債、社債など
未収金（未収入金）	固定資産や有価証券の売却など、本来の営業活動以外の取引で生じた未回収金
前払費用	数カ月あるいは1年を超えるサービス契約で前払いした費用のうち、提供が翌期にまたがり、支払い期限が決算日の翌日から1年以内のもの
短期貸付金	取引先、役員、従業員への貸付金のうち、返済期限が決算日の翌日から1年以内のもの
貸倒引当金	売掛金などの貸し倒れに備えて、貸倒見積額を費用計上したもの
【固定資産】	
建物	事業用に所有している店舗や事務所、倉庫（「附属設備」を含めることも）
機械装置	製品製造のための機械や装置
附属設備	照明設備、空調設備など、建物と一体となって機能する建築設備
車両運搬具	事業用の乗用車、トラック、フォークリフトなど
工具器具備品	工具、パソコン、机、いすなどの器具や備品類（取得価額30万円未満のものは「消耗品費」とすることも）
土地	店舗、事務所、資材置き場、駐車場などの敷地（取得時の価格）
ソフトウェア	購入または自社開発のソフトウェアのうち高額なもの
投資有価証券	長期保有などを目的とした他社株式や債券
敷金	建物を借りる際に支出した敷金など（「差入保証金」に含めることも）
差入保証金	債務者が債務履行の担保として差し入れるもの
長期貸付金	取引先、役員、従業員への貸付金のうち、返済期限が決算日の翌日から1年超のもの
長期前払費用	期をまたぐ1年超のサービス契約に対して前払いした費用のうち、サービスの提供が翌期にまたがり、支払い期限が決算日の翌日から1年超のもの

【繰延資産】	
開発費	新規顧客の開拓や新技術の開発などにかかった費用などのうち、資産に計上するもの（通常は支出時に「費用」として計上）

「負債」グループ

【流動負債】	
買掛金	仕入代金のうち、後払いの約束になっているもの
短期借入金	借入金のうち、返済期限が決算日の翌日から1年以内のもの
預り金	従業員の源泉所得税や社会保険料など、本人に代わって第三者へ支払うために、一時的に預かっているもの
未払金	備品や固定資産の購入など、本来の営業取引以外の取引から生じる債務のうち、支払い期限が決算の翌日から1年以内のもの
未払費用	家賃、給与、水道光熱費、保険料など、継続して役務の提供を受けているもので、決算日までに提供された役務のうち、費用が未払いのもの
前受金	商品や製品などの注文を受けた際に、代金の一部として受け取ったもの
仮受金	現金は受け取ったが、相手勘定科目または金額が未定のもの（内容不明の入金など）
【固定負債】	
長期借入金	借入金のうち、返済期限が決算日の翌日から1年超のもの
社債	事業者が外部から資金調達のために発行した債券
退職給付引当金	将来、支払う退職金のうち、現在までの発生分を見積もり計上したもの

「純資産」グループ

【株主資本】	
資本金	会社設立時や増資時の出資金
資本準備金	出資者が払い込んだ金額のうち、資本金としなかった金額
資本剰余金	資本準備金に資本取引から生じた剰余金（自己株式を処分した際の処分差益など）を加えた金額
利益剰余金	会社が生み出した利益を内部留保したもの（累計された利益から使われずに残っているもの）
【株主資本以外】	
新株予約権	事前に取り決めた価格で投資者が新株を購入する権利
その他有価証券評価差額	業務提携を目的とした取引先企業への出資など、長期保有を前提とした有価証券などの期末における時価と取得原価との差額

「費用」グループ

【売上原価】	
仕入(高)	商品の仕入代金（引き取り運賃や輸入した場合の通関代なども含む）
【販売費及び一般管理費】	
給与手当	給料、賃金、賞与および役職手当、住宅手当、時間外手当など各種手当の総額（通勤手当は除く。旅費交通費として計上）

経
理

人
事

総
務

雑給	パートやアルバイトなどに対する給与や諸手当（給与手当としてもよい）
外注費（業務委託費）	外部の法人や個人と業務請負契約や業務委託契約を結び、業務の一部を委託したときの費用
地代家賃	事務所や店舗、倉庫、車庫などの賃借料
租税公課	事業税、固定資産税、自動車税、印紙税、登録免許税など（所得税、住民税、相続税などは該当しない）
広告宣伝費	新聞・雑誌・ウェブサイトなどへの広告掲載料、社名入りカレンダーやカタログ、チラシの印刷費など広告宣伝に使った費用
荷造運賃費	商品や製品などの荷造費用や運送費用
通信費	電話料金、はがき代、切手代などの費用
旅費交通費	電車代やタクシー代などの交通費、宿泊代などの出張旅費
消耗品費	事務用品やプリンターのインク、ガソリンなどの消耗品や、使用可能期間が1年未満または取得価額が10万円未満のデスクなど什器備品の購入費
接待交通費	取引先への接待や歳暮の贈答品などの費用
水道光熱費	水道料金、電気料金、ガス料金など
支払手数料	銀行の振込手数料や不動産仲介手数料、税理士などへの支払手数料
損害保険料	火災保険や自動車保険などの保険料
修繕費	建物、機械、器具、車両工具などの修繕費用
福利厚生費	従業員の慰安、保険、残業の食事代など
雑費	ほかの勘定科目に該当しない少額の費用
【営業外費用】	
支払利息	借入金の利息など
雑損失	盗難や自然災害による損失など、ほかの勘定科目に該当しない支出
【特別損失】	
固定資産除却損	不要な固定資産（機械など）を処分したことによる損失
貸倒損失	取引先の倒産などによる売掛金の損失

「収益」グループ

【売上高】	
売上（高）	本業で得た売上
【営業外収益】	
受取利息	預金の利子など、本業以外で受け取った利息
受取手数料	あっせんや仲介などを行ったときに受け取った手数料（「雑収入」に含めることも）
雑収入	手数料収入など、ほかの勘定科目に該当しない本業外の収益
【特別収益】	
固定資産売却益	固定資産の売却で得た利益
有価証券売却益	有価証券の売却で得た利益

仕訳基本パターン

・仕訳帳（複式簿記）の記帳例です。基本的なもの、迷いやすいものを整理しました。現金出納帳などの補助簿（単式簿記）の記帳についても参考にしてください。
・現金払いの場合は「普通預金」を「現金」の勘定科目に差し替えてください。

給与関連

給与の支払い（20日締め、翌月25日払いの場合）

〈締め日の仕訳〉
①各従業員の給与手当

> 諸手当も含める。パートやアルバイトへの給与は「雑給」とすることも

> 締め日と支払い日が異なる場合はいったん未払金として計上

借方勘定科目	借方金額	貸方勘定科目	貸方金額	摘要	
給与手当	323,560	未払金	264,328	4月分給与額	
旅費交通費	12,000	預り金	1,007	雇用保険料	
		預り金	50,575	社会保険料	
		預り金	4,050	所得税	
		預り金	15,600	住民税	
借方合計	335,560	貸方合計	335,560	貸借バランス	0

> 通勤手当は消費税の課税対象となるため、給与手当に含めずに、旅費交通費の勘定科目で仕訳

②社会保険料の事業主負担分

> 未払費用として計上

借方勘定科目	借方金額	貸方勘定科目	貸方金額	摘要	
法定福利費	51,799	未払費用	51,799	社会保険料事業主負担分	
借方合計	51,799	貸方合計	51,799	貸借バランス	0

> 社会保険料の事業主負担分（上記の「社会保険料」＋「子ども・子育て拠出金」の額）。実際には、従業員全員分の負担分の合計額を記帳する

〈支払い後の仕訳〉①各従業員への給与の振込

借方勘定科目	借方金額	貸方勘定科目	貸方金額	摘要	
未払金	264,328	普通預金	264,768	4月分給与支払い	
支払手数料	440			振込手数料	
借方合計	264,768	貸方合計	264,768	貸借バランス	0

> 給与の振込手数料は会社負担のルール

②社会保険料の支払い

> 従業員負担分

> 会社負担分

借方勘定科目	借方金額	貸方勘定科目	貸方金額	摘要	
預り金	50,575	普通預金	102,374	社会保険料従業員負担分	
未払費用	51,799			社会保険料事業主負担分	
借方合計	102,374	貸方合計	102,374	貸借バランス	0

経理

人事

総務

③従業員給与の源泉所得税と住民税の支払い

借方勘定科目	借方金額	貸方勘定科目	貸方金額	摘要	
預り金	4,050	普通預金	19,650	源泉所得税	
預り金	15,600			住民税	
借方合計	19,650	貸方合計	19,650	貸借バランス	0

実際には、従業員全員分の負担分の合計額を記帳する

売掛・売上関連

商品・サービスを掛けで販売した

〈売掛金の発生時〉

借方勘定科目	借方金額	貸方勘定科目	貸方金額	摘要	
売掛金	330,000	売上高	330,000	掛け売上	
借方合計	330,000	貸方合計	330,000	貸借バランス	0

〈売掛金の回収時〉相手方が振込手数料を負担

借方勘定科目	借方金額	貸方勘定科目	貸方金額	摘要	
普通預金	330,000	売掛金	330,000	掛代金回収（A社）	
借方合計	330,000	貸方合計	330,000	貸借バランス	0

こちらが振込手数料を負担

借方勘定科目	借方金額	貸方勘定科目	貸方金額	摘要	
普通預金	329,560	売掛金	330,000	掛代金回収（A社）	
支払手数料	440			振込手数料	
借方合計	330,000	貸方合計	330,000	貸借バランス	0

商品を値引き販売した（クーポン券による値引きも同じ）

借方勘定科目	借方金額	貸方勘定科目	貸方金額	摘要	
売掛金	300,000	売上高	330,000	値引き販売	
売上値引高	30,000				
借方合計	330,000	貸方合計	330,000	貸借バランス	0

勘定科目は「売上高」でもOK。借方の税区分は「課税売返」

取引先にリベートを支払って売掛金と相殺した

借方勘定科目	借方金額	貸方勘定科目	貸方金額	摘要	
売上割戻し高	330,000	売掛金	330,000	割戻し	
借方合計	330,000	貸方合計	330,000	貸借バランス	0

返品があり、返金した

返品を受けたときの勘定科目。借方の税区分は「課税売返」

借方勘定科目	借方金額	貸方勘定科目	貸方金額	摘要	
売上戻り高	330,000	普通預金	330,000	返品	
借方合計	330,000	貸方合計	330,000	貸借バランス	0

前金を受け取った（150万円の仕事に対して50万円の手付金を受け取った場合）

〈手付金の受け取り時〉

借方勘定科目	借方金額	貸方勘定科目	貸方金額	摘要	
普通預金	500,000	前受金	500,000		
借方合計	500,000	貸方合計	500,000	貸借バランス	0

前金を受け取ったときの勘定科目。貸方の税区分は「対象外」

〈商品やサービスの提供時（精算時）〉

借方勘定科目	借方金額	貸方勘定科目	貸方金額	摘要	
売掛金	1,000,000	売上高	1,500,000	前受金から売上高へ振替	
前受金	500,000				
借方合計	1,500,000	貸方合計	1,500,000	貸借バランス	0

借方の税区分は「対象外」

引き渡し完了時に受け取った残金の100万円は「売掛金」として処理

買掛・仕入関連

商品・サービスを掛けで仕入れた

〈買掛金の発生時〉

借方勘定科目	借方金額	貸方勘定科目	貸方金額	摘要	
仕入高	330,000	買掛金	330,000	掛け仕入	
借方合計	330,000	貸方合計	330,000	貸借バランス	0

〈買掛金の回収時〉相手方が振込手数料を負担

借方勘定科目	借方金額	貸方勘定科目	貸方金額	摘要	
買掛金	330,000	普通預金	330,000	掛代金支払い（B社へ）	
借方合計	330,000	貸方合計	330,000	貸借バランス	0

こちらが振込手数料を負担

借方勘定科目	借方金額	貸方勘定科目	貸方金額	摘要	
買掛金	330,000	普通預金	330,440	掛代金支払い（B社へ）	
支払手数料	440			振込手数料	
借方合計	330,440	貸方合計	330,440	貸借バランス	0

経理 人事 総務

仕入先に前金を支払い、商品を受け取り後、残額は掛仕入とした

〈前金の支払い時〉

借方勘定科目	借方金額	貸方勘定科目	貸方金額	摘要	
前渡金	500,000	普通預金	500,000	前金(手付金)の支払い	
借方合計	500,000	貸方合計	500,000	貸借バランス	0

前金を支払うときの勘定科目。借方の税区分は「対象外」

〈商品やサービスの受け取り後〉

借方勘定科目	借方金額	貸方勘定科目	貸方金額	摘要	
仕入高	1,500,000	前渡金	500,000	前金(手付け分)	
		買掛金	1,000,000		
借方合計	1,500,000	貸方合計	1,500,000	貸借バランス	0

商品を受け取った時点で「仕入高」となる

掛けで仕入れた商品に不良品が見つかり値引きされた

借方勘定科目	借方金額	貸方勘定科目	貸方金額	摘要	
買掛金	330,000	普通預金	280,000	掛代金支払い	
		仕入値引高	50,000	仕入値引き	
借方合計	330,000	貸方合計	330,000	貸借バランス	0

値引きされたときの勘定科目(「仕入高」としてもOK)。貸方の税区分は「課対仕返」

期日前の支払いにより割引を受けた

借方勘定科目	借方金額	貸方勘定科目	貸方金額	摘要	
買掛金	330,000	普通預金	327,000	掛代金支払い	
		仕入割引	3,000	仕入割引	
借方合計	330,000	貸方合計	330,000	貸借バランス	0

割引きを受けたときの勘定科目(「仕入高」としてもOK)。貸方の税区分は「課対仕返」

掛けで仕入れた商品の一部を返品した

借方勘定科目	借方金額	貸方勘定科目	貸方金額	摘要	
買掛金	55,000	仕入戻し高	55,000	返品	
借方合計	55,000	貸方合計	55,000	貸借バランス	0

返品をしたときの勘定科目(「仕入高」としてもOK)。貸方の税区分は「課税仕返」

その他

売掛金と買掛金で相殺された残額が入金された

税区分は「対象外」

借方勘定科目	借方金額	貸方勘定科目	貸方金額	摘要	
普通預金	250,000	売掛金	330,000	掛代金の回収	
買掛金	80,000			買掛金の相殺	
借方合計	330,000	貸方合計	330,000	貸借バランス	0

現金出納帳の残高と実際の残高に過不足が発生。後日、売上の計上漏れが原因と判明した

〈過不足の発生時〉

借方勘定科目	借方金額	貸方勘定科目	貸方金額	摘要	
現金過不足	500	現金	500	残高相違	
借方合計	500	貸方合計	500	貸借バランス	0

現金の残高に過不足があったときの勘定科目。借方の税区分は「対象外」

〈過不足の原因の判明時〉

借方勘定科目	借方金額	貸方勘定科目	貸方金額	摘要	
現金過不足	500	売上高	500	X月X日の残高相違分	
借方合計	500	貸方合計	500	貸借バランス	0

銀行から借入金が保証料や1カ月分の支払い利息などを差し引いて入金された

借方勘定科目	借方金額	貸方勘定科目	貸方金額	摘要
普通預金	2,336,681	長期借入金	3,000,000	借入金
租税公課	4,000			印紙代
長期前払費用	577,500	保証期間が1年以下の場合は「支払手数料」とする		保証料（120カ月）
支払手数料	50,000			借入事務手数料
長期借入金	19,319			1カ月の元金分の返済
支払利息	12,500			1カ月の利息分の返済
借方合計	3,000,000	貸方合計	3,000,000	貸借バランス	0

借入金の元金分と利息分を返済した

元金分の返済。支払い利息と分けて仕訳する

借方勘定科目	借方金額	貸方勘定科目	貸方金額	摘要	
長期借入金	19,400	普通預金	31,819	元金分の返済	
支払利息	12,419			利息分の返済	
借方合計	31,819	貸方合計	31,819	貸借バランス	0

返済期限が決算日の翌日から1年以内を切った場合、「長期借入金/短期借入金」の仕訳で、短期借入金に振り替え

経理

クレジットカードで備品を購入し、後日、代金が引き落とされた

「未払金」と「未払費用」の使い分けに注意

〈購入時〉

借方勘定科目	借方金額	貸方勘定科目	貸方金額	摘要	
消耗品費	6,600	未払金	6,600	インク代　C社カード	
借方合計	6,600	貸方合計	6,600	貸借バランス	0

使途によって勘定科目を選ぶ

カード払いであることがわかるようにメモ

〈引き落とし時〉

借方勘定科目	借方金額	貸方勘定科目	貸方金額	摘要	
未払金	6,600	普通預金	6,600	C社カード支払い	
借方合計	6,600	貸方合計	6,600	貸借バランス	0

カード支払いの正しい仕訳は上記のとおりだが、決算月以外は購入時の仕訳を省略し、引き落とし時に直接「消耗品費6,600/普通預金6,600」としても許容される（税額が変わらないため）

車両を購入した

オプションは本体価格に含める

借方勘定科目	借方金額	貸方勘定科目	貸方金額	摘要	
車両運搬具	1,600,000	普通預金	1,690,870	本体、オプション	
租税公課	9,700			自動車重量税ほか	
保険料	27,330			自賠責保険料（37カ月分）	
預託金	8,840			自動車リサイクル料金	
支払手数料	45,000			登録代行手数料	
借方合計	1,690,870	貸方合計	1,690,870	貸借バランス	0

借方の税区分は「対象外」

預託先に無利子で預ける金銭を処理する勘定科目。科目がない場合は作成するか、預け金などで処理

30万円部分のみが消費税課税売上

車両を売却した

借方勘定科目	借方金額	貸方勘定科目	貸方金額	摘要	
普通預金	300,000	車両運搬具	300,000	車両帳簿価額	
固定資産売却損	175,507	車両運搬具	166,667		
		預託金	8,840	売却損	
借方合計	475,507	貸方合計	475,507	貸借バランス	0

売却額

減価償却累計額を差し引いた、期首の帳簿価額

儲けがあった場合は貸方に「固定資産売却益」の勘定科目で記帳

購入時に預けた金額をそのまま記帳

事務所の移転に伴い敷金の一部が返金された

借方勘定科目	借方金額	貸方勘定科目	貸方金額	摘要	
普通預金	200,000	敷金	500,000	敷金返却分	
雑損失	300,000			敷金未返却分	
借方合計	500,000	貸方合計	500,000	貸借バランス	0

原状回復の相殺の場合は「修繕費」の勘定科目で記帳

11 現金・預金を管理する

POINT
- 現金出納帳は原則として毎日記帳する
- 預金出納帳は支払いや入金の遅れがないかを確認しながら記帳する

現金出納帳は日単位で記帳する

飲食店など現金商売だけでなく、一般の会社でも、少額の支払い用に社内に一定額の現金を管理することがあります。経理担当者は、原則として毎日、残高を確認し、現金出納帳に記帳します。また、残高が一定額以上になったら預金し、下回ったら預金口座から引き出して補充します。

実際の残高と帳簿の残高にずれがあれば、原因を究明します。ただし、現金の支払い時や受け取り時に間違えた場合、原因を特定できないケースも出てきます。こうした場合には、「現金過不足」の勘定科目で現金出納帳およびその他の帳簿に記帳します。

現金過不足を使うと帳簿上の問題は解決しますが、あまりに多額な場合、現金売上の一部を抜き取っている疑いを税務署からかけられかねません。

また、税務調査時には、金庫の現金と帳簿の残高が一致しているかも確認されます。一致していないと、社長の私的な流用や、経理担当者の不正を疑われる可能性があります。

預金出納帳への記帳では入金漏れなどもチェック

預金口座のお金の動きは預金出納帳に記帳します。週または月単位で請求書などと照合しながら、支払いや入金に遅れがないか、金額に誤りがないかを確認したうえで記帳します。口座と預金出納帳で残高が一致しない場合は「振込手数料の額または負担者を間違えている」「同一取引を重複記帳している」などが原因として考えられます。

また、口座に入金された預金利息は源泉徴収税を引かれた後の金額のため、そのまま記帳することはできません。金融機関から送られてくる明細書で確認するか、「入金された利息÷0.84685」の計算でいったん税引き前の本来の利息を割り戻し、源泉徴収された税額を「×0.15315」で求めて記帳しなければなりません。

経理

人事

総務

📌 現金出納帳の記帳で起こりがちなトラブルと防止のポイント

> 現金商売でない業種では、領収書を溜めておき、
> 週単位、月単位で現金出納帳をまとめて記帳することところも

⬇

> その際、クレジットカード払いで購入した商品の到着時に
> 同封されていた領収書まで現金出納帳に記帳

⬇

> 口座からも、現金からも支払ったことに！
> 預金出納帳と現金出納帳の二重記帳が発生!!

POINT 現金出納帳には、自分（または従業員）が現金に
実際に手で触れたものだけを記帳する

預金口座からの現金の引き出しについては預金出納帳からも、上記のルールにしたがって現金出納帳からも記帳できるので、二重記帳が起こりやすい。どちらから記帳するかを決めておくとよい

📌 預金利息の割り戻し計算と仕訳

〈計算式〉

$$\text{預金利息} \div 0.84685 \times \underset{\text{源泉所得税等の税率}}{0.15315} = \text{源泉徴収税額}$$

1円未満は切り捨て

〈計算例〉

預金利息が846円入金された場合

846円÷0.84685×0.15315＝152円（1円未満は切り捨て）

〈仕訳〉

借方勘定科目	借方金額	貸方勘定科目	貸方金額	摘要	
普通預金	846	受取利息	998	預金利息	
法人税等	152				
借方合計		貸方合計		貸借バランス	0

12 立替金・仮払金を管理する

頻度	発生の都度	対象	役員・従業員	時期	―

POINT
- 立替金は精算日を明示し、厳守してもらう
- 仮払金は仮払い時と精算時の2回、書類を提出してもらう

立替金は精算期限を徹底する

立替金と仮払金はどちらも経費精算の方法に関係するものです。

立替金は、従業員が少額の経費を会社に代わっていったん負担し、後日、会社に**経費精算書**と領収書を提出して精算するものです。

その都度精算していると経理の負担が増えてしまうため、週単位もしくは月単位で精算日を決めて行います。ただし、月次決算に間に合うように、最長で1カ月以内を期限として、就業規則や経費精算規程などにも明記します。ただし、実際には、申請が期限より遅れても、税法上は事業年度内であれば、精算を認められているため、応じなければなりません。さらに、民法上は5年が期限です。事業年度を超えた経費を精算する場合は「過年度損益修正損」という勘定科目を使って記帳します。

仮払金申請書・仮払精算書を提出してもらう

仮払金は、会社が経費の見込み額を事前に従業員に渡しておき、あとから実際に支払った額との差額を精算するものです。経費の見込み額が高額な場合や、出張時にかかる経費など使途や金額が明確でない場合に仮払いします。

仮払いを行うにあたっては、従業員に仮払金申請書を提出してもらいます。書式は自由ですが、「申請日」「申請者名」「仮払日」「仮払金額」「目的」などを記入できるようにします。仮払いをした証拠にもなります。

精算時には、仮払金精算書を提出してもらいます。「仮払金額」「精算金額」欄を設ける以外は、経費精算書とほぼ同じです（交通費もほかの経費と一緒に記入できるようにしておきます）。

仮払金を渡した時と精算時の2度、現金出納帳（振込の場合は預金出納帳）に記帳します。

経理

人事

総務

Keyword **経費精算書** 書式は会社の自由。交通費については領収書をもらえないことが多いため、他の経費とは分けて、行先や経路等の記入欄を設けた交通費精算書を用意しているところがほとんど。

接待交際費と会議費の違い

接待交際費については、原則、損金にできません(資本金1億円以下の会社については上限あり)。そのため、税務調査では、会議費などのなかに、接待交際費に該当するものがないかを詳しく調べられます。間違いが多いと、帳簿および経理の信用を失うことになるため、注意しましょう。

● 飲食費についての判定チャート

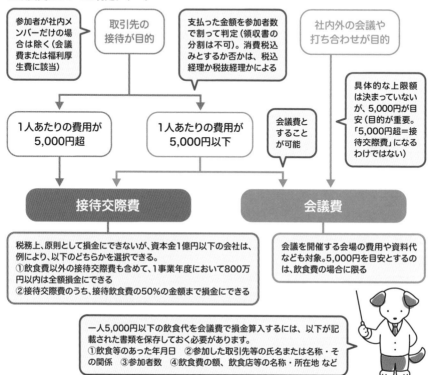

仮払いの支払いから精算までの流れ

❶仮払いを受ける本人が仮払申請書に記入し、上司の承認を受ける　▶　❷仮払申請書と引き換えで仮払いを行う　▶　❸現金出納帳や仕訳帳に仮払金の勘定科目で記帳する

〈仕訳例〉

借方勘定科目	借方金額	貸方勘定科目	貸方金額	摘要
仮払金	50,000	現金	50,000	名古屋出張費

▶　❹仮払精算書を提出してもらい、仮払金の精算を行う　　❺現金出納帳に記帳して、仮払金を実際の経費の勘定科目に振り替える

〈仕訳例〉

借方勘定科目	借方金額	貸方勘定科目	貸方金額	摘要
交通費	30,000	仮払金	50,000	名古屋出張費精算
宿泊費	15,000			
現金	5,000			

13 売掛金・買掛金を管理する

| 頻度 | 発生の都度 | 対象 | ― | 時期 | ― |

POINT
- 売掛金は未回収の代金、買掛金は未払いの代金で正反対の関係
- 売掛金は実現主義、買掛金は発生主義に基づく日付で記帳する

売掛金の記帳では発生日の基準に注意する

　売掛金とは、商品やサービスの提供が完了していて、売上になっている未回収の代金のことです。売掛帳には、売掛金が発生したときと、入金されたときの2度、取引先別に記帳します。2度目の記帳でその取引についての売掛金はゼロになります。

　注意が必要なのは、売掛金の計上のタイミングです。売掛帳には、請求書の発行日ではなく、実際に商品やサービスの引き渡しが完了した日（入金の権利を得た日）を記帳します（実現主義）。完了日には、主要なものとして

「商品等の出荷日」（出荷基準）、「商品等の納品日」（引き渡し基準）、「商品等の検収を受けた日」（検収基準）の3つの基準があります。全取引に対して、どれか1つの基準で統一しなければなりません。

　ただし、完了日の異なる複数の取引が1枚の請求書に記載されている場合は、決算月以外は請求日を完了日として記帳します。決算月だけは、当期の売上か、翌期の売上かで法人税等の納税額が違ってくるため、取引ごとの完了日を記帳します。

買掛金の対象は販売や製造を目的とした仕入れ

　買掛金は、商品やサービスの提供を先に受けていて、支払いがまだ完了していない代金のことです。買掛金となるのは、販売目的で仕入れた商品や、商品の製造目的で仕入れた材料に関する費用（仕入高）に限られます。広告費などは未払金として計上します。

　買掛帳には、買掛金が発生したとき

と、支払ったときの2度、取引先別に記帳します。買掛帳の日付は注文日ではなく、発生主義によりますが、費用収益対応の原則により、同じ会計期間の収益に対応する部分だけを費用として認識・計上します。収益に対応していない部分は決算時に棚卸資産等の資産になり、翌期の費用となります。

経理

人事

総務

📌 売掛金・売上高（収益）は実現主義で計上する

商品やサービスの引き渡しが完了した日付
（入金の権利が確定した日付）で記帳する

長期契約などにおいて、未実現の収益を、当期の収益として計上できないようにするためのルール

●事業年度末の売上計上日

引き渡し（納品日）基準の場合

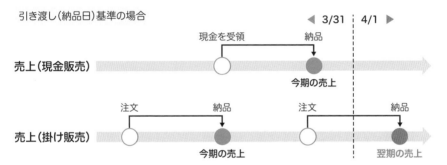

📌 買掛金・仕入高（そのほか一般経費も含めた費用）は発生主義で計上する

商品やサービスを購入した日付
（使える状態になった日付）で記帳する

＋

費用収益対応の原則
※同一の会計期間において、収益と費用を対応させるルール。支払いが翌期でも、今期の収益を上げるために要した費用は今期分として計上する

決算時における処理となるため、買掛帳など日々の記帳の際には気にしなくてよい

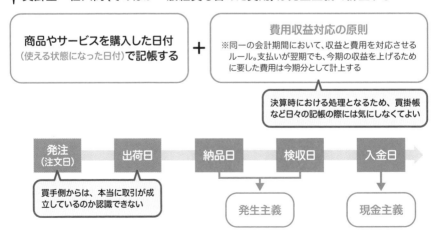

14 個人事業主への報酬の支払い時の経理処理

| 頻度 | 発生の都度 | 対象 | ― | 時期 | 支払い月の翌月10日 |

POINT
- 報酬が1回につき100万円を超えると税率が変わる
- 源泉所得税は消費税を含めて計算するのが原則

個人事業主の源泉所得税の計算

個人事業主に報酬を支払った場合、源泉徴収しなければならないことがあります。源泉徴収の対象となるのは、士業および特定の業務に対する報酬です。後者については、対象となるのは業務内容であり、職業ではないことに注意が必要です（右ページ）。

たとえば、占い師に講演を依頼した場合、その人が芸能人でなくても、講演料に対して源泉徴収しなければなりません。

個人事業主の報酬から源泉徴収する場合、基本的には報酬の10.21％が税額となります。報酬が50万円であれ

ば、源泉徴収税額は50万円×10.21％＝5万1,050円、支払い金額は44万8,950円となります。ただし、報酬が100万円超の場合は、100万円超の部分の税率が20.42％となります。

また、司法書士、土地家屋調査士、海事代理士への報酬の場合は、報酬額の多寡にかかわらず、（報酬額－1万円）×10.21％で計算します。

なお、100万円超えるかどうかは1回の支払いについて判断します。150万円の報酬を80万円と70万円に分けて支払った場合は、どちらも税率10.21％となります。

消費税込みでも、別でもOK

個人事業主の源泉所得税については、原則として消費税を含めた額が対象ですが、請求書などで報酬と消費税が明確に区別されている場合は、消費税を含まない額での計算も可能です。インボイス制度導入後も変わりませんが、一般的には消費税が明確に区別されて

いるケースが多くなると思われます。

源泉徴収した税金は、原則として翌月10日までに納付します。税理士等の士業の場合は給与所得・退職所得等の所得税徴収高計算書を、それ以外の場合は報酬・料金等の所得税徴収高計算書を使用します。

経理

人事

総務

118

📌 源泉所得税がかかる個人事業主の報酬の例

種別	源泉徴収が必要な主な業務	対象となる主な個人事業主	源泉徴収税額	使用する納付書の種類
士業	弁護料、監査料、決算料、測量、建築設計料、不動産鑑定料、自動車等損害鑑定料など	弁護士、公認会計士、税理士、社会保険労務士、弁理士、測量士、建築士、不動産鑑定士、技術士などの士業	【100万円以下の部分】報酬の額×10.21%【100万円超の部分】報酬の額×20.42%※行政書士への報酬は対象外	給与所得・退職所得等の所得税徴収高計算書※納期の特例(67ページ)の適用可
士業	書類作成料、測量の申請手続き、船舶に関する申請・届出など	司法書士、土地家屋調査士、海事代理士	(報酬の額−1万円)×10.21%	
その他	顧問料、コンサルティング料	中小企業診断士、経営コンサルタント(資格は不要)など	【100万円以下の部分】報酬の額×10.21%【100万円超の部分】報酬の額×20.42%	報酬・料金等の所得税徴収高計算書
その他	原稿料、脚本、脚色、校正、校閲、書籍・雑誌のデザイン、挿絵、雑誌・広告その他の印刷物に掲載するための写真撮影、翻訳料、通訳料など	作家、ライター、デザイナー、イラストレーター、カメラマン、翻訳者、通訳など		
その他	テレビや映画の出演、レコード吹込み料	芸能人、モデルなど		
その他	著作権および著作隣接権の使用料※商業用レコードの二次使用料は対象外	著者、歌手、レコード製作者など		
その他	選手契約により支払われる手当、賞金品、専属契約料など	選手、監督、コーチャー、トレーナー、マネージャーなど		
その他	講演料	セミナーや講演の講師など		
その他	外交員、集金人、電力量計の検針人に対する報酬	保険や不動産の営業外交員など	(報酬・料金の額−12万円*)×10.21%	
その他	キャバレーやバーなど、これらに類する施設で行う客の接待	ホステス、コンパニオンなど	(報酬・料金の額−控除金額**)×10.21%	

*同月中に給与等を支給の場合は、12万円から給与等を差し引く　**5,000円×日数(同月中に給与等を支給の場合は、給与等を差し引く)

「報酬・料金等の所得税徴収高計算書」の記入例

書類内容	個人に支払う報酬・料金の源泉所得税を納付する書類
届出先	金融機関

別紙6　報酬・料金等の所得税徴収高計算書の様式及び記載要領
(第1片)

税務署で入手する。e-Taxからも納付可能

- コード表から該当する番号を記入する
- 該当する人数を記入する
- 支払った報酬・料金等の総額を記入する
- 報酬内容によって計算方法が異なるので注意

15 資金繰り表・借入金一覧表・合計残高試算表を作成する

| 頻度 | 毎月 | 対象 | ― | 時期 | ― |

POINT

● 資金繰り表は、将来を含めたお金の動きを把握するもの
● 借入金一覧表を作成して返済額と残高を把握する

資金繰り表、借入金一覧表の役割

資金繰り表は、現在から将来にわたる一定期間のお金の動きを把握するために作成します。資金ショートを防いだり、設備投資のタイミングを図ったりするのに有効です。

一般的には、3カ月から1年先くらいまでの期間について、月単位で作成します。書式は自由ですが、「入金予定」「支出予定」「残高」欄は必要です。入金予定欄には、入金が確実なものだけを入力します。

資金繰り表と似たものに、キャッシュフロー計算書があります。こちらは過去から現在までの成果を確認するための書類です。通常は決算に合わせて、会計期間単位で作成します。

借入金を管理するために作成するのが、借入金一覧表です。借入金には、融資のほかに、手形借入金や手形割引、当座貸越などがあります。金融機関から渡される借入に関する明細書をもとに、借入金の種類ごとに「返済期日」「返済金額」「残額」がわかるように作成します。

月次決算で作成する書類

1カ月ごとの財政状態や経営成績を把握するために、多くの会社が月次決算を行っています。毎月会計を締めた時点で、年次決算とほぼ同じ処理をします。

月次決算で作成するのが、勘定科目ごとに貸方合計と借方合計をまとめた合計試算表や、貸方合計と借方合計の差額を算出してまとめた残高試算表です。両者を1つの表にまとめた合計残高試算表として作成しているところもあります。

月次決算を行っておくと、年次決算の作業が楽になります。また、金融機関から融資を受ける場合に、月次決算の提出を求められることがあります。

経理

人事

総務

Keyword **当座貸越** 普通口座の残高を超えた払い戻しの請求があったときに、定期預金などを担保として、設定した限度額の範囲内で不足分を自動的に借り入れできる仕組みのこと。

📌 短期の資金繰り表の例

第3章 日・月単位の経理業務

日付	内容	入金	支出	残高
			8月	
	繰越			8,256,500
8月1日	出張費仮払い		50,000	8,206,500
8月2日	A社売掛入金	3,700,000		11,906,500
8月3日				11,906,500
〜〜	〜〜	〜〜	〜〜	〜〜
8月9日				11,906,500
8月10日	源泉税、住民税		300,000	11,606,500
8月11日				11,606,500
〜〜	〜〜	〜〜	〜〜	〜〜
8月25日	給与支払い		6,800,000	4,206,500
	外部スタッフ報酬		400,000	3,806,500
8月26日				3,806,500
〜〜	〜〜	〜〜	〜〜	〜〜
8月29日				3,806,500
8月30日	家賃支払い		300,000	3,506,500
	A社売掛金入金	5,000,000		8,506,500
	B社売掛金入金	3,000,000		11,506,500
8月31日	買掛支払い		1,500,000	10,006,500
	社会保険料		2,800,000	7,206,500
	合計	11,700,000	12,750,000	7,206,500

> 入金欄には、入金が確実なものだけを記入するのが原則だが、小売店や飲食店などは、前月・前年の実績などから売上を予測して入力する

POINT
> 給与支払いや報酬は額面でなく、実際に支払う金額を入力する。その他の経費は、過去の実績から予測する

> 毎月の残高合計が通常月より少ないと資金ショートの可能性が出てくる。原因を究明し、早めに対応する

📌 合計残高試算表の例

借方金額	借方金額	勘定科目	貸方金額	貸方金額
520,000	1,400,000	現金	880,000	0
700,000	5,200,000	普通預金	4,500,000	0
300,000	1,200,000	売掛金	900,000	0
0	820,000	買掛金	1,050,000	230,000
0	80,000	未払金	270,000	190,000
⋮	⋮	⋮	⋮	⋮
0	800,000	短期借入金	1,000,000	200,000
0	0	資本金	3,000,000	3,000,000
2,100,000	2,100,000	給料	0	0
⋮	⋮	⋮	⋮	⋮
3,710,000	11,830,000		11,830,000	3,710,000

合計試算表の内容
（借方合計と貸方合計は必ず一致する）

残高試算表の内容
（借方合計と貸方合計は必ず一致する）

企業会計と税務会計の違いを把握しよう

企業会計と税務会計の違い

　帳簿付けや経費精算など、日々の経理業務に会計の知識は欠かせません。会計には、企業会計と税務会計の2種類がありますが、その違いについて説明しましょう。

　企業会計は、会社法に基づいて決算書や財務諸表を作成するために行う会計のことです。事業活動を通じて発生した金銭の動きを記録し、会社の利益や資産を明らかにします。利害関係のある株主や金融機関などに対し、会社の財務状況や経営成績を明確にすることが目的です。

　一方の税務会計は、法人税法に基づいて会社が納めなければならない税金の額を計算し、税務申告書を作成することを目的とします。

　企業会計は主に決算書を作成するため、税務会計は法人税などの申告書を作成するために行うもので、作成の目的に違いがあるということです。

企業会計と税務会計では会計処理の仕方が微妙に違う

　企業会計と税務会計は内容的にはほとんど同じですが、会計処理の仕方や考え方に微妙な違いがあります。

　たとえば、企業会計では収益から費用を差し引いて損益を計算します。一方、税務会計では「収益」を「益金」、「費用」を「損金」と呼びます。呼び方が違うだけでなく、企業会計では費用として処理すべきものが、税務会計では損金として処理できない場合があります。

　通常は企業会計をもとに税務会計を行うことになりますが、企業会計上の損益を税務会計のために調整しなければなりません。こうした作業は会計事務所や税理士に依頼することがほとんどですが、両者の違いを把握しておかないと、決算書上ではあまり利益が出ていないのに法人税を支払うといったことも起こり得ます。

　経理を担当する以上、企業会計だけでなく税務会計の知識もしっかり身につけておきましょう。

第4章

社会保険と
労働保険の手続き

従業員の給与からは、健康保険料や厚生年金保険料と
いった社会保険料、雇用保険料、所得税や住民税といっ
た税金を、報酬額に応じて天引きしておく必要があり
ます。これらには、それぞれに異なる計算方法がある
ほか、提出する書類もそれぞれで違ってきます。1つ
ずつ理解し、間違いのないよう計算することが大切です。

01 算定基礎届を作成・提出する

頻度	年1回	対象	役員・従業員	時期	7月

POINT

● 標準報酬月額は毎年見直さなければならない
● 定時決定の結果は毎年7月に報告する

標準報酬月額を毎年見直すことを「定時決定」という

社会保険料は標準報酬月額（54ページ）を基準に計算されますが、昇給すればその額は変わります。標準報酬月額をそのままにしていると、実際の給与額とかけ離れてしまうため、社会保険に加入している全従業員の報酬月額を毎年7月に見直し、7月1日から10日までに、年金事務所と加入する健康保険組合へ報告します。これを定時決定といい、このとき提出するのが算定基礎届です。

定時決定の対象となるのは、原則として7月1日に所属している従業員です。産前産後休業など休暇中でも、社会保険に加入していれば対象になります。

一方、6月1日以降に途中入社した人は対象外となります。また、7月から9月の間に随時改定（130ページ）する予定の人も除外します。

月額報酬算出のもととなる支払基礎日数とは

標準報酬月額の計算のもととなる報酬月額は、4月～6月の給与を対象に計算します。このとき計算対象となるのは、支払基礎日数が17日以上の月です。支払基礎日数とは、賃金や報酬の支払い対象の日数のことです。支払基礎日数は月給制、日給制など勤務形態によって数え方が変わります。

たとえば、欠勤控除制度がない月給制の場合、暦日数が支払基礎日数になります。欠勤控除制度がある月給制の場合は、「所定日数－欠勤日数」が支払基礎日数になります。

支払基礎日数17日未満の月があった場合は、その月を除いて計算します。4月が支払基礎日数に足りなければ5月と6月のみを使用します。

算定基礎届を提出すると、9月に新たな保険料が決まり、10月から新しい保険料を控除することになります。

Keyword 欠勤控除制度　労働契約上、働くことになっている時間帯に、従業員の都合で欠勤・早退・遅刻した場合にその日数分または時間分を賃金から差し引くことができる制度（52ページ）。

経理　人事　総務

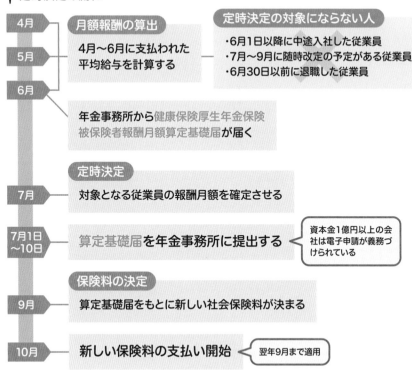

定時決定の流れ

4月	**月額報酬の算出**	**定時決定の対象にならない人**
5月	4月～6月に支払われた平均給与を計算する	・6月1日以降に中途入社した従業員 ・7月～9月に随時改定の予定がある従業員 ・6月30日以前に退職した従業員
6月		

6月 年金事務所から健康保険厚生年金保険被保険者報酬月額算定基礎届が届く

定時決定
7月 対象となる従業員の報酬月額を確定させる

7月1日～10日 算定基礎届を年金事務所に提出する ← 資本金1億円以上の会社は電子申請が義務づけられている

保険料の決定
9月 算定基礎届をもとに新しい社会保険料が決まる

10月 新しい保険料の支払い開始 ← 翌年9月まで適用

支払基礎日数と算定対象月の例（正社員、欠勤控除なしの場合）

支払基礎日数	4月	5月	6月	
3カ月とも17日以上	31日	30日	31日	➡ 報酬月額は、4月～6月の支払い給与額の合計÷3
2カ月が17日以上	15日	20日	20日	➡ 報酬月額は、5月・6月の支払い給与額の合計÷2
1カ月が17日以上	15日	15日	20日	➡ 報酬月額は、6月の支払い給与額
3カ月とも17日未満	15日	15日	15日	➡ 前年の報酬月額を適用

支払基礎日数は月給制や日給制など、勤務形態によって数え方が変わります。

02 正社員の算定基礎届を書くときのポイント

頻度	年1回	対象	役員・従業員	時期	7月

POINT
- 資本金が1億円以上の場合、算定基礎届は電子申請が義務
- 定時決定が繁忙期にあたる場合には特例がある

算定基礎届提出の流れ

定時決定後、算定基礎届を年金事務所と健康保険組合に提出しなければなりません。提出期限は毎年7月1日～10日です。期限が短いので、従業員を多く抱える会社は特に、計画的に行う必要があります。

算定基礎届の正式名称は健康保険・厚生年金保険 被保険者報酬月額算定基礎届で、毎年6月中に年金事務所から送られてきます。5月中旬頃までに届出があった従業員の情報と、従業員ごとの前年の標準報酬月額が印字されています。5月中旬以降5月末日までに中途入社した従業員は印字されていなかったり、6月末日までに退職した人が記載されていたりすることもあります。よく確認し、必要に応じて追加・削除しましょう。

なお、資本金が1億円を超える場合、算定基礎届は電子申請で提出しなければならないことになっています。もちろん、資本金1億円以下の会社でも、電子申請は可能です。今後、資本金の額が引き下げられることも考えられるので、今から電子申請に対応しておくのもいいでしょう。

4月～6月が繁忙期にあたる場合の特例

標準報酬月額は4月～6月までの給与から求めた報酬月額で決めますが、4月支給は3月分の給与になるので、「暦日数＝支払基礎日数」の場合は、支払基礎日数は31日になります。

また、特例として、4月～6月が繁忙期にあたる業種の場合、時間外労働が増えて、支給額も増えます。そのため、報酬月額と、年間の平均額から算出した報酬月額の間に2等級以上の差があれば、後者を報酬月額とすることができます。適用を受けるには、従業員と同意を得たうえで、年金事務所や健康保険組合に申立書を提出します。

Keyword **暦日数** 暦日は「れきじつ」と読む。休日を含むカレンダー上の日数のこと。年次有給休暇や休日は、暦日単位での付与が原則。

経理

人事

総務

「健康保険・厚生年金保険 被保険者報酬月額算定基礎届」の記入例（正社員）

書類内容	社会保険の定時決定を行うときに提出する書類
届出先	事業所管轄の年金事務所・年金事務センターまたは健康保険組合

被保険者整理番号（社会保険に加入したとき、会社が従業員に割り当てる番号）を記入する

改定前の標準報酬月額と改定した月を記入する

従業員の生年月日を記入。元号は数字で表し、昭和は「5」、平成は「7」を使用する

支払基礎日数に足りている月の給与の合計額を記入する

従業員が70歳以上の場合はマイナンバーか年金番号を記入する

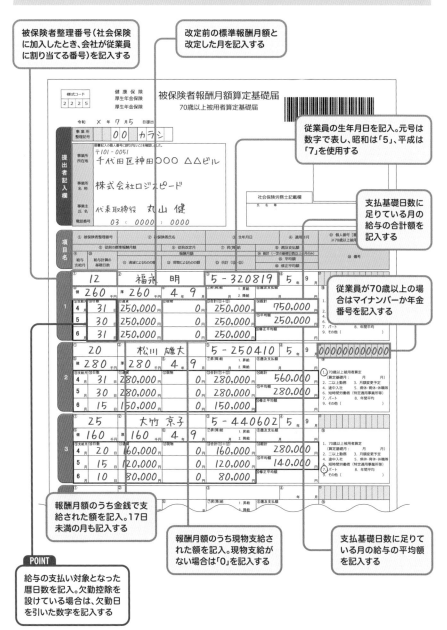

報酬月額のうち金銭で支給された額を記入。17日未満の月も記入する

報酬月額のうち現物支給された額を記入。現物支給がない場合は「0」を記入する

支払基礎日数に足りている月の給与の平均額を記入する

POINT

給与の支払い対象となった暦日数を記入。欠勤控除を設けている場合は、欠勤日を引いた数字を記入する

03 パートの算定基礎届を 書くときのポイント

頻度	年1回	対象	役員・従業員	時期	7月

POINT
- パートタイマーの支払基礎日数は出勤日数で数える
- 支払基礎日数が17日以上の月がない場合は15日以上の月をもとにする

パートタイマーの支払基礎日数の数え方

パートタイマーやアルバイトも、毎年定時決定をし、算定基礎届を提出します。

定時決定の考え方は正社員のときと基本的には同じですが、支払基礎日数は暦日数ではなく、出勤日数で数えることになります。

また、夜勤のパートタイマーの場合は、各月の総労働時間を、会社（事業所）の1日の所定労働時間で割った日数を支払基礎日数とします。このとき、仮眠時間や休憩時間が給与の対象になっていれば、その時間も含めて計算します。

支払基礎日数が17日に満たない場合の計算

4月から6月の間に支払基礎日数が17日以上の月がある人は、正社員と同様に該当月の給与を平均して報酬月額を出します。17日以上の月が1カ月だけなら、その月の給与が報酬月額となります。

支払基礎日数が17日以上の月が1カ月もない人は、支払基礎日数が15日以上の月があれば、該当月の給与の平均を報酬月額とします。たとえば、4月が16日、5月が13日、6月が15日なら、4月と6月を平均します。

4月から6月の支払基礎日数がいずれも15日に満たない人は、前年の標準報酬月額を適用して社会保険料を計算することになります。この場合は報酬月額と平均額の記入は不要です。

パートタイマーなどの算定基礎届は、正社員と一緒に健康保険・厚生年金保険被保険者報酬月額算定基礎届に記入して提出します。パートタイマーなどの場合は、備考欄の「7.パート」に〇印をつけます。

Keyword **夜勤** 午後10時から午前5時までの深夜時間に労働すること。2暦日にわたって継続した勤務が行われる場合、勤務日数は1日の扱いとなる。

経理

人事

総務

「健康保険・厚生年金保険 被保険者報酬月額算定基礎届」の記入例
（パートタイマー・アルバイト）

書類内容　社会保険の定時決定を行うときに提出する書類

届出先　事業所管轄の年金事務所・年金事務センターまたは健康保険組合

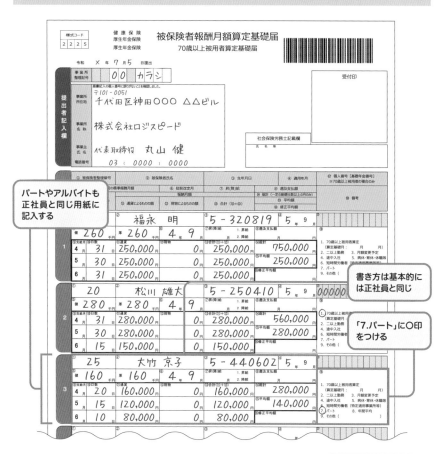

パートやアルバイトも
正社員と同じ用紙に
記入する

書き方は基本的に
は正社員と同じ

「7.パート」に〇印
をつける

●パートタイマー・アルバイトの支払い給与額の数え方

| 出勤日が17日以上の月がある | ➡ | 17日以上の月の給与に基づいて標準月額を計算 |

| 出勤日が17日以上の月がない | ➡ | 出勤日が15日か16日の月があれば、その月を支払基礎日数の対象となる |

| 出勤日が15日以上の月がない | ➡ | 前年に使った標準報酬月額を適用する |

パートやアルバイトの場合、支払基礎日数は出勤日数で数えます。

04 月額変更届を作成・提出する

| 頻度 | 発生の都度 | 対象 | 対象の役員・従業員 | 時期 | 昇降給後4カ月目 |

POINT

- 標準報酬月額が2等級以上の変更があるときはその都度見直す
- 随時改定を行うときの要件は3つある

定時決定以外でも標準報酬月額を見直すとき

社会保険料の計算のもととなる報酬月額は定時決定で年に一回、計算し直します。しかし、定時決定後に昇給や降級があって大幅に給与額が変わると、本来、徴収すべき社会保険料と差が生まれてしまいます。

そのため、7月に定時決定したあとに給与に大幅な変更があり、標準報酬月額に2等級以上の変動があったときは、その都度、標準報酬月額を見直します。これを随時改定といいます。

随時改定を行うときの要件

随時改定は、原則として次の要件をすべて満たしたときに行われます。

①昇給または降級などにより**固定的賃金**が変動した
②昇給または降級があった月から3カ月間の支払基礎日数がそれぞれ17日以上ある
③変動月から3カ月間の平均給与による標準報酬月額と、従来の標準報酬月額との間に2等級以上の差がある

①について気をつけたいのは、要件の対象となるのが固定的賃金である点です。固定的賃金とは、毎月支給額や支給率が決まっているもので、基本給のほかに各種手当も含まれます。たとえば、基本給に変動はなくても、転居により通勤手当が上がり、標準報酬月額が2等級以上変われば随時改定の対象となります。

また、給与体系が時給から月給制に変更されたり、パートタイマーやアルバイトの時給単価が大幅に変更されたりした場合も、2等級以上の変動があれば随時改定が必要です。

随時改定は3つの要件を満たしたときだけ行うことに注意しましょう。

経理
人事
総務

Keyword **固定的賃金** 従業員に支払う給与のうち、毎月一定して支払われる賃金のこと。通常は、基本給＋各種手当の額となる（残業手当など毎月変動する手当は含まない）。

📌 随時改定の流れ

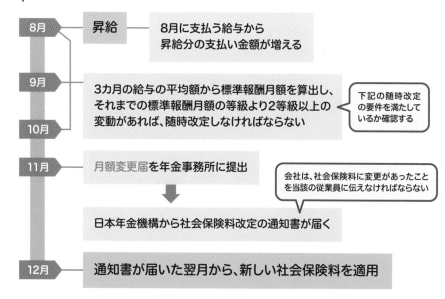

| 8月 | 昇給 | 8月に支払う給与から昇給分の支払い金額が増える |

9月・10月： 3カ月の給与の平均額から標準報酬月額を算出し、それまでの標準報酬月額の等級より2等級以上の変動があれば、随時改定しなければならない

> 下記の随時改定の要件を満たしているか確認する

11月： 月額変更届を年金事務所に提出

> 会社は、社会保険料に変更があったことを当該の従業員に伝えなければならない

日本年金機構から社会保険料改定の通知書が届く

12月： 通知書が届いた翌月から、新しい社会保険料を適用

📌 随時改定の要件

要件 1　昇給また降給などにより固定的賃金が変動した
> 変動的賃金は含まない

要件 2　昇給または降給があった月から3カ月間の支払基礎日数がそれぞれ17日以上ある

要件 3　変動月から3カ月間の平均給与による標準報酬月額と、従来の標準報酬月額との間に2等級以上の差がある

例外 1

上記3点の要件を満たしていても、以下の場合は随時改定を行わない
・固定的賃金が上がっても、変動的賃金が下がることで標準報酬月額が下がる場合
・固定的賃金が下がっても、変動的賃金が上がることで標準報酬月額が上がる場合

例外 2

産前産後休業や育児休業を終えて復職したばかりの場合、3歳未満の子どもを養育しているときに限り、標準報酬月額が1等級の変動でも、随時改定ができる
➡申出書の提出が必要

随時改定のタイミングと提出期限

　随時改定は標準報酬月額の見直しなので、3カ月間の給与の平均額が必要になります。そのため、随時改定を行うのは、給与に変動があってから4カ月目です。

　たとえば、7月に昇給した場合、8月〜9月の給与の平均額から報酬月額を算出し、10月に月額変更届を提出することになります。

　随時改定の月額変更届は、「予定している定時決定を行う前に、可能な限り速やかに」提出することになっています。具体的な期限は決められていませんが、月額変更届を出さずにいると、

本来の社会保険料と支払った保険料との間に差が生まれ、後から差額分を徴収または還付しなければならなくなります。徴収する場合、従業員にとっては一時的に手取り額が減ることになるため、生活にも影響します。

　また、社会保険料の未収や過払いは、場合によっては所得税の計算に影響を及ぼす可能性もあります。

　提出期限がないからといって後回しにせず、給与に変更があった場合は、随時改定が必要かどうかをしっかり確認しましょう。

産前産後休業などは随時改定の特例がある

　随時改定を行うには、前記した3つの要件がありますが、例外もあります。

　産前産後休業や育児休業を終えたばかりの従業員は、3歳未満の子どもを養育している場合に限り、1等級の変動でも従業員の申し出があれば、随時改定を行えます。その際は、厚生年金保険養育期間標準報酬月額特例申出書を年金事務所に提出します。ただし、随時改定の知識をもっている従業員は多くないと考えられるので、対象とな

る従業員には会社側から働きかけましょう。

　また、固定的賃金が上がって2等級以上の変動が生じた場合でも、残業代などの変動的賃金が下がることで標準報酬月額が下がった場合には、随時改定は行いません。

　同様に、固定的賃金が下がっても、変動的賃金が上がって標準報酬月額が上がった場合には、随時改定は行いません。

経理

人事

総務

「健康保険・厚生年金保険 被保険者報酬月額変更届・厚生年金保険 70歳以上被用者月額変更届」の記入例

書類内容	標準報酬月額が2等級以上変動し、随時改定を届け出る書類
届出先	事務所管轄の年金事務所・年金事務センターまたは健康保険組合

被保険者整理番号(社会保険に加入したとき、会社が従業員に割り当てる番号)を記入する

従業員の生年月日を記入。元号は数字で表し、昭和は「5」、平成は「7」を使用する

給与の変更後3カ月の合計額を記入する

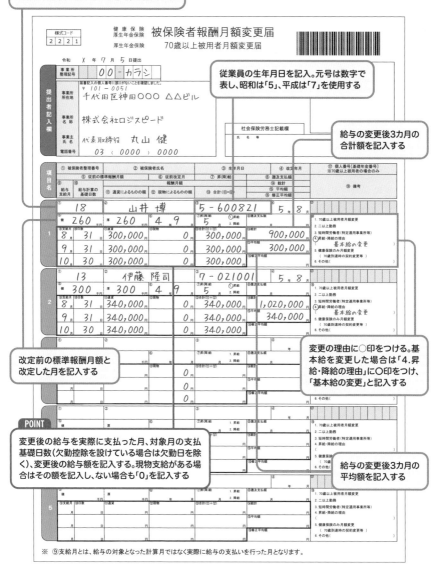

改定前の標準報酬月額と改定した月を記入する

変更の理由に○印をつける。基本給を変更した場合は「4.昇給・降給の理由」に○印をつけ、「基本給の変更」と記入する

POINT

変更後の給与を実際に支払った月、対象月の支払基礎日数(欠勤控除を設けている場合は欠勤日を除く)、変更後の給与額を記入する。現物支給がある場合はその額を記入し、ない場合も「0」を記入する

給与の変更後3カ月の平均額を記入する

※ ⑨支給月とは、給与の対象となった計算月ではなく実際に給与の支払いを行った月となります。

05 労働保険の年度更新の手続きと納付

| 頻度 | 年1回 | 対象 | 従業員 | 時期 | 6月1日〜7月10日 |

POINT
- 労災保険と雇用保険は年に1回まとめて納付する
- 労働保険は納付と精算を同じタイミングで行う

労働保険は年に1回納付する

パートタイマーやアルバイトも含めて、従業員を1人でも雇っていれば、労働保険に加入する必要があります（農林水産業の一部を除く）。労働保険とは、労災保険（労働者災害補償保険）と雇用保険のことです。

労災保険料は会社が全額負担し、雇用保険料は会社と従業員で分担します。

2つの保険料を合わせて1年に1回、管轄の労働局に納付します。

労働保険料は賃金総額によって変わるので、毎年計算し直します。4月1日から翌年3月31日までを1年間として保険料を計算し、6月1日から7月10日（7月10日が土日の場合は翌月曜日）までの間に納付します。

概算保険料と確定保険料の違い

このとき納付するのは、概算保険料です。労働保険料はその年度の賃金総額によって変わり、年度末にならないと確定しないため、概算で前払いするしくみです。翌年度になったら、実際に支払った前年度の賃金により保険料を確定させ、概算保険料との差額を精算します。つまり、毎年概算納付と前年度の精算を同時に行います。これを、労働保険の年度更新といいます。

毎年5月下旬頃に、労働局から労働保険 概算・増加概算・確定保険料申告書が送られてくるので、必要事項を記入して返送します。労働保険の年度更新も、資本金1億円以上の会社は電子申請が義務づけられています。

労働保険料の対象となるのは、税金や社会保険料、各種手当などを控除する前の**賃金総額**です。賃金総額には賞与も含まれるので注意しましょう。

年度の給与は支給日ではなく締め日を基準にします。たとえば、3月末締め4月払いの3月分給与は、4月払いでも前年度の給与となります。

経理

人事

総務

Keyword **賃金総額** 会社が従業員に対して労働の対価として支払う賃金のこと。各種手当や賞与を含む額で、法定控除を差し引く前の額。

「労働保険 概算・増加概算・確定保険料申告書(様式第6号)」の記入例

書類内容	労働保険料の申告・納付を行う際に提出する書類
届出先	銀行などの金融機関、事業所管轄の労働局または労働基準監督署

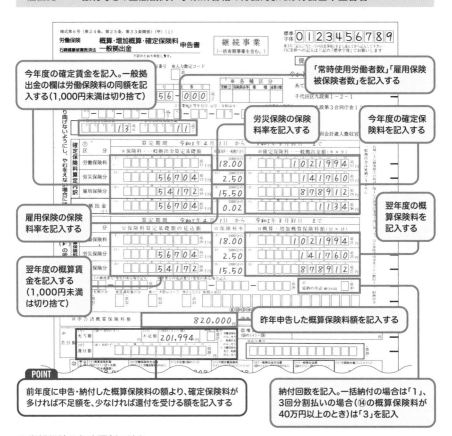

今年度の確定賃金を記入。一般拠出金の欄は労働保険料の同額を記入する(1,000円未満は切り捨て)

「常時使用労働者数」「雇用保険被保険者数」を記入する

労災保険の保険料率を記入する

今年度の確定保険料を記入する

雇用保険の保険料率を記入する

翌年度の概算保険料を記入する

翌年度の概算賃金を記入する(1,000円未満は切り捨て)

昨年申告した概算保険料額を記入する

POINT

前年度に申告・納付した概算保険料の額より、確定保険料が多ければ不足額を、少なければ還付を受ける額を記入する

納付回数を記入。一括納付の場合は「1」、3回分割払いの場合は(⑭の概算保険料が40万円以上のとき)は「3」を記入

●労働保険の年度更新の流れ

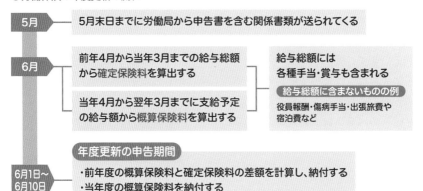

5月	5月末日までに労働局から申告書を含む関係書類が送られてくる

6月	前年4月から当年3月までの給与総額から確定保険料を算出する	給与総額には各種手当・賞与も含まれる
	当年4月から翌年3月までに支給予定の給与額から概算保険料を算出する	**給与総額に含まないものの例** 役員報酬・傷病手当・出張旅費や宿泊費など

年度更新の申告期間

6月1日〜 6月10日	・前年度の概算保険料と確定保険料の差額を計算し、納付する ・当年度の概算保険料を納付する

06 労働災害についての基本的な知識を知っておこう

| 頻度 | ― | 対象 | ― | 時期 | ― |

POINT
- 労災には「業務災害」と「通勤災害」の2種類がある
- 業務災害に認定されるためには2つの要件がある

労災の対象者とその内容

労災保険は、労働者災害（労災）にあった従業員への補償を目的とする保険です。労災とは、従業員が業務上や通勤中に負傷したり、病気にかかったり、死亡したりすることです。労災保険の補償の対象となるのは、正社員だけでなく、パートタイマーやアルバイト、日雇い労働者などを含む全従業員です。

労災というと、建設現場や工場などでの事故が思い浮かぶかもしれませんが、それ以外にも過剰労働による過労死や、ハラスメントによる精神障害なども労災と認められる場合もあります。

労災には大きく分けて2種類ある

労災には、大きく分けて「業務災害」と「通勤災害」の2種類があります。

業務災害とは、業務中に起こった災害のことです。事故によるケガ・障害・死亡のほか、労働基準法に定められた業務上疾病に該当する場合（いわゆる「職業病」）に補償されると規定されています。

通勤災害は、通勤中や勤務先から家に帰る途中の災害のことです。通勤災害と認められるには、通常の通勤経路からはずれたり、途中で通勤とは関係ない行為を行ったりしていないことがポイントとなります。

業務災害に認定されるためには、業務遂行性と業務起因性の要件を満たす必要があります。

業務遂行性とは、事故等が起こったときに会社の支配下にあったかどうかです。原則として休憩中の事故等は含まれませんが、外回りの合間に入った喫茶店で事故が起こった場合などは、業務遂行性があったと認められることもあります。

業務起因性とは、業務中の行為が原因で発生した事故等のことです。業務とは関係ない理由による事故は認められません。

経理

人事

総務

📌「業務災害」と「通勤災害」

労働災害（労災）

業 務 災 害	通 勤 災 害
業務中に発生した 疾病やケガ、障害、死亡	通勤や帰宅途中に発生した 疾病やケガ、障害、死亡

労災に認定されれば、労災保険から補償金が給付される

📌業務災害に認定されるための要件と適用事例

要件1 業務遂行性があるか

→ 事故があった時に
会社の支配下にあること

要件2 業務起因性があるか

→ 業務中の行為が原因で
発生した事故であること

適用事例

・業務中にトイレに行ったときの事故
・参加必須の社内行事に参加したときの事故
・ケガをした同僚を病院へ送る途中の事故
・出張先から帰社するときに起きた事故

適用されない事例

・休憩時間中のトイレでの事故
・強制力のない飲み会などでの事故
・適切なルートからはずれていた場合

📌通勤災害に認定されるための要件と適用事例

要件 一般的に正しいと認められるルートで移動したか

→ 必要のない寄り道をした場合、
その後正しいルートに戻っても労災の対象とはならない

寄り道をしても認められる場合

・保育園などへの子どもの送迎
・要介護状態の親族の介護
・職業能力訓練への寄り道
・日用品を購入するための寄り道 など

正しいルートでも認められない場合

・飲食店で同僚と食事をした
・私的な理由で帰宅し、再出社した
・日用品購入のために立ち寄った
　コンビニ内での事故
・友人宅からの出社中の事故 など

07 労災を適用する ときの手続き

| 頻度 | 発生の都度 | 対象 | 従業員 | 時期 | 申請内容による |

POINT
- 労災が生じたら従業員を労災指定病院に連れていく
- 労災保険の補償を受けるためには請求書を提出する

労災が起こったときにまずすべきこと

労災が起こった場合、まずは従業員を労災指定病院に連れていきます。労災の認否より、優先すべきは従業員のケガや病気の救護です。

労災指定病院では、労災に関する疾病は無料で診療を受けられます。基本的に窓口で診療代を支払う必要はありません。厚生労働省のホームページに住所等が掲載されているので、会社の近くの労災指定病院をあらかじめ調べておきましょう。

労災指定病院が近くにないときは、通常の病院で診療を受けます。その際は、診療代を支払うことになりますが、労災認定されれば、あとで医療費の還付を受けられます。

労災による補償を受けるための流れ

労災による補償を受けるには、労災保険の請求手続きが必要になります。

会社はまず、労災の発生を知ったら、労働基準監督署に労働者死傷病報告の書類を提出し、追って労災保険の給付請求書を提出します。補償には「療養補償給付」「休業補償給付」など、種類がいくつかあるので、請求する補償ごとに請求書を作成します。

請求書には事業主や医師の証明が必要です。その後、労働基準監督署が調査を行い、労災に該当するかどうかを判断します。その際、事業主や本人からヒアリングをすることもあります。

調査の結果、労災に該当しないとして不支給決定が出た場合には、不服があれば管轄の労働局に審査請求することができます。

労災は、会社にとっては従業員とのトラブルの種になりかねません。落ち着いて対応することが大切です。不明点や不安があれば、弁護士や社労士などの専門家に相談することも考えに入れておきましょう。

Keyword **療養補償給付** 業務災害によってケガや病気になった際に付与される補償金。
休業補償給付 業務災害によるケガや病気が原因で仕事を休んだ日数に応じて給付される補償金。

📌 労災が発生したときの給付金

業務中や通勤・帰宅中にケガや病気をした

	業務災害	通勤災害	時効
労災指定病院などで治療を受けた	療養補償給付	療養給付	費用を支出した日の翌日から2年
業務中などのケガ・病気で仕事を休んだ	休業補償給付	休業給付	賃金が支払われない日の翌日から2年
治療後に障害が残った	障害補償給付	障害給付	傷病が治癒した日の翌日から5年
介護が必要になった	介護保障給付	介護給付	介護を受けた月の翌月1日から2年
ケガや病気がもとで亡くなった	遺族補償給付	遺族給付	労働者が亡くなった日から5年

📌 労災給付までの流れ

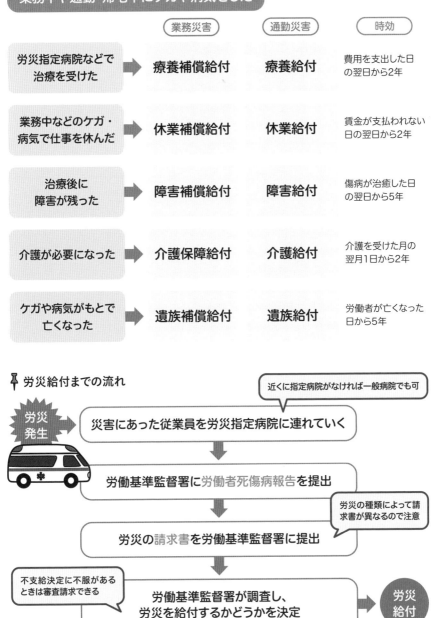

労災発生

近くに指定病院がなければ一般病院でも可

災害にあった従業員を労災指定病院に連れていく

↓

労働基準監督署に労働者死傷病報告を提出

↓

労災の種類によって請求書が異なるので注意

労災の請求書を労働基準監督署に提出

↓

不支給決定に不服があるときは審査請求できる

労働基準監督署が調査し、労災を給付するかどうかを決定

➡ 労災給付

通常の算定基礎届では
算定が難しいときは?

4月～6月が繁忙期の場合

　社会保険料を決めるための算定基礎届ですが、通常の方法では算定することが難しい場合もあります。

　社会保険料の定時決定は4月～6月の3カ月間の賃金をもとに計算されます。この時期が繁忙期にあたる仕事では、残業や休日出勤が増えることも多く、当然のことながら賃金が増えます。その結果、標準報酬月額が高くなってしまい、公平な社会保険料を算出できません。

　そのため、4月～6月をもとにした標準報酬月額と、年間の平均額から計算した標準報酬月額の2つを比較し、どちらか一方を選ぶことができます。ただし、年間の平均額をとる場合は、年間報酬の平均で算定することの申立書を管轄の税務署に提出しなければなりません。

　また、4月～6月に休職期間がある従業員については、4月～6月に17日以上の支払い日数があれば、その月の平均を計算して報酬月額を決めます。3カ月間すべて休職している場合は、前年の報酬月額を使用することになります。

60歳以上の従業員がいる場合

　現在は65歳までの雇用確保に加え、70歳までの就業確保の努力義務が企業に課せられているため、60歳以上の従業員を雇っている会社も増えてきています。

　老齢年金は原則65歳になると支給されます（支給開始年齢は60歳～75歳で選択できます）。老齢基礎年金（国民年金）は全額支給されますが、老齢厚生年金（厚生年金）については、給与と老齢厚生年金の支給額の合計が月48万円を超えると、超えた額の2分の1の年金が支給停止となります。たとえば、毎月の給与が50万円、老齢厚生年金が月14万円の場合、合計が48万円を超えるので、「(50万円＋14万円－48万円)×1/2」＝8万円の年金が支給停止となります。60歳以上になると、こうしたことが起こるので、在職中に老齢年金を受け取る従業員に伝えておくとよいでしょう。

　また、70歳以上の従業員の場合は、通常の算定基礎届の備考欄の「70歳以上被用者算定」に〇をつけて提出します。忘れないように注意しましょう。

第 5 章

採用時の手続き

会社の発展のためにも、新たな人材を雇うことは必要です。採用活動にも、一定のルールがあります。特に、大卒や高卒見込者を採用するときのルールは知っておきましょう。近年は採用媒体も多様化しており、また、個人情報保護やコンプライアンスの観点から注意しなければならないこともあります。優秀な人材を獲得するための知識を身につけましょう。

01 採用ルールと採用活動の注意点

| 頻度 | — | 対象 | — | 時期 | — |

POINT

- 採用活動のルールを把握し、戦略を立てる
- 各種書類の提出期限などに注意する

大卒と高卒・中卒では採用ルールが異なる

大学新卒見込者については、経団連による「就活ルール」（解禁日等）は2021年卒の採用選考から廃止され、現在は政府主導による企業への要請という形に変わっています。強制力や罰則はないため、採用活動をどのように行うかについては各企業の判断に委ねられます。近年は通年採用に移行するところも増えています。

一方、高卒・中卒見込者の求人については厳格なルールが設けられています。採用活動にあたっては、通常6月1日以降（年度によって変わる可能性があります）に全国高等学校統一応募用紙（求人申込書）をハローワークへ提出し、受理された書類を各学校に提出する必要があります（専門学校については不要）。

また、企業側が高校生と直接連絡を取ることは禁止されています。面接の日程や合否などは学校もしくはハローワークを通じて連絡します。

採用戦略・スケジュールを立てる

新卒採用、中途採用を問わず、採用活動を始めるにあたっては、会社や関係部署から綿密にヒアリングして、求める人物像・人数などを明確にします。優秀な人材ほど他社と奪い合いになるため、戦略が重要です。応募者の立場になって、発信する情報や媒体を検討しましょう。会社説明会を開催する会社であれば、その準備も必要です。

採用の決定後も、必要な書類を準備したり、各種手続きを行ったり、すべきことが多岐にわたります。そのうえ、決められた期日までに申請しなければならないものも多いため、あらかじめスケジュールを組んで、速やかに行う必要があります。チェックリストを用意するなどして、取りこぼしのないように注意しましょう。

経理
人事
総務

Keyword **解禁日** 会社が大学新卒見込者に対して、採用情報を公開し、採用活動を始める日。極端な前倒しを防ぐためのルールだが、強制力はない。

採用までの流れ

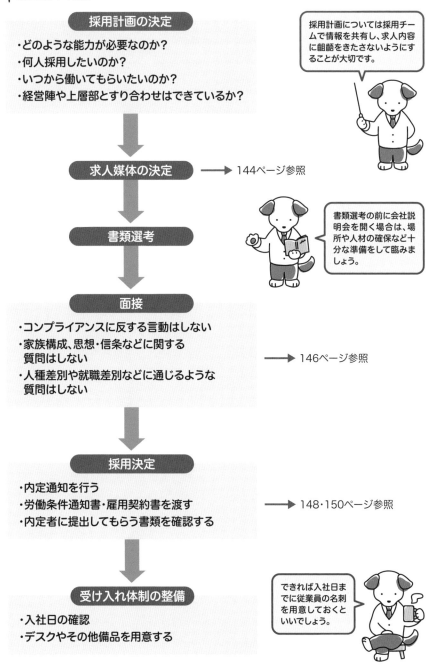

採用計画の決定

・どのような能力が必要なのか？
・何人採用したいのか？
・いつから働いてもらいたいのか？
・経営陣や上層部とすり合わせはできているか？

採用計画については採用チームで情報を共有し、求人内容に齟齬をきたさないようにすることが大切です。

求人媒体の決定 → 144ページ参照

書類選考

書類選考の前に会社説明会を開く場合は、場所や人材の確保など十分な準備をして臨みましょう。

面接

・コンプライアンスに反する言動はしない
・家族構成、思想・信条などに関する質問はしない
・人種差別や就職差別などに通じるような質問はしない

→ 146ページ参照

採用決定

・内定通知を行う
・労働条件通知書・雇用契約書を渡す
・内定者に提出してもらう書類を確認する

→ 148・150ページ参照

受け入れ体制の整備

・入社日の確認
・デスクやその他備品を用意する

できれば入社日までに従業員の名刺を用意しておくといいでしょう。

02 求人媒体の種類と選び方のポイント

頻度	—	対象	—	時期	—

POINT
- 求人サイトと求人検索エンジンを使い分ける
- 媒体選びでは、費用対効果も念頭に置く

求人サイトは有料で募集広告を掲載

右ページ表のように、求人媒体にはさまざまな種類があります。各媒体で強みが異なるので、採用ターゲットに合わせて選定します。

求人サイト（就職情報サイト）は、ウェブ上で求人広告を掲載するものです。一般的には、依頼を受けた求人サイト事業者側が広告の制作・掲載を行います。大学新卒者の採用では、求人サイトへの掲載が必須といってよく、学生の96％が「就職活動に関する情報の入手先」として、就職情報サイトを挙げています（キャリタス就活2022学生モニター調査結果）。

また、大学新卒者については、近年、インターンシップを通じた採用も増えています。採用形態も多様化しているので情報収集に努めましょう。

求人検索エンジンは原則無料

求人サイトへの掲載は有料のため、採用人数の少ない中途採用などでは割高になりがちです。

そこで、近年、求人検索エンジンの利用が増えています。求人検索エンジンとは、ネット上の求人情報を自動で収集し、求職者が検索・閲覧できるようにしたサイトです。自社のサイトやSNSで求人用のページを設置し、検索キーワードを盛り込むなどしておいて、自動収集されれば、無料で採用情報を告知することが可能になります。

検索結果が上位に表示される有料プランもあり、クリック課金制のため、求人サイトよりも費用を抑えられます。

ハローワークへの求人も無料です。一定の条件を満たして採用すると、助成金が出ることもあります。ただし、キャリアアップを目指して積極的に転職活動をしている人などは、集まりにくい傾向にあります。

そのほか、パートタイマーなど地域を限定して募集するなら、折込チラシなどの利用も考えられるでしょう。

求人媒体の種類と特徴・デメリット

媒体の種類	特徴	デメリット
求人（広告）サイト	多くの求職者が利用。新卒採用向き、中途採用向き、アルバイト・パート向きなど、雇用形態やターゲット別にサイトを選ぶこともできる	掲載企業が多いため、自社の求人広告が埋もれてしまいがち。求職者は条件を絞り込んで検索するため、条件が悪いと目に留まらない
求人情報検索エンジン	会員登録やログインが不要な場合が多く、利用者が多い。掲載は基本的に無料のことが多いが、有料にすると検索結果が上位に表示される	検索エンジンに情報が自動収集されて、無料で掲載されるには、キーワードの工夫や、定期的な求人情報の更新が必要になる
紙媒体の求人広告（フリーペーパー、新聞・折込広告）	エリア別に発行・掲載されることが多く、地域を限定した求人が行える。主婦層やシニア層の求人募集に適している	募集内容の変更・修正や掲載終了など、柔軟な対応ができない。また、エリアが限定されるため、多人数を採用するのにはあまり向かない
自社サイト、SNS	自由なレイアウトでさまざまな情報を掲載できる。求人情報検索エンジンと連携させれば、自社サイトを訪れてもらえないリスクを軽減できる	制作に時間とコストがかかる。情報不足であったり、表現等に問題があったりすると、悪いイメージを与える可能性がある
ハローワーク	無料で求人掲載できる。ハローワーク経由で雇用すると助成金をもらえることもあり、対象となる会社ならメリットは大きい	キャリアアップの意欲のある人材や高いスキルを持った人材の採用には不向き。写真や動画を入れられないため、自社の魅力を伝えづらい
人材紹介会社	人材紹介会社が実質的な第一次選考を代行するため、選考の手間が省ける。成果報酬のため、求める人材を本気で紹介してもらいやすい	費用の目安は、入社後のその人の想定年収の3割ほどと高額。人材紹介会社が行う面接指導により、応募者の素顔を見抜きにくい面も

03 面接日の調整と面接時の注意点

| 頻度 | 発生の都度 | 対象 | 応募者 | 時期 | ― |

POINT

● 応募者にはスピーディーに対応する

● 面接では家族構成や思想・信仰に関する質問はNG

応募を受け付けたら速やかに連絡を取る

履歴書や職務経歴書が応募者から送られてきたら、速やかに書類選考の担当者へ渡します。その際、書類の紛失や連絡ミスを防止するため、受取日・氏名・連絡先・面接希望日などを一覧にした受付表を作成しておきます。

書類選考の通過者には、電話やメール、SMSなどで連絡を取り、面接日時を調整します。規模が大きくない会社であれば、応募書類を受け取ってから3日以内を目安に最初の連絡をするようにしましょう。それ以上かかると、よい印象を与えません。選ぶ権利は、会社側だけでなく、応募者にもあることを忘れずに、スピーディーで、丁寧な対応を心がけましょう。

面接ではコンプライアンス意識を高くもつ

昨今はコンプライアンスに厳しい目が注がれるので、面接で人種差別や職業差別につながる言動や、家族構成やセクシャリティなどに関する質問をするのは厳禁です。思想・信仰・政治信条をたずねたり、容姿などについて指摘したりするのもタブーです。

ハラスメントとの線引きが難しい**圧迫面接**も、なるべく避けたほうがいいでしょう。面接する側に悪意はなくても、SNSなどで悪い評判を拡散されかねません。

採用を決定したら採用（内定）通知書のほか、入社誓約書や入社承諾書など入社手続きに必要な書類を送付します。

不採用の場合も放置せず、できるだけ速やかに書面やメールで結果を通知します。預かっている履歴書等については、返却したり、破棄したりする義務はありませんが、個人情報保護法の対象となります。トラブル回避のため、不採用だった場合の取り扱いについて、事前に告知しておきましょう。

経理
人事
総務

Keyword **圧迫面接**　採用面接の場で、面接官が意図的に答えにくい質問をしたり、高圧的な態度を取ったりするもの。会社にとってはリスクが高い面接法であり、近年は減少傾向にある。

📌 **面接でしてはいけない質問例**

本籍や家族に関する質問

・あなたの両親の出身地は
　どこですか？
・自宅付近の略図を書いてください
・あなたの両親は共働きですか？
・あなたの家庭は
　どんな雰囲気ですか？ など

思想・信条に関する質問

・あなたは神や仏を
　信じるほうですか？
・あなたの信条としている言葉は
　何ですか？
・あなたは何新聞を読んでいますか？
・尊敬する人物を教えてください など

性差別につながる質問

・女性がお茶くみをするのを
　どう思いますか？
・結婚した後も仕事を続けますか？
・結婚の予定はありますか？
・女性の少ない職場ですが
　大丈夫ですか？ など

面接で避けるべき行動

・自己紹介せずに面接を始める
・腕や脚を組んで質問する
・応募者の名字ではなく
　下の名前で話しかける
・お礼を言わずに面接を終える など

＋ONE　求人広告の表現にも注意

　求人広告を作成するときには、男女雇用機会均等法や労働基準法などの法律を遵守する表現を用いる必要があります。男女平等、年齢不問が原則です。たとえば、「男性〇名、女性〇名」「ガードマン」「女性スタッフ」などの表現はNGです。性別で異なる条件（経験の有無など）を記載することも禁じられています。また、「50歳以下のドライバー」といった表現も違反です。年齢の代わりに「重い荷物の上げ下ろしあり」などの表現を用いましょう。「体力のある人」も、身体条件を示すためアウト。「体力が必要な仕事」はOKです。なお、女性の割合が4割を下回っている職場で女性を優先した募集や、年齢を定年年齢未満に限る募集は認められています。

　反対に改正職業安定法によって、労働条件のうち「業務内容」「契約期間」「試用期間」「就業場所」「就業・休憩時間」「休日」「時間外労働」「賃金」「加入保険」「受動喫煙防止措置」「募集者の氏名または名称」「派遣労働者として雇用する場合は雇用形態」の明示が義務づけられています。

新規採用者に提出してもらう書類

| 頻度 | 発生の都度 | 対象 | 新規採用者 | 時期 | 採用時 |

POINT

● 新卒採用でも基礎年金番号が必要
● 身元保証書など会社で定められている書類も提出してもらう

社会保険・雇用保険・税金関連の必要書類

社会保険や雇用保険の資格取得（加入）や、住民税の徴収等の手続きのため、入社時に提出してもらわなければならない書類があります。

社会保険に加入するには、年金基礎番号が必要です。年金手帳か基礎年金番号通知書（コピー可）を提出してもらいます（20歳未満で初就職の人は提出不要）。年金基礎番号とマイナンバーが紐づけられている人は、マイナンバーを申告してもかまいません。

雇用保険の加入では、新卒採用者に提出してもらう書類はありません。中途採用者には、雇用保険被保険者証を提出してもらいます。

続いて税金関係の書類です。毎月の源泉所得税の徴収額は扶養親族等の人数などによって異なるため、新卒採用者・中途採用を問わず、給与所得者の扶養控除等（異動）申告書を提出してもらいます。

また、中途採用者（採用年度に収入がある人）からは前職における給与所得の源泉徴収票も受け取ります。年末調整で必要になります。

そのほかに受け取りが必要な書類

法的な拘束力はありませんが、新卒採用者に対しては内定後、卒業（見込）証明書や入社承諾書の提出を義務づけている会社もあります。

また、新卒採用者・中途採用者とも、入社にあたって、身元保証書の提出をルールとしている会社もあります。通常、身元保証書の書面は企業側で作成し、保証人が署名・捺印します。

なお、住民票記載事項証明書の提出を求める会社もありますが、近年では個人情報保護などの観点から取り扱いが難しい書類になっています。特別な事情がない限り、提出は求めないほうがいいでしょう。

そのほか、最初の給与振込までに、給与振込依頼書も提出してもらいます。

📌 入社時に提出してもらう書類

種別	必要書類	会社からの提出先	ポイント
一般的な情報	履歴書	——	生年月日や個人番号など社会保険や雇用保険への加入など各種手続きに必要
	マイナンバーカードまたは通知カードの写し		
	給与振込依頼書		戸籍上の名義の口座を指定。旧姓や他人名義の口座は不可
社会保険関連	年金手帳または基礎年金番号通知書	——	厚生年金の加入手続きに必要。手続き後、本人に返却して可。マイナンバーを取得している場合には不要
	雇用保険被保険者証	ハローワーク	中途採用者のみ提出してもらう。被保険者番号を確認して、雇用保険被保険者資格取得届(155ページ)に記入
所得税	給与所得者の扶養控除等(異動)申告書	——	扶養人数および源泉所得税額の計算に必要。初回の給与計算の前までに提出してもらう
	給与所得等の源泉徴収票	——	中途採用者のみ提出してもらう。年末調整の計算に必要
住民税	給与所得者異動届出書	1月1日時点での住所地の市区町村	以前の勤務先で住民税を特別徴収されていた中途採用者のみ提出してもらう。特別徴収を継続する場合に必要

📌 場合によって提出してもらう書類

必要書類	ポイント
身元保証書	内定者の保証人が署名・捺印したもの。期間を定めない場合は3年、定める場合は最長5年が有効期限
卒業証明書	新卒の場合は提出してもらうことが多い。卒業前の場合は卒業見込証明書を提出してもらう
入社承諾書	入社の意思表示を書面化したもの。法的な拘束力はない
入社誓約書	入社にあたって、就業規則や守秘義務の遵守などについての誓約書。会社側が作成して、内定者は署名・捺印する
免許・資格関連の証明書	職種によっては提出が必要。コピーではなく原本を提出してもらうのが原則

05 新規採用者に交付する書類

頻度	発生の都度		対象	新規採用者		時期	採用時

POINT

● 新入社員には労働条件通知書を交付しなければならない
● 雇用契約書の交付は法律上の義務ではない

応募を受け付けたら速やかに連絡を取る

法律で、会社が新規採用者に交付が義務づけられている書類があります。労働条件通知書です。労働条件通知書は、勤務時間や給与などの労働条件を書面で明示したものです。

労働条件通知書に記載しなければならない主な項目は、次の5項目です。

・労働契約の期間に関する事項
・就業の場所および従業すべき業務に関する事項
・始業・終業時刻、休憩、休日などに関する事項
・賃金の決定・計算・支払い方法、賃

金の締切・支払い時期に関する事項
・解雇の事由を含む退職に関する事項

そのほか、退職金や臨時の賃金、賞与、休職に関して定めがある場合は記載します。なお。2024年4月から記載しなければならない項目が増えるので、確認しておきましょう。

労働条件通知書のフォーマットは厚生労働省のホームページからダウンロードできます。正社員と、パートタイマーやアルバイトなどの短時間労働者とでは、記載事項に違いがあるので気をつけましょう。

労働条件通知書と雇用契約書の違い

労働条件通知書と似たものに雇用契約書があります。労働条件通知書が会社から従業員に一方的に交付するものであるのに対し、雇用契約書は労使双方が合意し、署名・捺印をして締結されます。記載内容は同じため、雇用契約書を労働条件通知書の代わりに使用

してもかまいません。

雇用契約書の交付は法律上の義務ではありませんが、入社後のトラブルを回避するためにも、従業員の合意が得られた証拠として作成し残すことをおすすめします。

（縦書き側註）経理 人事 総務

Keyword **解雇の事由** 大きく「労働能力の欠如（普通解雇＝病気やケガによる就業不能、勤務成績の著しい不良など）」「規律違反（懲戒解雇）」「経営上の必要（整理解雇）」に分類される。

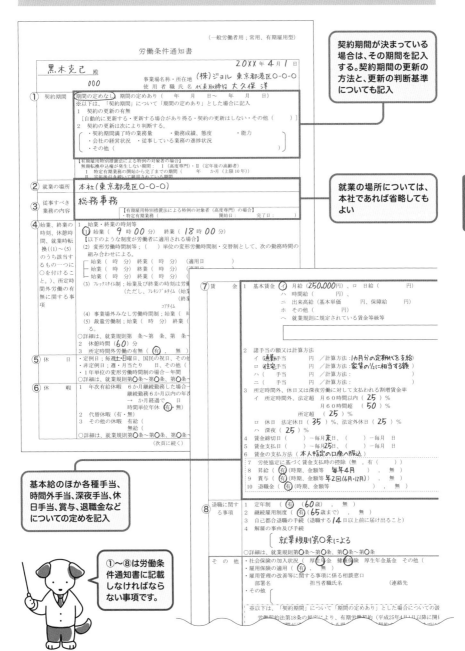

契約期間が決まっている場合は、その期間を記入する。契約期間の更新の方法と、更新の判断基準についても記入

就業の場所については、本社であれば省略してもよい

基本給のほか各種手当、時間外手当、深夜手当、休日手当、賞与、退職金などについての定めを記入

①～⑧は労働条件通知書に記載しなければならない事項です。

06 社会保険の加入手続きを行う

頻度	発生の都度	対象	新規採用者	時期	入社後5日以内

POINT

● 社会保険の加入手続きにはマイナンバーが必要
● 現状のマイナ保険証制度下では手続きの方法は変わらない

加入手続きの際にマイナンバーが必要

社会保険には、健康保険と厚生年金保険があります。いずれも入社してから5日以内に加入手続きを済ませなければなりません（罰則はありません）。

加入先が協会けんぽ（全国健康保険協会）の場合、管轄の年金事務所に健康保険・厚生年金保険 被保険者資格取得届を提出します。そのほか、従業員に扶養家族である配偶者や子どもがいる場合は健康保険被扶養者（異動）届を、配偶者が国民年金の第3号被保険者の場合は国民年金第3号被保険者関係届も提出します。

加入先が健康保険組合の場合、厚生年金保険被保険者資格取得届と国民年金第3号被保険者関係届を管轄の年金事務所に、健康保険被保険者資格取得届と健康保険被扶養者（異動）届を健康保険組合に提出します（健康保険組合で全書類を受け付け、年金事務所へ回送してくれるところもあります）。

加入手続きの際には、従業員の基礎年金番号と、配偶者などのマイナンバーが必要です。基礎年金番号とマイナンバーが紐づいていれば、マイナンバーだけでも手続きできます。

マイナ保険証の導入による加入手続きの変更はなし

2021年10月から、マイナンバーカードを健康保険証として利用できる制度が始まりました。2024年秋には、現在の健康保険証は原則廃止され、マイナンバーカード（マイナ保険証）に一本化される予定です。

現在は、現行の健康保険証とマイナ保険証が共存している状態ですが、社会保険への加入手続きに変更はありません（2023年9月現在）。

マイナ保険証への切り替えは本人が申請するものなので、今までどおり、発行された健康保険証を従業員に渡してください。

Keyword **第3号被保険者** 厚生年金に加入している第2号被保険者である配偶者に扶養されている、20歳以上60歳未満の人（原則として年収130万円未満）。

経理
人事
総務

「健康保険・厚生年金保険 被保険者資格取得届」の記入例

書類内容	入社時の健康保険・厚生年金保険加入の書類
届出先	事業所管轄の年金事務所・年金事務センターまたは健康保険組合

共済組合から公庫等への出向者、船員任意継続被保険者以外は「1」に〇をつける

マイナンバーを記入する。マイナンバーがなければ基礎年金番号を記入

入社した年月日を記入する

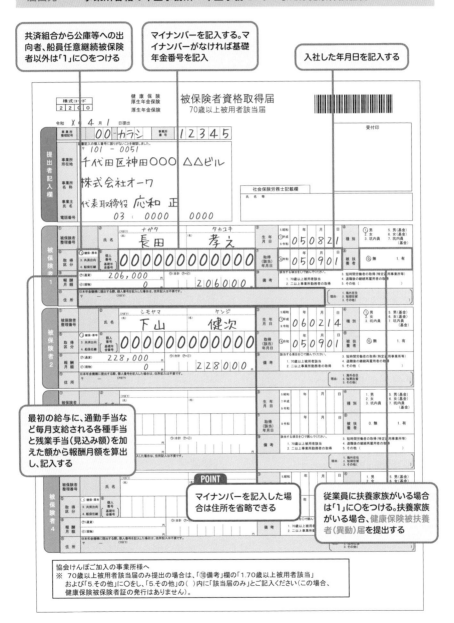

最初の給与に、通勤手当など毎月支給される各種手当と残業手当(見込み額)を加えた額から報酬月額を算出し、記入する

POINT

マイナンバーを記入した場合は住所を省略できる

従業員に扶養家族がいる場合は「1」に〇をつける。扶養家族がいる場合、健康保険被扶養者(異動)届を提出する

協会けんぽご加入の事業所様へ
※ 70歳以上被用者該当届のみ提出の場合は、「⑩備考」欄の「1.70歳以上被用者該当」および「5.その他」に〇をし、「5.その他」の( )内に「該当届のみ」とご記入ください(この場合、健康保険被保険者証の発行はありません)。

第5章 採用時の手続き

153

07 雇用保険の加入手続きを行う

| 頻度 | 発生の都度 | 対象 | 新規採用者 | 時期 | 雇用月の翌月10日 |

POINT
- パートタイマーやアルバイトも加入対象になることがある
- 雇用保険に関する書類は従業員に渡すのが原則

雇用保険の番号は転職しても変わらない

雇用保険は週20時間以上勤務し、継続して31日以上の雇用見込みのある人が加入対象となります。雇用契約書に「更新する場合がある」といった記載があり、31日未満で雇い止めることが明示されていない場合も対象になります。

したがって、パートタイマーやアルバイトを新規採用したときも、加入手続きが必要になることがあります。昼間部の学生は原則対象外です。内定先の企業で卒業前から勤務する場合のみ対象となります。

雇用保険への加入手続きは、管轄のハローワークに雇用保険被保険者資格取得届を提出するだけです。雇用した月の翌月10日が提出期限です。

手続きを進めるにあたって、新卒採用者からは提出してもらう書類等はありません。中途採用者については、雇用保険被保険者番号が必要です。前職の会社を辞めたときに、雇用保険被保険者証を受け取っているはずなので、それを提出してもらいます。

雇用保険に関する書類を会社で保管するとき

雇用保険の加入手続きを行うと、雇用保険被保険者証、雇用保険被保険者資格取得等確認通知書（被保険者通知用）、雇用保険被保険者資格取得等確認通知書（事業主通知用）の3点が発行されます。

このうち、雇用保険被保険者証と雇用保険被保険者資格取得等確認通知書（被保険者通知用）は従業員に交付されるものです。本人に渡すのがルールですが、退職時以外に従業員が使う機会がほぼないため、実際には会社側でそのまま保管しているところも多いようです。

会社で保管する場合はその旨を従業員に伝えるようにしましょう。

経理
人事
総務

Advice 雇用保険被保険者資格取得届の用紙はハローワークで入手できますが、ハローワークのインターネットサービスで直接入力して作成することができます。

「雇用保険被保険者資格取得届（様式第2号）」の記入例

書類内容	入社時の雇用保険加入の書類
届出先	事業所管轄のハローワーク

新卒および前職から7年以上のブランクがある従業員は新たに番号を取得するので空欄のまま

マイナンバーを記入

フリガナは姓と名の間は1文字あける。また、濁点は1マス使う

入社の年月日を記入。研修期間・試用期間がある場合は、その期間も含む

別紙にある1～11の職種のうち該当する番号を記入する

正社員の場合は「7」を記入する

外国人を雇う場合はこの欄に記入する

POINT
入社に至った経緯を記入。求人サイトなどを利用した場合は「2」を記入

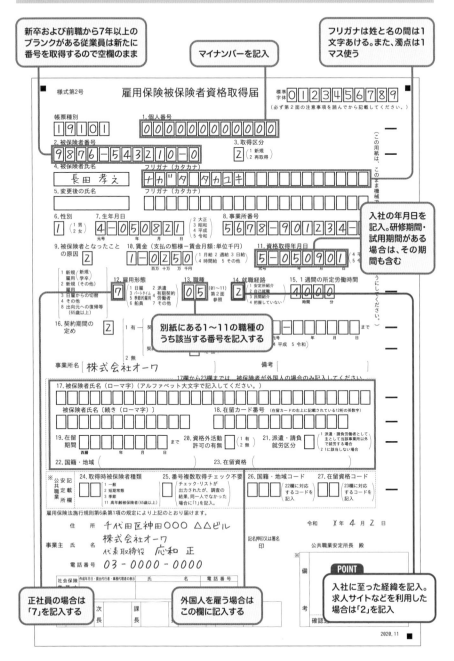

第5章 採用時の手続き

155

2020.11

| 頻度 | 発生の都度 | 対象 | 新規採用者 | 時期 | 各期限内 |

POINT

- 給与所得者の扶養控除等（異動）申告書を提出してもらう
- 住民税の徴収は退職から入社までの期間によって対応が変わる

源泉所得税を徴収するために提出してもらう書類

2-10で説明したとおり、毎月の源泉所得税の徴収額は扶養親族等の人数などによって異なります。そのため、給与所得者の扶養控除等（異動）申告書を渡して記入してもらい、初回の給与計算日に間に合うように提出してもらいます。

この申告書をもとに源泉所得税を計算し（56ページ）、初回の給与から徴収を開始します。受け取った申告書は、そのまま会社で保管します。

また、中途採用者（採用年度に収入がある人）には、前職における給与所得の源泉徴収票も提出してもらいます。

中途採用者の住民税の徴収の方法

住民税は前年の給与所得に課せられます。そのため通常、新卒採用者は入社時の手続きはありません。翌年6月から住民税の徴収を開始します。

前年に給与所得があった中途採用者は、前職での住民税の徴収方法が「特別徴収」「普通徴収」（56ページ）のどちらだったかで対応が変わります。

以前の勤務先を退職して1カ月以上経たずに転職し、特別徴収を引き継ぐ場合は、前の会社から送られてきた給与支払報告・特別徴収に係る給与所得者異動届出書に、自社に関係する欄を追記し、退職した翌月10日までに本人の居住する市区町村に提出します。初回の給与から徴収を開始します。ただし、前の会社で次の5月分までの住民税が一括徴収されている場合は、徴収開始は次の6月からになります。

退職してから1カ月以上経っている場合は、本人にいったん普通徴収に切り替えてもらう必要があります。その後、本人から会社に普通徴収の納付書を提出してもらい、会社から普通徴収していた市区町村へ特別徴収切替申請書を提出します。後日、送られてきた特別徴収額の決定・変更通知書の内容にしたがって特別徴収を開始します。

「給与支払報告・特別徴収に係る給与所得者異動届出書」の記入例

書類内容	前勤務先から特別徴収を引き継ぐ場合に申出する書類
届出先	従業員本人が居住する市区町村

● 中途採用者の特別徴収を継続する場合の記入例

前の職場で記入したものが送られてくる

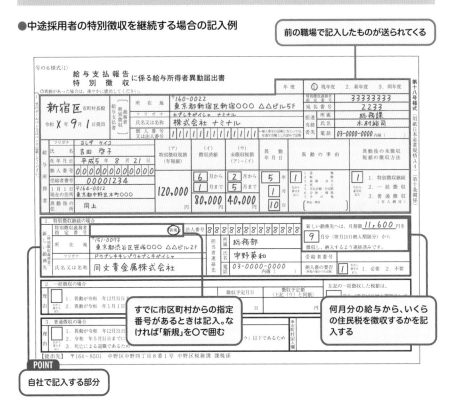

すでに市区町村からの指定番号があるときは記入。なければ「新規」を○で囲む

何月分の給与から、いくらの住民税を徴収するかを記入する

POINT

自社で記入する部分

📌 入社後の住民税の処理

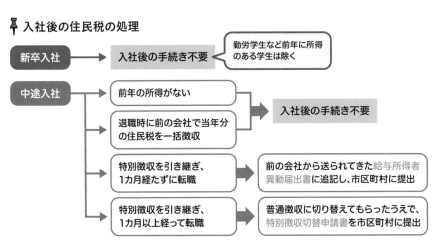

新卒入社	→ 入社後の手続き不要	勤労学生など前年に所得のある学生は除く
中途入社	前年の所得がない	→ 入社後の手続き不要
	退職時に前の会社で当年分の住民税を一括徴収	
	特別徴収を引き継ぎ、1カ月経たずに転職	→ 前の会社から送られてきた給与所得者異動届出書に追記し、市区町村に提出
	特別徴収を引き継ぎ、1カ月以上経って転職	→ 普通徴収に切り替えてもらったうえで、特別徴収切替申請書を市区町村に提出

09 外国人労働者を採用する

頻度	発生の都度	対象	新規採用の外国人労働者	時期	各期限内

POINT
- 外国人を採用する際は在留資格と在留期間に注意
- 外国人であっても労働基準法が適用される

外国人を採用する際は在留カードを確認

外国人の採用にあたっては、雇用手続きなどが日本人の場合と異なります。気をつけなければならないのは、在留資格と在留期間です。

外国人は日本に入国するとき、どのような目的で（在留資格）、どれくらいの期間滞在するのか（在留期間）を決められています。したがって、外国人は原則として、在留資格以外の仕事に就くことはできません。

在留資格とは違う職種や仕事内容で雇い入れる場合は、在留資格の変更手続きが必要になります。また、就労不可の在留資格であっても、資格外活動許可を取得すれば就労が可能になります。許可を申請するのは、本人が原則ですが、申請者が所属する機関の職員、すなわち会社なども申請を行えます。

いずれも地方出入国在留管理局に申請することになりますが、許可が下りるまで時間がかかることもあるので、余裕をもって対応しましょう。

外国人でも社会保険・雇用保険には加入する

外国人を雇用することになったら、管轄のハローワークに届け出ます。雇用保険に加入しない場合は、外国人雇用状況届出書を提出。雇用保険に加入する場合は、雇用保険被保険者資格取得届を提出します。

また、日本人労働者と同様に社会保険への加入も必要です。雇用契約が1年以上であれば源泉所得税も徴収することになります。

3カ月以上滞在する場合は住民登録

も必要になります。そのほか、給与振込のために銀行口座の開設も行わなくてはなりません。どちらも従業員本人が行うのが原則ですが、必要に応じて会社がサポートしましょう。

なお、外国人にも労働基準法が適用されます。日本人労働者と賃金や待遇に格差をつけてはいけません。また、留学生を雇う際は週28時間までという制限があるので気をつけましょう。

経理

人事

総務

📌 外国人を雇用するときのポイント

- ☐ 在留カードを所持しているか？
- ☐ 就労が認められている在留資格か？
- ☐ 在留期限は切れていないか？
- ☐ 業務内容は在留資格の範囲内か？

在留資格や在留期間は在留カードを見ればわかるので、在留カードを提出してもらう

出典：法務省 出入国在留管理庁「在留カードとは？」

入社後 ↓

- ☐ 資格がある場合は、日本人従業員と同様に社会保険・雇用保険に加入する
- ☐ 基本的に待遇は日本人従業員と同じでなければならない
- ☐ 業務内容によっては在留資格の変更が必要になる場合もある
- ☐ 国籍や人種による差別は絶対禁止

📌 在留資格と就労の制限

在留資格の種類		就労の制限
居住資格	永住者・定住者・日本人の配偶者等・永住者の配偶者等	就労は制限されない
活動資格 （就労ビザ）	文化活動・短期滞在・留学・研修・家族滞在	原則として就労できない
	特定活動	ケースによっては就労が可能
	技能・高度専門職・特定技能・技能実習・医療・外交・公用・研究・教育・芸術・宗教・報道など16種	定められた範囲内であれば就労が可能
	特定技能1号・2号	1号：特定産業分野に属する相当程度の知識または経験が必要（14種類〈12分野〉） 2号：熟練した技能が必要（2分野）
	技能実習1号・2号・3号	定められた範囲内であれば就労が可能

在留資格については複雑な部分もあるため、少しでも不安があれば専門家に相談しましょう。

さまざまな助成金を
活用しよう

助成金と補助金の違い

　国や地方自治体などから支給される給付金のひとつに助成金があります。返済の必要がなく、一定の要件を満たしていれば、基本的には支給されます。助成金と似たものに補助金がありますが、こちらは予算や定員に限りのあるものが多く、条件を満たしても支給が認められないこともあります。

　助成金については、雇用促進や職場改善などを支援するためのものなど、雇用関係のものが多く用意されています。各助成金によって要件は異なりますが、下記のように共通すべき条件がいくつかあります。

- ●雇用保険に加入している
- ●不正受給による支給取消を受けたことがある場合は5年以上経過している
- ●労働保険料を納付している
- ●支給申請日の前日から過去1年間に労働関係法令に違反していない
- ●「役員等一覧」を提出している
- ●支給のための審査に協力する

　詳しくは厚生労働省のホームページなどで確認してください。

助成金を調べられる便利ツールを活用しよう

　雇用関係の助成金でよく知られているものとして、高齢者や障害者、就職氷河期世代などをハローワーク経由で雇用した際に支給される「特定求職者雇用開発助成金」や「トライアル雇用助成金」、中小企業の雇用管理の改善・雇用創出を促進するための「人材確保等支援助成金」や「キャリアアップ助成金」などがあります。厚生労働省のホームページ内の「雇用関係助成金検索ツール」でどのような助成金があるのかを調べられるので、ぜひ活用してください。

〈雇用関係助成金検索ツール〉
https://www.mhlw.go.jp/stf/seisakunitsuite/bunya/koyou_roudou/koyou/
kyufukin/index_00007.html

第6章

退職時の手続き

第6章では、従業員が退職した際の手続き等について説明します。事業活動を行っていくうえで、従業員の退職は避けられないことですが、退職の手続きには複雑なものもあります。また、退職金を支払う場合は、所得税や住民税の計算方法も、通常の給与とは違ってきます。どのような手続きをし、どのように税金を計算するのか、しっかり確認しておきましょう。

01 退職時の手続きの流れ

| 頻度 | ー | 対象 | ー | 時期 | ー |

POINT
- 会社都合退職の場合は1カ月以上前に通告する
- 退職者とは退職合意書を締結したほうがよい

退職日のルールを確認する

従業員が退職する場合の手続きには、社会保険の資格喪失手続き（166ページ）のように、期限が決まっているものもあります。給与の支払いトラブルなどを避けるため、退職時のルールを把握しておくことが大切です。

従業員（パートタイマーなども含む）は、退職日の2週間前までに申し出れば退職できます。就業規則などで「退職の申し出は1カ月以上前にする」ともし定めていても、原則、法律が優先されます。従業員に対して退職日の変更を強制することはできません。

会社都合で辞めてもらう場合（会社都合退職）は、30日前までに解雇予告をする必要があります。退職日が通告日から30日以内の場合は、不足する日数分の額を「解雇予告手当」として支払わなければなりません。

懲戒解雇については解雇予告手当なしで即時解雇できますが、労働基準監督署から解雇予告除外認定を受ける必要があります。

自主都合退職の場合は退職届を提出してもらい、退職日を確定します。会社都合退職の場合は退職届の提出は不要です。

なお、退職届を受け取っても、退職勧奨による退職などを、原則として自己都合退職とすることはできません。

退職者から回収すべきものを確認する

退職にあたっては、従業員から受け取るものと、従業員に渡すものがあります。

まず受け取るものとして、健康保険被保険者証（健康保険証）があります。

扶養者がいる場合は、その分も回収します。マイナ保険証に切り替えた人も、マイナ保険証が使えない病院もあり、多くは従来の保険証を持っています。忘れずに回収しましょう。

Keyword **懲戒解雇**　会社の秩序を著しく乱した労働者に対する懲罰としての解雇。就業規則上の懲戒事由に該当し、かつ解雇の決定前に十分な改善指導を行うなど、解雇権の濫用に当たらないことが必要。

解理

人事

総務

📌 退職手続きの流れ

| 退職日より
14日以上前 | ▶ | **退職届の受理** | 法律上に決まりはないが、退職を証明するものとしてハローワークに提出する書類に添付を求められることがある |

退職手続きについて退職者に説明する

健康保険被保険者証や貸与品などの回収 → 下図参照

雇用保険被保険者証や年金手帳を返却 ← 会社が保管している場合

| 退職日 | ▶ |

社会保険の資格喪失手続き → 166ページ参照

| 退職日から
5日以内 | ▶ |

| 退職日から
10日以内 | ▶ | **雇用保険の資格喪失手続き** → 168ページ参照 | ハローワークから返送されてきた離職票などを、なるべく早く退職者に送付する |

| 退職日の
翌月10日まで | ▶ | **給与所得者異動届出書を提出** → 175ページ参照 | 住民税の手続きに必要 |

| 退職後
1カ月以内 | ▶ | **源泉徴収票などの送付** |

退職手続きは退職後の生活にかかわることもあるので、遅滞なく行うことが大切です。

📌 退職する従業員から回収するもの

・退職届（会社都合退職の場合は不要）
・健康保険被保険者証
　（扶養者がいればその分も）
・会社が貸与した備品など
・仕事に関するデータや作成した資料

回収すべき貸与品

■ 名刺（自分の名刺・取引先や顧客から受け取った名刺）
■ 社員証・社章（ストラップやホルダーなど付随する備品も）
■ 入館証・オフィスの鍵
■ パソコン・タブレット・スマートフォン
■ 制服・作業着など
■ 会社の経費で購入した文房具・書籍など

会社が貸与・支給していた備品類は返却してもらいます。パソコンやスマートフォン、制服、文房具などです。特に、入館証を発行している場合は、セキュリティの観点からも必ず回収してください。また、業務で扱ったデータ類や業務を通じて収集した名刺も返却または廃棄してもらいます。

退職金が発生する場合には、退職所得の受給に関する申告書を提出しても

らいます。

一方、会社が従業員に渡すものには、雇用保険被保険者証、源泉徴収票、離職票、退職証明書、健康保険被保険者資格喪失確認通知書、年金手帳などがあります。源泉徴収票や離職票は退職後に渡すため、郵送することがほとんどでしょう。退職後実家に帰る人などもいるので、確実に届けられるように住所を確認しておきましょう。

退職者の給与を支払う

退職する従業員の最後の給与については、締め日前に退職する場合は日割り計算が基本です。ただし、法律上の決まりはないので、①暦日、②所定労働日数、③平均労働日数のどれを基準とするのかは就業規則によります。

通勤手当や住宅手当など、毎月変動しない各種手当を支給している場合も、日割り計算するか、全額支給するかは就業規則によりますが、全額支給が望ましいとされています。

このうち、通勤手当については、実費支給している場合は、退職日までの実費を支給します。また、3カ月や6カ月分の定期代を支給している場合は、月単位で割って払い戻してもらうのが原則です。ただし、就業規則に定めがない場合は、返還に応じてもらえない可能性があります。

なお、社会保険料や雇用保険料、税金は、日割り計算できません。

経理

人事

総務

ONE トラブル回避に「退職合意書」の作成も

退職合意書とは、離職理由や退職日までの出勤の要否、在職中に知り得た情報の守秘義務などについて、会社と従業員が合意のうえで交わす書面のことです。法的に作成を義務づけられてはいませんが、双方の署名・捺印により、一定の法的拘束力を持ちます。なお、憲法によって、従業員には職業選択の自由が認められており、これに抵触するような内容は、合意があっても無効とされます。たとえば、在職中に知り得た業務・営業上の情報すべてに守秘義務を課すと、範囲が広すぎて転職活動を妨げるとして、無効とされる可能性があります。同様に競合他社への転職の制限など、どこまでが法的に有効かどうか判断が難しいものもあります。

「退職合意書」の記入例

書類内容	会社と退職者が合意のうえで交わす書類
届出先	なし（会社と退職者で1通ずつ保管）

退職合意書

　株式会社スピニッシュ（以下「甲」という。）と小畠亮人（以下「乙」という。）は、以下の条件による乙の退職につき合意した。

→ 退職届の記載と同じ日付を記載する

第1条　乙は、甲からの退職勧奨を受け入れ、令和X年X月30日付で退職する。

→ 自己都合退職か、会社都合退職かを明記する

第2条　前条の退職は、自己都合の離職として扱う。

→ 最終出社日を明記する

第3条　乙の最終出社日は令和X年X月20日とし、乙は同日まで、甲の指示にしたがって後任者に対する業務引き継ぎを行う。甲は、乙が同年X月21日から退職日までの間、有給休暇を取得することを承認する。

POINT　有給休暇を消化する場合はその期間を記載する

会社に返還するものを具体的に記載する

第4条　乙は、甲が乙に貸与した従業員証、入館証、社章、業務用パソコン、業務用携帯電話、業務用の書類、その他甲の所有物の全てを令和X年X月30日までに甲に返還する。乙は、甲の施設内にある乙の私物を、令和X年X月30日までに持ち帰るものとし、同日以降に残置された物品の所有権を放棄し、処分に異議を述べない。

→ 私物の持ち帰り期間を定め、それ以降は会社の判断で処分できることを明記する

第5条　乙は、在職中に知り得た甲の営業上、財務上、人事上、その他一切の業務上の秘密について、退職後に使用せず、また、第三者に開示、漏洩しない。

→ 守秘義務事項を定める。ただし、守秘義務が広範囲にわたる場合は無効とされることも

第6条　乙は、退職後5年間は、甲と競業する企業に就職したり、役員に就任するなど直接・間接を問わず関与したり、または競業する企業を自ら開業したり等を一切しない。

競業企業への就職や協業分野での開業を禁止。ただし、職業選択の自由に抵触するものはNG

第7条　甲及び乙は、甲乙間に本合意書に定めるほか、一切の債権債務のないことを相互に確認する。

両者に貸し借りがないことを明記する ←

以上

　この合意を証するため、本書2通を作成し、甲乙両各署名（記名）押印の上、各その1通ずつを保有する。

　　令和X年X月X日

甲：（住所）東京都新宿区○-○-○
　　（社名）株式会社スピニッシュ
　　　代表取締役　佐野功史

乙：（住所）東京都杉並区○-○-○
　　（氏名）小畠亮人

02 社会保険の資格喪失手続きを行う

| 頻度 | 発生の都度 | 対象 | 退職者 | 時期 | 退職日の翌日から5日以内 |

POINT
- 退職者から健康保険被保険者証を回収する
- 社会保険の資格喪失日は退職日の翌日

社会保険の資格喪失手続きは退職の翌日から5日以内

社会保険に加入している従業員が退職する場合、社会保険からはずれる手続きが必要です。健康保険被保険者証（健康保険証）を回収し、健康保険・厚生年金保険 被保険者資格喪失届と一緒に、管轄の年金事務所に提出します。扶養者がいる場合は、その分の健康保険証も回収します。

届出の期限は、資格喪失日（退職日の翌日）から5日以内と短いので、退職日に健康保険証を回収できるように、退職者に依頼しておきましょう。

もし、健康保険証を紛失したなどで回収できない場合は、前出の被保険者資格喪失届と一緒に、健康保険被保険者証回収不能届を提出します。

社会保険の資格喪失日に注意する

社会保険料は資格喪失日の前月まで発生します。たとえば、7月30日に退職した場合、資格喪失日は7月31日となり、6月分まで社会保険料が発生します。一方、7月31日に退職した場合、資格喪失日は8月1日となるため、前月となる7月分まで社会保険料が発生します。

退職後の健康保険については、①国民健康保険に加入、②任意継続制度を利用、③家族の健康保険に加入（被扶養者になる）の3つの選択肢があります。いずれも退職者本人が手続きをすることになるため、会社は関係しませんが、退職前に説明しておくほうが親切です。

このうち②の任意継続制度は、退職後2年を上限に、会社の健康保険に継続加入できる制度です。被扶養者だった家族も、そのまま被扶養者として加入できます。ただし、出産手当金や傷病手当金など給付を受けられないものがあります。保険料は、会社負担分がなくなり、全額自己負担となります。

Advice 健康保険被保険者証以外に、「高齢受給者証」「健康保険特定疾病療養受給者証」「健康保険限度額適用・標準負担額減額認定証」が交付されている場合は回収し、添付します。

「健康保険・厚生年金保険 被保険者資格喪失届」の記入例

書類内容	健康保険と厚生年金保険の資格喪失手続きを行う書類
届出先	事業所管轄の年金事務所または年金事務センター

● 協会けんぽの例

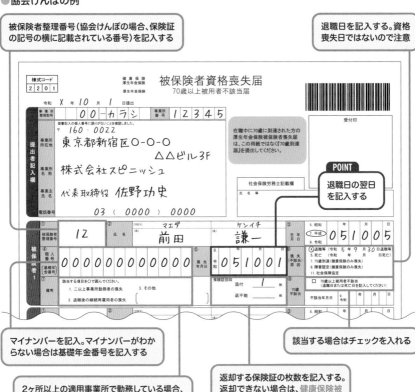

被保険者整理番号（協会けんぽの場合、保険証の記号の横に記載されている番号）を記入する

退職日を記入する。資格喪失日ではないので注意

POINT
退職日の翌日を入する

マイナンバーを記入。マイナンバーがわからない場合は基礎年金番号を記入する

該当する場合はチェックを入れる

2ヶ所以上の適用事業所で勤務している場合、60歳以上で退職した被保険者が1日も空白を開けずに再雇用となった場合は〇印で囲む

返却する保険証の枚数を記入する。返却できない場合は、健康保険被保険者証回収不能届を提出する

退職日と資格喪失日は違う

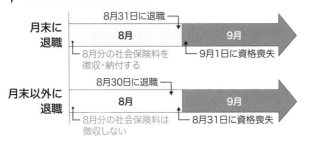

月末に退職	8月31日に退職
	8月 / 9月
	8月分の社会保険料を徴収・納付する
	9月1日に資格喪失

月末以外に退職	8月30日に退職
	8月 / 9月
	8月分の社会保険料は徴収しない
	8月31日に資格喪失

資格喪失日を間違えると、退職者の年金加入月数に影響してしまうことがあるので、月末や月末近くの退職は特に注意しましょう。

03 雇用保険の資格喪失手続きを行う

| 頻度 | 発生の都度 | 対象 | 退職者 | 時期 | 退職日の翌日から10日以内 |

POINT

- 退職者が失業給付金をもらうためには、会社で行う手続きがある
- ハローワークから返送されてきた書類を退職者に渡す

雇用保険の資格喪失手続きは10日以内

従業員が退職する際には、雇用保険からもはずれる手続きが必要です。資格喪失日から10日以内に雇用保険被保険者資格喪失届（以下「喪失届」）を管轄のハローワークに提出します。なお、資本金が1億円以上の会社は、電子申請が義務づけられています。資格喪失日は社会保険と同じく退職日の翌日となります。

退職者が失業給付金の受給を希望する場合は、雇用保険被保険者離職証明書（以下「離職証明書」）も喪失届と一緒に提出します。また、退職届など退職理由を証明する書類と、賃金台帳・出勤簿なども合わせて提出します。

ただし、賃金台帳・出勤簿については、確認書類の照合省略に係る申出書を提出して、照合省略の認可を受けた場合は提出を省略できます。

この手続きにより、退職者がハローワークで失業給付金の受給手続きに必要となる雇用保険被保険者離職票（以下「離職票」）が交付されます。

退職者本人が離職票の発行を希望しない場合や、死亡退職の場合は、離職証明書を提出する必要はありません。ただし、退職者が59歳以上の場合は、必ず離職証明書を提出しなければなりません。

離職証明書には、本人の確認・記入が必要

離職証明書は3枚綴りの複写式になっているため、インターネット上からダウンロードはできません。ハローワークで入手するか、電子申請で提出します。

記入にあたっては、失業保険の受給額に関わるため、賃金の支払い対象期間や賃金額などに注意を払うほか、退職理由も重要です。自己都合退職なのか、**会社都合退職**なのかで、失業保険

経理

人事

総務

Keyword **会社都合退職** 解雇や倒産など、退職の原因が会社側にある場合の退職のこと。退職勧奨による退職も会社都合退職となる。

「雇用保険被保険者資格喪失届（様式第4号）」の記入例

書類内容　雇用保険の資格喪失手続きを行うときに必要な書類
届出先　　事業所管轄のハローワーク

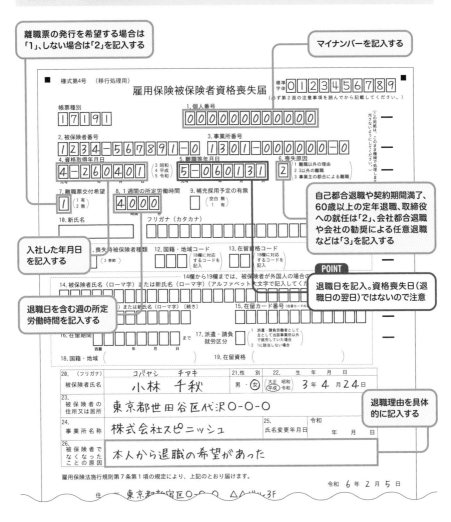

離職票の発行を希望する場合は「1」、しない場合は「2」を記入する

マイナンバーを記入する

■ 様式第4号　（移行処理用）

雇用保険被保険者資格喪失届

標準字体 〔0 1 2 3 4 5 6 7 8 9〕
（必ず第2面の注意事項を読んでから記載してください。）

帳票種別 〔1 7 1 9 1〕

1. 個人番号 〔0 0 0 0 0 0 0 0 0 0 0 0〕

2. 被保険者番号 〔1 2 3 4〕-〔5 6 7 8 9 1〕-〔0〕
3. 事業所番号 〔1 3 0 1〕-〔0 0 0 0 0 0〕-〔0〕

4. 資格取得年月日 〔4 - 2 6 0 4 0 1〕（3 昭和 4 平成 5 令和）
5. 離職等年月日 〔5 - 0 6 0 1 3 1〕
6. 喪失原因 〔2〕
　1 離職以外の理由
　2 3以外の離職
　3 事業主の都合による離職

7. 離職票交付希望 〔1〕（1 有 2 無）
8. 1週間の所定労働時間 〔4 0 0 0〕時間
9. 補充採用予定の有無（空白 1 有）

10. 新氏名　フリガナ（カタカナ）

11. 喪失時被保険者種類（3 季節）
12. 国籍・地域コード（18欄に対応するコードを記入）
13. 在留資格コード（19欄に対応するコードを記入）

14欄から19欄までは、被保険者が外国人の場合に記入
14. 被保険者氏名（ローマ字）または新氏名（ローマ字）（アルファベット大文字で記入してくだ

（ローマ字）または新氏名（ローマ字）〔続き〕
15. 在留カード番号（在留カードの

16. 在留期間　　　　まで
17. 派遣・請負就労区分
　派遣・請負労働者として主として当該事業所以外で就労していた場合
　1 該当する　2 該当しない場合

18. 国籍・地域（西暦　　年　　月　　日）
19. 在留資格

20. （フリガナ）　コバヤシ　チアキ
被保険者氏名　**小林　千秋**
21. 性別　男・⊖
22. 生年月日　大正 昭和 ⊕平成 令和　3 4 24日

23. 被保険者の住所又は居所　**東京都世田谷区代沢0-0-0**

24. 事業所名称　**株式会社スピニッシュ**
25. 氏名変更年月日　令和　年　月　日

26. 被保険者でなくなったことの原因　**本人から退職の希望があった**

雇用保険法施行規則第7条第1項の規定により、上記のとおり届けます。

令和 6 年 2 月 5 日

住　**東京都新宿区0-0-0　△△ビル3F**

入社した年月日を記入する

退職日を含む週の所定労働時間を記入する

自己都合退職や契約期間満了、60歳以上の定年退職、取締役への就任は「2」、会社都合退職や会社の勧奨による任意退職などは「3」を記入する

POINT
退職日を記入。資格喪失日（退職日の翌日）ではないので注意

退職理由を具体的に記入する

●必要な添付書類（離職票の交付を希望する場合）

□出勤簿　　　□労働者名簿　　　□賃金台帳
□離職理由が確認できる書類（「退職届」など　※ハローワークに確認）
□退職の事実がわかる書類（退職辞令発令書類）
□雇用保険被保険者離職証明書

169

の受給時期が変わってくるからです。

そこで、後のトラブルを避けるため、離職証明書に記入後、通常、退職日前または退職日に本人に渡して、内容を確認してもらいます。退職理由については、退職者本人の記入や署名が必要な箇所があるので、そちらも記入して

もらったうえで（退職後であれば返送してもらい）、ハローワークに提出して手続きを行います。

退職者と連絡が取れない場合などは、事業主印で済ませられますが、本人に署名してもらうのが原則です。

退職者に渡す書類

ハローワークでの手続きを終えると、会社宛てに退職者の情報が印字された離職票-1という書類と、離職証明書の1枚目の雇用保険被保険者離職証明書（事業主控）と3枚目の離職票-2、そのほか離職されたみなさまへ（パンフレット）が後日送られてきます。このうち、退職者が失業保険を給付する

際に必要となる離職票-1・2とパンフレットは退職者へすぐに送付します。

また、離職票の交付を希望しなかった（＝ハローワークに離職証明書を提出しなかった）場合は、雇用保険資格喪失確認通知書が送られてくるので従業員に渡します。

雇用保険料の徴収について

退職する場合の雇用保険料については、退職日や雇用保険の資格喪失日がいつかにかかわらず、最後の給与からそれまでと同額の保険料を徴収して終了とします。

雇用保険料は賃金を支払う都度、徴収することになっています。社会保険料と同様に日割り計算はできないため、1カ月分をそのまま徴収することになります。

経理

人事

総務

ONE　大量の退職者がいる場合に提出が必要な書類

一度に複数の従業員が退職する場合は、そのほかにもハローワークに提出しなければならない書類があります。会社都合によって1カ月以内に30人以上の従業員の退職が見込まれる場合は、退職日の1カ月前までに再就職援助計画または大量離職届・大量離職通知書の提出が必要です。また、1カ月以内に5人以上の中高年齢者（45歳以上65歳未満）が定年、解雇等により退職する場合は、多数離職届を提出します。

書類内容　退職者に提出する書類
届出先　　事業所管轄のハローワーク

該当する退職理由に〇をつける

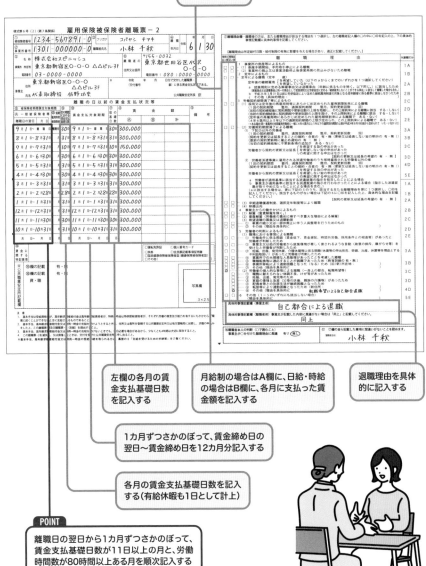

左欄の各月の賃金支払基礎日数を記入する

月給制の場合はA欄に、日給・時給の場合はB欄に、各月に支払った賃金額を記入する

退職理由を具体的に記入する

1カ月ずつさかのぼって、賃金締め日の翌日〜賃金締め日を12カ月分記入する

各月の賃金支払基礎日数を記入する（有給休暇も1日として計上）

POINT

離職日の翌日から1カ月ずつさかのぼって、賃金支払基礎日数が11日以上の月と、労働時間数が80時間以上ある月を順次記入する

源泉徴収票の交付と 住民税の手続きを行う

| 頻度 | 発生の都度 | 対象 | 退職者 | 時期 | 退職日から1カ月以内 |

POINT

● 源泉徴収票は退職後の年末調整や確定申告に必要となる
● 退職者の住民税を特別徴収している場合は給与所得者異動届出書を提出する

退職者の源泉徴収票を交付する

退職者には、その年の1月1日から退職日までの源泉徴収票を作成して、退職後1カ月以内に本人へ交付することが義務づけられています。

会社は毎月、従業員から所得税や社会保険料を概算額で源泉徴収し、会社員や公務員であれば毎年12月の年末調整で、個人事業主であれば所得税の確定申告で、1年間の過不足額を計算および精算します。

退職者がその年内に再就職する場合は、再就職先の会社で年末調整を行うことになります。その際に以前の会社が発行した源泉徴収票がないと、過不足を計算できません。また、再就職しなかった人も、確定申告をする際に正しい計算ができず、所得税の還付を受け取れない可能性があります。

そのため、源泉徴収票は忘れずに発行・送付しなければなりません。特に年末近くの退職者は、再就職先で年末調整をする可能性があるため、なるべく早く発行しましょう。

なお、退職者が源泉徴収票を紛失してしまい、再発行の依頼を受けた場合も必ず応じなければなりません。

再就職先が決まっていない場合の住民税の手続き

会社は毎月、従業員から住民税を給与から天引きしていますが、これは前年分の住民税を12カ月に分割して、当年6月から翌年5月まで徴収しています（56ページ）。そのため、退職日によっては納付前の住民税が残ることになります。

退職者が1カ月以内に再就職しない場合、残った住民税の処理方法には、残額すべてを会社が徴収する「一括徴収」と、退職者本人が納付する「普通徴収」の2通りがあります。

どちらの方法で手続きするのがよいかは、退職月が何月かによります。

Keyword **普通徴収** 納税者が自分で住民税を直接支払うこと。会社員の場合、通常は会社が給与から天引きするが、個人事業主などは普通徴収で納付する。

住民税の手続きの流れ

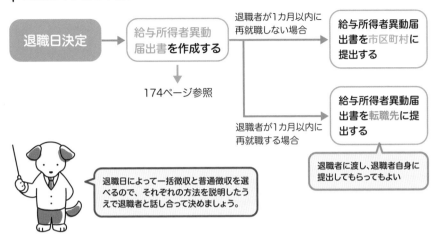

退職日決定 → 給与所得者異動届出書を作成する

174ページ参照

退職者が1カ月以内に再就職しない場合 → 給与所得者異動届出書を市区町村に提出する

退職者が1カ月以内に再就職する場合 → 給与所得者異動届出書を転職先に提出する

退職者に渡し、退職者自身に提出してもらってもよい

退職日によって一括徴収と普通徴収を選べるので、それぞれの方法を説明したうえで退職者と話し合って決めましょう。

退職日による徴収方法の違い

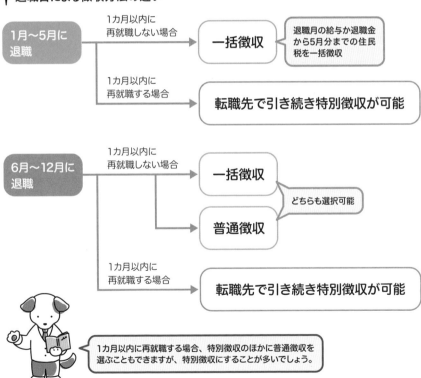

1月〜5月に退職

1カ月以内に再就職しない場合 → 一括徴収

退職月の給与か退職金から5月分までの住民税を一括徴収

1カ月以内に再就職する場合 → 転職先で引き続き特別徴収が可能

6月〜12月に退職

1カ月以内に再就職しない場合 → 一括徴収

普通徴収

どちらも選択可能

1カ月以内に再就職する場合 → 転職先で引き続き特別徴収が可能

1カ月以内に再就職する場合、特別徴収のほかに普通徴収を選ぶこともできますが、特別徴収にすることが多いでしょう。

◎退職日が1月〜5月の場合

退職者が1カ月以内に再就職しない場合、選べるのは一括徴収のみです。5月までの住民税を、最後の給与から一括徴収し、翌月10日までに市区町村に納付します。なお、5月に退職する場合は、結果的に通常どおりの徴収・納付額になります。

◎退職日が6月〜12月の場合

一括徴収と普通徴収のどちらの方法でもかまいません。

一括徴収する場合は、1月〜5月退職の場合と同様に手続きします。

普通徴収に切り替える場合は、退職月の給与まで通常どおり徴収して納付します。退職後は市区町村から本人に送られてくる納税通知書に基づき、退職者本人が納付します。

一括徴収のほうが、退職者にとって手間は省けますが、一時的に住民税の負担が増すことになり、給与の手取り額が減ります。どちらにするか、退職者の意向を確認しましょう。

再就職先が決まっている場合の住民税の手続き

退職者の住民税については、特別徴収していた場合、給与支払報告・特別徴収に係る給与所得者異動届出書を市区町村に提出します。提出期限は退職日の翌月10日までです。

退職後、すぐに再就職する場合は、転職先の会社で特別徴収を引き継ぐこ

ともできます。引き継ぐ場合は、前出の給与所得者異動届出書を転職先の会社に送付し、転職先の会社から市区町村に提出することになります。なお、市区町村への提出期限は退職日の翌月10日までに変わりはないので、早めに渡しましょう。

経理
人事
総務

ONE　退職者の各種情報の保存期間

給与所得者の扶養控除等（異動）申告書などの書類は、税法により翌年1月10日の翌日を起算日に7年間の保管が必要です。そのほか、所得税の計算に関わる給与所得者の保険料控除申告書、給与所得者の基礎控除申告書 兼 配偶者控除等申告書 兼 所得金額調整控除申告書、給与所得者の（特定増改築等）住宅借入金等特別控除申告書、源泉徴収簿も、保管期間は7年間です。

労働者名簿については退職日または死亡日から5年間（当分の間は3年間）、賃金台帳については最終支払い日から5年間（当分の間は3年間）が保管期間ですが、源泉徴収簿を兼ねる場合は7年間です。また、退職日の翌日を起算日として、雇用保険関係書類は2年間（被保険者に関する書類は4年間）、労災保険関係書類は3年間、健康保険・厚生年金保険関係書類は2年間の保管が必要です。

「給与支払報告・特別徴収に係る給与所得者異動届出書」の記入例

書類内容　退職者の住民税の徴収方法を決めて届け出る書類

届出先　　従業員本人が居住する市区町村
（再就職が決まっていて転職先で特別徴収を引き継ぐ場合は転職先の会社）

退職する従業員の情報を記入する。受給者番号は、特別徴収税額通知書に記載されている番号を記入する

POINT
転職先の会社に特別徴収を引き継ぐ場合は赤い線で囲んだ部分だけを記入する

特別徴収税額通知書に記載されている番号を記入する

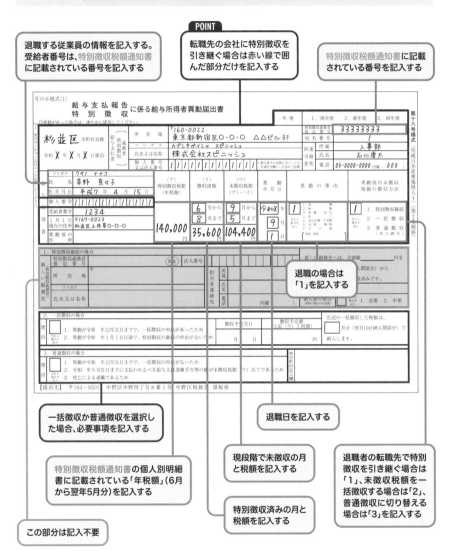

退職の場合は「1」を記入する

一括徴収か普通徴収を選択した場合、必要事項を記入する

退職日を記入する

特別徴収税額通知書の個人別明細書に記載されている「年税額」（6月から翌年5月分）を記入する

現段階で未徴収の月と税額を記入する

退職者の転職先で特別徴収を引き継ぐ場合は「1」、未徴収税額を一括徴収する場合は「2」、普通徴収に切り替える場合は「3」を記入する

この部分は記入不要

特別徴収済みの月と税額を記入する

05 退職金の支払いと退職金にかかる手続き

| 頻度 | 発生の都度 | | 対象 | 退職者(退職金を支給) | | 時期 | 退職時 |

POINT
● 退職所得控除を受けるには、「退職所得の受給に関する申告書」の提出が原則必要
● 退職金にも源泉所得税と住民税はかかる

退職所得控除を受けるために必要なこと

退職金については法律上の支払い義務はありません。金額や支払い方法、支給日などは就業規則にしたがいます。退職金を支給すると、給与などと同じように所得税と住民税がかかります。ただし、給与や賞与とは異なる計算方法を用います。大きく違うのは、「退職所得控除」を受けられる点です（次節参照）。退職所得控除を適用できるのは、退職金の受け取り方が一時金（一括払い）形式の場合で、退職者から退職所得の受給に関する申告書 兼 退職所得申告書を提出してもらう必要があります。未提出の場合は、退職金に一律20.42％もの所得税がかかることになります。

たとえば、勤続30年で退職金が2,500万円のケースでは、退職所得控除を受けると、所得税及び**復興特別所得税**は約58万円で済みますが、未提出だと約510万円になります。必ず提出してもらうようにしましょう。ただし、未提出の場合でも、本人が確定申告をすれば還付を受けられます。

役員に退職金を支給する場合の注意点

役員に退職金を支給する場合は、一般の従業員とは違い、就業規則に定めがなくても支給できます。ただし、定款に定めがなければならず、定めがない場合は株主総会の決議が必要となります。

退職金は損金として計上できますが、役員の退職金の場合、不相当に高額と見なされると、損金として認められないケースもあります。通常は「功績倍率方式」という方法で算出します。「最終月額報酬×役員在任年数×功績倍率」で計算しますが、功績倍率をいくつにするかの決まりはなく、一般的には1.5倍～3倍程度にして計算することが多いようです。

経理 人事 総務

Keyword **復興特別所得税** 東日本大震災からの復興財源という名目で徴収される税金。2037年12月31日まで、通常の所得税に上乗せされる。税率は所得税額の2.1％。

「退職所得の受給に関する申告書 兼 退職所得申告書」の記入例

書類内容	退職金の支払いを受ける人が退職前に勤務先に提出する申告書
届出先	事業所で保管（税務署に求められた場合に提出）

POINT

「小規模企業共済やiDeCo（個人型確定拠出年金）の返戻金」「生命保険会社から一時金」などが該当する場合も

1月1日時点に居住していた市区町村名を記入する

令和6年分　退職所得の受給に関する申告書 兼 退職所得申告書

市町村長 殿　文京区　市町村長 殿

6 年 9 月 20 日

所在地　〒160-0022　東京都新宿区〇-〇-〇

名称　**株式会社スピニッシュ**

法人番号（個人番号）　0 0 0 0 0 0 0 0 0 0 0 0 0

あなたの　現住所　〒112-0003　東京都文京区春日〇-〇-〇

氏名　森下 大介

個人番号　

その年1月1日現在の住所　同 上

退職金を支給されるすべての人が記入する

A

このA欄には、全ての人が、記載してください。（あなたが、前に退職手当等の支払を受けたことがない場合には、下のB以下の各欄には記載する必要がありません。）

① 退職手当等の支払を受けることとなった年月日　6 年 9 月 25 日

＜一般・障害の区分＞

② 退職の区分等　一般・障害

＜生活扶助の有無＞　有・無

③ この申告書の提出先から受け退職手当等についての勤続期間

平成7年4月1日 令和6年9月25日 **30**

うち 特定役員等勤続期間　有/無

うち 一般勤続期間との重複勤続期間　有/無

POINT
1年未満の端数は切り上げて勤続期間を記入する

うち 短期勤続期間との重複勤続期間　有/無

うち 短期勤続期間　有/無

「自」に入社日、「至」に退職日を記入する

退職金を支給される年に、ほかの支払い先からも退職金を受け取っている人が記入する

B

あなたが本年中に他にも退職手当等の支払を受けたことがある場合には、このB欄に記載してください。

④ 本年中に支払を受けた他の退職手当等についての勤続期間　自　年　月　日　至　年　月　日

うち 特定役員等勤続期間　有/無　年　月　日

うち 短期勤続期間　有/無

⑤ ③又は④の通算勤続期間　自　年　月　日　至　年　月　日

うち 特定役員等勤続期間との重複勤続期間　有/無

うち 一般勤続期間との重複勤続期間　有/無

うち 全重複勤続期間　有/無

うち 短期勤続期間　有/無

前年以前4年内に退職手当等を受け取っている人が記入する。この欄の勤続年数は切り捨て

C

あなたが前年以前4年内（その年に確定拠出年金法に基づく老齢給付金として支給された一時金の支払を受ける場合には、19年内）に退職手当等の支払を受けたことがある場合には、このC欄に記載してください。

⑥ 前年以前4年内（その年に確定拠出年金法に基づく老齢給付金として支給される一時金の支払を受ける場合には、19年内）の退職手当等についての勤続期間　自　年　月　日　至　年　月　日

⑦ ③又は⑤の勤続期間のうち、⑥の勤続期間と重複している期間　自　年　月　日　至　年　月　日

④ うち 特定役員等勤続期間との重複勤続期間　有/無

⑥ うち 短期勤続期間との重複勤続期間　有/無

上記A欄とB欄の勤続期間のうち、前に受け取った退職手当等と通算しているものがある場合、通算されている期間を記入する。1年未満は切り捨て

D

A又はBの退職手当等についての勤続期間のうちに、前に支払を受けた退職手当等についての勤続期間の全部又は一部が通算されている場合には、その通算された勤続期間について、このD欄に記載してください。

⑧ A の退職手当等についての勤続期間（③）に通算された前の退職手当等についての勤続期間　自　年　月　日　至　年　月　日

うち 特定役員等勤続期間　有/無

うち 短期勤続期間　有/無

③ ③の勤続期間のうち、⑨又は⑩の勤続期間だけからなる部分の期間　自　年　月　日　至　年　月　日

⑥ うち 特定役員等勤続期間　有/無

⑤ うち 短期勤続期間　有/無

⑨ Bの退職手当等についての勤続期間（④）に通算された前の退職手当等についての勤続期間　自　年　月　日　至　年　月　日

⑦ ⑤と④の通算期間　自　年　月　日　至　年　月　日

うち 特定役員等勤続期間　有/無

うち 短期勤続期間　有/無

⑦ ⑤と⑤の通算期間　自　年　月　日　至　年　月　日

⑦ ⑥と⑤の通算期間　自　年　月　日　至　年　月　日

上記B欄とC欄で退職手当等がある場合は記入する

E

B又はCの退職手当等がある場合には、このE欄にも記載してください。

区分		退職手当等の支払を受けることとなった年月日	収入金額（円）	源泉徴収税額（円）	特別徴収税額 市町村民税（円）	特別徴収税額 道府県民税（円）	支払を受けた年月	左の区分	支払者の所在地（住所）・名称（氏名）
B	一般							一般・障害	
	特定役員							一般・障害	
	短期							一般・障害	
C								一般・障害	

1年未満の端数は切り上げて勤続期間を記入する（POINT）

B欄に記入が必要なケース（同じ年に2カ所以上の支払い先から退職金を受け取っている場合）の源泉所得税の計算はやや複雑なので税理士や社会保険労務士に確認しましょう。

06 退職所得控除と所得税の支払い

| 頻度 | 発生の都度 | 対象 | 退職者(退職金を支給) | 時期 | 支払い月の翌月10日まで |

POINT

- 退職金からは社会保険料と雇用保険料は控除しない
- 退職所得控除は勤続年数が長いほど額が大きくなる

勤続年数が長いほど税金は安くなる

前節で説明したとおり、退職金の所得税は、給与や賞与とは異なる方法で計算します。退職金は一時的に高額の支払いとなるため、給与や賞与と同じ計算方法を用いると、所得税率(所得税額)が高くなってしまうからです。

具体的な計算方法は右ページのとおりです。退職所得控除額は勤続年数が長いほど大きくなります。

課税退職所得金額を算出したら、国

税庁が公表している退職所得の源泉徴収税額の速算表(右ページ)を用いて、所得税額を算出します。最後に復興特別所得税を加えた額が、退職金を支払ったときの源泉徴収額となります。退職金を支払った翌月10日までに納付します。

なお、退職金には、社会保険料と雇用保険料は発生しません。控除は不要です。

賞与の住民税は支払い時に徴収する

住民税については、後払い方式の給与とは違って、退職金の場合、支払い時に徴収します。徴収額は「課税退職所得金額×10%(市区町村税6%+都道府県民税4%)」で計算します。納付期限はこちらも退職金を支払った翌月10日までです。

納付先は退職日の属する年の1月1日現在の退職者の住所地の市区町村となるため、給与分の納付先とは異なる場合があるので注意してください。

なお、納付時の書類については、給与の特別徴収で使っている納入書を使います。印字されている納入額を横線で消して(訂正印は不要)、給与分の納入金額、退職所得分の納入金額、合計額などの欄に記入します。なお、退職まで普通徴収にしていた場合は市区町村から納入書を入手します。

もちろん、銀行の納入サービスや、地方税共通納税システム(eLTAX)からの納付も可能です。

経理
人事
総務

📌 退職金にかかる所得税の計算方法

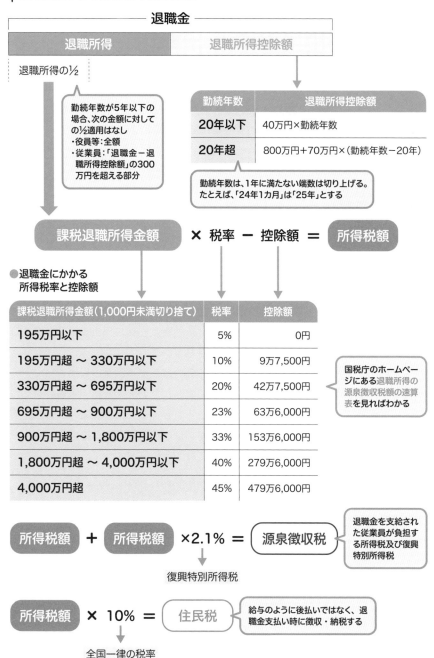

退職金

退職所得	退職所得控除額

退職所得の½

勤続年数が5年以下の場合、次の金額に対しての½適用はなし
・役員等：全額
・従業員：「退職金−退職所得控除額」の300万円を超える部分

勤続年数	退職所得控除額
20年以下	40万円×勤続年数
20年超	800万円＋70万円×（勤続年数−20年）

勤続年数は、1年に満たない端数は切り上げる。たとえば、「24年1カ月」は「25年」とする

課税退職所得金額 × 税率 − 控除額 = 所得税額

● 退職金にかかる所得税率と控除額

課税退職所得金額（1,000円未満切り捨て）	税率	控除額
195万円以下	5%	0円
195万円超 〜 330万円以下	10%	9万7,500円
330万円超 〜 695万円以下	20%	42万7,500円
695万円超 〜 900万円以下	23%	63万6,000円
900万円超 〜 1,800万円以下	33%	153万6,000円
1,800万円超 〜 4,000万円以下	40%	279万6,000円
4,000万円超	45%	479万6,000円

国税庁のホームページにある退職所得の源泉徴収税額の速算表を見ればわかる

所得税額 ＋ 所得税額 ×2.1% = 源泉徴収税

退職金を支給された従業員が負担する所得税及び復興特別所得税

復興特別所得税

所得税額 × 10% = 住民税

給与のように後払いではなく、退職金支払い時に徴収・納税する

全国一律の税率

07 退職金の源泉徴収票を作成する

| 頻度 | 発生の都度 | 対象 | 退職者(退職金を支給) | 時期 | 退職日から1カ月以内 |

POINT

● 役員に対する退職所得の源泉徴収票・特別徴収票は税務署と市区町村にも提出する
● 会社によっては退職金支給明細書を交付する場合もある

退職所得の源泉徴収票・特別徴収票の交付も必須

退職金を支給した場合、会社は退職者に退職所得の源泉徴収票・特別徴収票を退職日から1カ月以内に交付します。同票に記載されるのは退職金の支払い総額や退職所得控除額、源泉徴収税額、住民税の特別徴収税額などです。

退職金より退職所得控除額が多い場合は、源泉徴収税額・住民税ともかかりませんが、税金の有無にかかわらず同票は交付しなければなりません。退職金を年金形式で支払う場合は、退職所得ではなく雑所得に分類されるため、交付は不要です。

また、役員に退職手当等を支給した場合は、同票を本人だけでなく、管轄の税務署と退職者の居住する市区町村にも提出する必要があります。こちらも提出期限は退職日から1カ月以内ですが、翌年1月31日までに、ほかの支払調書と一緒に提出することも許容されています。

このほか、退職金の算出方法などを記載した「退職金支給明細書」を交付する会社もあります。こちらは**法定調書**ではないため、交付の有無は会社のルールによります。

退職所得の源泉徴収票・特別徴収票の使い道

退職所得の源泉徴収票・特別徴収票は通常、退職者が使用するケースはほとんどありません。

退職所得の受給に関する申告書（176ページ）を提出していない退職者が確定申告で税金の還付を受ける場合に必要になります。

また、副業で不動産所得や事業所得の赤字がある場合には、確定申告をすることで、その赤字を退職所得と相殺できることがあります。その際に同票が必要になります。

経理 人事 総務

Keyword **法定調書** 所得税法や相続税法などの規定により、税務署への提出が義務づけられている書類の総称。源泉徴収票や支払調書など60種類ある。

退職所得の源泉徴収票・特別徴収票

1月1日時点での
住所を記入する

退職者本人に渡すものには、
個人番号を記載しない

天引きする住民税を記入。市町
村民税は6%、道府県民税は4%

源泉徴収票作成時の
住所を記入する

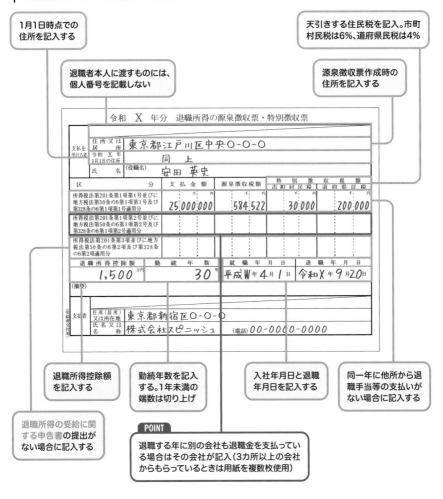

令和 X 年分 退職所得の源泉徴収票・特別徴収票

支払を受ける者	住所又は居所	東京都江戸川区中央０-０-０		
	令和 X 年 1月1日の住所	同 上		
	氏 名 (役職名)	安田 英史		

区 分	支払金額	源泉徴税額	特 別 徴 収 税 額 市町村民税 道府県民税

退職所得控除額を記入する

勤続年数を記入する。1年未満の端数は切り上げ

入社年月日と退職年月日を記入する

同一年に他所から退職手当等の支払いがない場合に記入する

退職所得の受給に関する申告書の提出がない場合に記入する

POINT
退職する年に別の会社も退職金を支払っている場合はその会社が記入(3カ所以上の会社からもらっているときは用紙を複数枚使用)

一般の従業員の場合は退職者本人に渡すだけでOKですが、役員に退職金を支払った場合は、本人に渡すだけでなく、管轄の税務署にも提出する必要があります。

60歳以上の従業員を
再雇用するときの手続き

社会保険の手続き

　高齢者雇用確保措置の一環として、継続雇用制度を導入している会社も多いのではないでしょうか。継続雇用制度には、再雇用と勤務延長の2種類があります。再雇用の場合はいったん退職手続きをとりますが、勤務延長に退職手続きはありません。再雇用する際は退職扱いとなるので、退職金を支払ったあとに（規定がある場合のみ）、改めて雇用契約を結びます。そのため、嘱託や契約社員など雇用形態が変更されたり、勤務日数や賃金などの労働条件が変更されたりするのが一般的です。

　原則として、定年退職後、1日も間をおかずに再雇用した場合、社会保険の資格喪失手続きは必要ありません。しかし、再雇用後は雇用形態や労働条件の変更により、賃金が大幅に減ることも多々あります。社会保険の資格喪失手続きをしないと、それまでの標準報酬月額に基づいて社会保険料が計算されることになり、新たな賃金とのバランスが取れなくなります。

　こうした不公平を避けるために同日得喪といって、資格喪失手続きと資格取得手続きを同時に行うことで、定時決定や随時改定を待たずに、再雇用された月から再雇用後の給与に応じた額に標準報酬月額を変更することができます。管轄の年金事務所に被保険者資格喪失届と被保険者資格取得届を同時に提出すればOKです。健康保険組合の加入者は、健康保険組合にも同様の提出が必要です。また、これらの届出とともに、退職辞令の写しなどの退職したことがわかる書類と、雇用契約書など継続して再雇用されたことがわかる書類、あるいは退職日と再雇用日が明記された事業主の証明書を添付する必要があります。

雇用保険と高年齢雇用継続給付金の手続き

　雇用保険については、雇用保険の加入要件（週の所定労働時間が20時間以上、かつ31日以上雇用される見込みがある）を満たさなくなった場合は、資格喪失の手続きが必要です。

　また、新たな賃金が60歳到達時点の賃金の75％未満となる場合には、雇用保険から高年齢雇用継続給付金の支給を受けることができます。

第 **7** 章

休業者への対応と福利厚生

従業員には、出産する際、育児をする際に休業する権利があります。そして、その際には出産手当金や育児休業給付金などが給付される制度もあります。また、労災でケガや病気になったときも、休業し補償金の給付を受ける制度があります。法律で定められた休業制度について確認するとともに、会社が独自に定める休職についても理解しておきましょう。

01 産前産後休業と育児休業の基礎知識

| 頻度 | ― | 対象 | ― | 時期 | ― |

POINT

● 産後休業は法律上、必ず取得させなければならない
● 育児休業は原則として子どもが1歳になるまで

出産前後の休業は従業員の権利

産前産後休業は、女性従業員が出産の前後に休業を取得できる制度で、一般的に「産休」と呼ばれているものです。正社員だけでなく、契約社員やアルバイト・パート等にも適用されます。ただし、産休中に契約が切れることがわかっている場合は取得できません。

産前休業は、出産予定日の6週間前から取得できます（双子以上の場合は14週間前）。産後休業は、出産日の翌日から8週間は就業できません。ただし、産後6週間後に本人が請求し、医師が認めた場合は例外です。

産後休業は本人の申請がなくても強制的に休業させなければなりません。一方、産前休業は本人の申請が要件になっています。しかし、本人の申請を待つのではなく、会社側が積極的に産前休業の取得を働きかけることが望ましいでしょう。

産休終了後は育児休業を取得できる

出産後は育児休業を取得できます。母親は産休が終了した翌日以降、父親は出産予定日以降、子どもが1歳になるまで休業できます（2回に分けての休業も可能）。保育園に入園できないなど、特別な事情がある場合は、半年ごとに2歳になるまで延長できます。

育児休業中に第2子を出産した場合、時期的に育休と産休が重なりますが、どちらの扱いで休むのかは従業員が決めます。ただし、第2子出産後は産休取得が義務となるので、出産後の8週間は産休扱いとなります。

また、産後休業期間に父親が、育児休業とは別に休業できる「**出生時育児休業（産後パパ育休）制度**」があります。休業の2週間前までに申請することで、子の出生後8週間以内の期間に4週間まで休業できます。こちらも2回に分けて休業することが可能です。

Keyword **出生時育児休業（産後パパ育休）制度** 父親が育児休業とは別に取得できる休業制度。男性の育児休業取得を推進するために2022年10月に創設された。

経理
人事
総務

産前産後休業と育児休業の期間

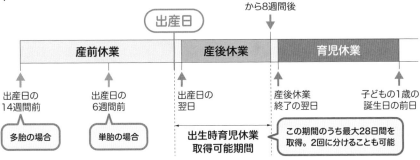

産休から育休終了までの手続き

期間	手続き項目	提出書類・必要な対応	書類の提出先	提出期限
出産前	産休の申し出	会社による ※口頭でも可能	——	出産予定日前6週間より前（多胎妊娠の場合は14週間）
	健康保険・厚生年金保険料の免除	健康保険・厚生年金保険産前産後休業取得者申出書	管轄の年金事務所（日本年金機構）	産前産後休業を取得している間
	住民税の徴収方法の確認	【1月～5月に産休入り】5月に一括徴収 【6月～12月に産休入り】普通徴収に切り替える。あるいは、産休前の最後の給料で翌年5月分までを一括徴収	市区町村	普通徴収に切り替える場合は翌月10日まで
出産後	出産手当金の申請	健康保険出産手当金支給申請書	健康保険組合	産前産後休業開始の翌日から2年以内
	健康保険・厚生年金保険料の免除	健康保険・厚生年金保険産前産後休業取得者変更届	管轄の年金事務所（日本年金機構）	産前産後休業を取得している間
	出産育児一時金の申請	【直接支払制度を利用】 医療機関の窓口で手続き 【それ以外】 健康保険出産育児一時金支給申請書	【直接支払制度】 医療機関 【それ以外】 健康保険組合	出産日の翌日から2年以内
	健康保険への扶養追加	健康保険被扶養者（異動）届	管轄の年金事務所（日本年金機構）	事実発生から5日以内
育休中	健康保険・厚生年金保険料の免除	健康保険・厚生年金保険育児休業等取得申出書	管轄の年金事務所（日本年金機構）	育児休業を取得している間
	育児休業給付金	育児休業給付受給資格確認票・（初回）育児休業給付金支給申請書、休業開始時賃金月額証明書	管轄のハローワーク	育児休業開始日から4カ月を経過する日の属する月末
	育休を延長する場合	育児休業給付受給資格確認票・（初回）育児休業給付金支給申請書、延長が必要な理由を確認できる書類	管轄のハローワーク	子どもの1歳の誕生日の2週間前（2歳になるまでの延長は1歳6カ月になる翌日の2週間前）
	育休を予定より早く終了する場合	育児休業等取得者終了届	管轄の年金事務所（日本年金機構）	育児休業を取得している間
育休後	子どもが3歳になるまでの年金に関する特例措置の申し出	厚生年金保険　養育期間標準報酬月額特例申出書	管轄の年金事務所（日本年金機構）	なし
	標準報酬月額改定の申し出	健康保険・厚生年金保険育児休業等終了時報酬月額変更届	管轄の年金事務所（日本年金機構）	仕事に復帰した月から4カ月

02 産前産後休業中に支給される出産手当金を申請する

| 頻度 | 発生の都度 | 対象 | 出産・育児をする従業員 | 時期 | 産休開始の翌日から2年以内 |

POINT

- 産休中、無給の場合は出産手当金が支給される
- 出産手当金支給の申請には従業員本人が記入する欄もある

出産手当金受給には3つの要件がある

産前産後休業の間は無給のことも多いため、健康保険の制度から出産手当金が支給されることになっています。

とはいえ、すべての産婦に出産手当金が支給されるわけではありません。出産手当金が支給されるためには、以下の要件が必要です。

①勤務先で健康保険に加入している

国民保険には出産手当金の制度はなく、また産婦本人が健康保険の被保険者でなくてはなりません。被保険者である従業員の配偶者は支給対象外です。

②妊娠85日以降の出産である

③出産のための休業をしており給与支給がない

産休中も給料が支払われていて、出産手当金を上回る場合は支給されません。ただし、産休中に支払われる給料が出産手当金を下回る場合は、その差額が支給されます。

出産手当金の支給を申請する

出産手当金の支給は、産休の取得日数を基準に計算されます。通常は産前休業が6週間、産後休業が8週間になります。産休は出産予定日を基準にしていますが、出産予定日と出産日がずれることは多々あります。出産予定日より早く生まれた場合は、出産日以前6週間のうち出勤し、給料が支払われた日数は対象外です。出産予定日より遅く生まれた場合は、6週間に加えて遅れた日数分を加算して数えます。

出産手当金を受給するためには、協会けんぽや健康保険組合に健康保険出産手当金支給申請書を提出します。この申請書には、従業員本人と医師また助産師が記入する欄があるので、従業員が産休に入る前に用紙を渡し、それぞれの記入欄を埋めてもらいます。

Advice 産休中に退職した場合、退職日(健康保険の被保険者の資格喪失日の前日)までに継続して1年以上の被保険者期間があり、資格喪失時に出産手当金を受けているか、または受ける条件を満たしている場合は、出産手当金を受け取ることができる。

経理 / 人事 / 総務

「健康保険出産手当金支給申請書」の記入例

書類内容	出産手当金の支給を申請する書類
届出先	事業所管轄の協会けんぽまたは健康保険組合

●2ページ目

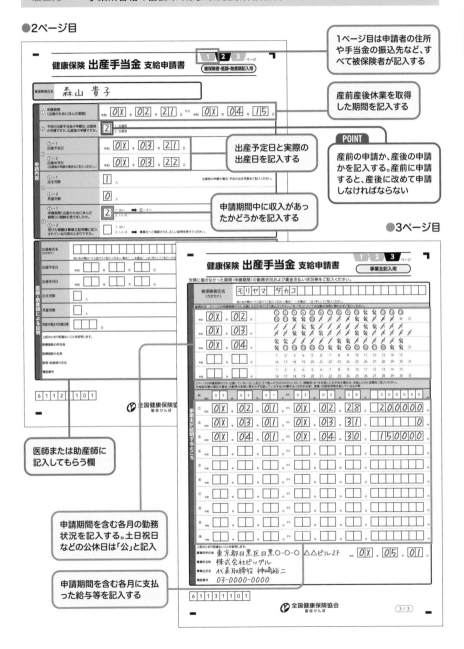

1ページ目は申請者の住所や手当金の振込先など、すべて被保険者が記入する

産前産後休業を取得した期間を記入する

出産予定日と実際の出産日を記入する

POINT

産前の申請か、産後の申請かを記入する。産前に申請すると、産後に改めて申請しなければならない

申請期間中に収入があったかどうかを記入する

●3ページ目

医師または助産師に記入してもらう欄

申請期間を含む各月の勤務状況を記入する。土日祝日などの公休日は「公」と記入

申請期間を含む各月に支払った給与等を記入する

03 産休・育休中の 社会保険料は免除される

| 頻度 | 発生の都度 | 対象 | 出産・育児をする従業員 | 時期 | 産休・育休中 |

POINT

● 従業員の産休・育休中は会社の社会保険料が免除される
● 社会保険料免除の申請は休業期間中ならいつでも行える

社会保険料が免除される期間を確認する

従業員が産前産後休業・育児休業（以下「産休・育休」）を取得すると、その期間は社会保険料（健康保険料・厚生年金保険料）が免除され、従業員と会社の双方が社会保険料を支払わなくてもよくなります。免除期間も納付期間に加算されるので、将来的に年金額が減るという心配もありません。

社会保険料が免除されるのは、産休・育休ともに、休業を開始した月から終了した日の翌日が属する月の前月までとなります。社会保険料は日割り計算ができないので、1カ月単位で免除されます。

たとえば、8月31日から産休に入った場合、8月分の社会保険料から免除が開始され、9月1日からであれば、9月分から免除されます。

また、免除の終了月については、8月30日まで休業したとすると、免除されるのは7月分までで、8月分の保険料は支払わなければなりません。

なお、産休・育休中に有給休暇を使った場合も、社会保険料は免除されます。

社会保険料免除は年金事務所に申請する

従業員が産休・育休に入ったら、会社側は健康保険・厚生年金保険 産前産後休業取得者申出書または健康保険・厚生年金保険 育児休業等取得者申出書を管轄の年金事務所に提出します。

申出書の提出は、休業期間中のいつでも行えます。しかし、産休の場合は出産予定日と実際の出産日がずれると、

産前産後休業取得者変更（終了）届を提出しなければならなくなります。そのため、出産後に申請したほうがいいでしょう。

社会保険料免除の申出書を提出すると、日本年金機構から「確認通知書」が届くので、開始年月日と終了年月日に間違いがないかをチェックします。

「健康保険・厚生年金保険 産前産後休業取得者申出書／変更（終了）届」の記入例

書類内容　産前産後休業を取得し、保険料の免除を申請する書類
届出先　　事業所管轄の年金事務所または健康保険組合

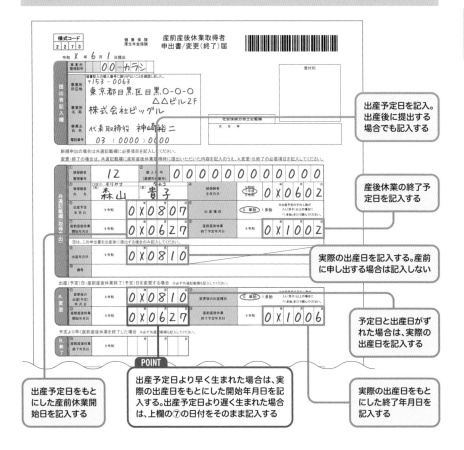

出産予定日を記入。出産後に提出する場合でも記入する

産後休業の終了予定日を記入する

実際の出産日を記入する。産前に申し出する場合は記入しない

予定日と出産日がずれた場合は、実際の出産日を記入する

出産予定日をもとにした産前休業開始日を記入する

POINT
出産予定日より早く生まれた場合は、実際の出産日をもとにした開始年月日を記入する。出産予定日より遅く生まれた場合は、上欄の⑦の日付をそのまま記入する

実際の出産日をもとにした終了年月日を記入する

●産休・育休中の社会保険料免除の期間

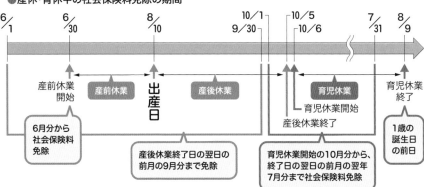

6／1　産前休業開始
6／30　産前休業
8／10　出産日
産後休業
10／1・9／30　産後休業終了
10／5・10／6　育児休業開始
育児休業
7／31
8／9　育児休業終了

6月分から社会保険料免除

産後休業終了日の翌日の前月の9月分まで免除

育児休業開始の10月分から、終了日の翌日の前月の翌年7月分まで社会保険料免除

1歳の誕生日の前日

189

04 育児休業給付金を申請する

| 頻度 | 発生の都度 | 対象 | 出産・育児をする従業員 | 時期 | 育休開始から4カ月後の月末まで |

POINT
- 育児休業給付金は男性にも支給される
- 育児休業給付金は2カ月ごとに申請する

育児休業給付金支給のための要件

育児休業中に給料が80％未満になる場合は、男女を問わず雇用保険から育児休業給付金の支給を受けられます。支給を受けるには、次の要件を満たす必要があります。

①雇用保険の被保険者である

②1歳未満の子どもを養育するために育児休業を取得した

③育児休業を開始する前の2年間で、賃金支払基礎日数11日以上か就業80時間以上の月が12カ月以上ある

④育児休業を開始した日から起算して、1カ月ごとの期間中の就業日数が10日以下か就業80時間以下である

育児休業給付金の支給期限は?

育児休業給付金が支給されるのは、原則として子どもの1歳の誕生日の前々日までです。子どもが1歳になる前に職場復帰した場合は、復帰日の前日までとなります。また、夫婦揃って育児休業を取得した場合、遅れて育児休業に入ったほう（ただし、子どもの1歳の誕生日前までに取得）は**パパ・ママ育休プラス**制度を利用でき、子どもが1歳2カ月になるまで育児休業給付を受けられます。

育児休業給付金を受給するためには、①雇用保険被保険者休業開始時賃金月額証明書と②育児休業給付受給資格確認票・（初回）育児休業給付金支給申請書をハローワークに提出します。添付書類として母子健康手帳や賃金台帳などの写しが必要になります。

支給が認められると、支給決定通知書と、次回の申請に必要な申請書が返送されてきます。育児休業給付金は原則として2カ月ごとに申請しなければならないので、手続きし忘れないように注意しましょう。

経理
人事
総務

Keyword **パパ・ママ育休プラス**　夫婦がともに育休を取得する場合、1年2カ月まで休業期間が延長される制度。

「育児休業給付受給資格確認票・（初回）育児休業給付金支給申請書」の記入例

書類内容	育児休業給付金の支給を申請する書類
届出先	事業所管轄のハローワーク

育児休業の開始日を記入する

元号には、昭和は「3」、平成は「4」、令和は「5」を記入する

■ 第101条の30関係（第1面）

育児休業給付受給資格確認票・（初回）育児休業給付金支給申請書
（必ず第2面の注意書きをよく読んでから記入してください。）

帳票種別 `14405`　1.被保険者番号 `7777-7777777-7`　2.資格取得年月日 `4-0X0401`

3.被保険者氏名 `森山 貴子`　フリガナ（カタカナ）`モリヤマ タカコ`

4.事業所番号 `ZZZZ-ZZZZZZ-Z`　5.育児休業開始年月日 `5-0X0811`　6.出産年月日（3.昭和 4.平成 5.令和）`5-0X0810`

出産年月日を記入する

8.過去に同一の子について（当支時育児休業または育児休業給付取得の有無）□　9.個人番号 `000000000000`　`5-0X0807`（元号 年 月 日）

POINT 出産予定日を記入。出産後に申請する場合でも記入する

10.被保険者の住所（郵便番号）`100-9000`　被保険者の電話番号（項目ごとにそれぞれ左詰めで記入してください）`0800` - `1234` - `56778`

11.被保険者の住所（漢字）※市・区・郡及び町村名 `東京都中野区南北町`

被保険者の住所（漢字）※丁目・番地 `0-0-0`

被保険者の住所（漢字）※アパート、マンション名等 `中野マンション101号`

13.支給単位期間その1（初日）`5-0X1004`-（末日）`1103`　14.就業日数 `10` 15.就業時間　16.支払われた賃金額 `0`

17.支給単位期間その2（初日）`5-0X1104`-（末日）`1203`　18.就業日数 `10` 19.就業時間　20.支払われた賃金額 `0`

21.最終支給単位期間（初日）-（末日）　22.就業日数　23.就業時間　24.支払われた賃金額

支給単位期間をそれぞれ記入する

25.職場復帰年月日　26.支給対象となる期間の延長事由―期間

27.配偶者育休取得 28.配偶者の被保険者番号　29.育児休業取得理由　31.休業開始時賃金月額

32.期間雇用者の継続雇用の見込み　32.延長等 33.産後休業有無　34.賃金月額　35.前回の育児休業終了年月日

36.受給資格確認年月日　37.受給資格否定　38.支給申請 39.次回支給申請年月日

40.支払区分 41.金融機関・店舗コード　口座番号　42.未支給区分

上記被保険者が育児休業等に係り、上記の記載事実に相違ないことを証明します。　事業所名（所在地・電話番号等）株式会社ビッグル 東京都目黒区目黒〇-〇-〇 △△ビル2F 03 0000 0000　令和 X年 9月 1日　事業主 代表取締役 神崎裕二

上記のとおり育児休業給付の受給資格の確認を申請します。雇用保険法施行規則第101条の30の3の規定により、上記のとおり育児休業給付の支給を申請します。　令和 X年 9月 5日　公共職業安定所長 殿　申請者氏名 森山 貴子

育児休業給付金の支給を受ける従業員が署名する欄

払渡希望金融機関指定届	43.払渡希望金融機関	フリガナ ニホンバシギンコウ ナカノ 名称 日本橋銀行 中野	銀行等（ゆうちょ銀行以外）口座番号（普通）`1234567`	金融機関コード `5555` 店舗コード `124`
		ゆうちょ銀行 記号番号（総合）		

給付金の振込先を記入する。従業員本人が記入してもよい

パパ・ママ育休プラス制度を利用する場合に記入する。被保険者の配偶者が対象となる子どもの育児休業を取得していれば、27欄に「1」と記入し、28欄に配偶者の被保険者番号を記入する

05 休職についての基本ルール

| 頻度 | ― | 対象 | ― | 時期 | ― |

POINT
- 休職に関するルールは会社によって異なる
- 休職中でも社会保険料と住民税はかかる

休職についての決まりは就業規則で確認する

休業は、会社都合や出産・育児・介護などを理由とする法律によって定められている休みです。一方、休職は、業務外の不慮の事故によるケガや病気、ボランティアや留学など自己都合を理由とする、会社の就業規則が定める一定期間の休みです。休職期間やその間の給与、休職期間後に復職できない場合の対応などは会社によって異なります。また、正社員にしか休職制度を設けていない会社もあります。

ケガや病気で休職する場合は通常、医師の診断書を提出してもらいます。診断書の提出があったら、速やかに休職してもらうようにしましょう。多忙や引き継ぎなどを理由に休職を引き延ばし、病状が悪化した場合、責任を問われかねません。

休職中は休職者近況報告書などを送ってもらうといった方法で、定期的に従業員と連絡を取り、いつから復職が可能かなどを判断していきます。

休職中の賃金・社会保険料・住民税の扱い

休職中は働いていないので、賃金の支払い義務はありません。就業規則の定めによります。ただし、賃金を支払わなくても社会保険料と住民税は免除されません。賃金が支払われていない場合は給与から天引きすることができないので、徴収方法について従業員と話し合いましょう。

なお、裁判員制度における裁判員に選ばれている従業員が裁判に参加する場合、裁判員休暇を付与することが労働基準法で定められています。有給か無給かについては、各会社の判断に委ねられていますが、法務省からは「有給扱いにしてほしい」という通達が出ています。

Advice 休職中の社会保険料の徴収方法については、「傷病手当金（194ページ）の受給対象者であれば、会社が受け取ってそこから徴収（手続きや本人の同意が必要）」か、「休職している従業員に毎月社会保険料の請求書を発行し、定めた期限内に会社に支払ってもらう」のいずれかが一般的です。

経理

人事

総務

📌 休職に関する手続きの例

手続きの流れ	必要な業務
従業員から休職の申し出を受ける	休職について就業規則の規定を確認する
従業員から書類を受け取る	【提出を受ける書類】 ・医師の診断書（傷病手当金の申請にも必要） ・休職届
休職時の各種処理等を確認する	・社会保険料や住民税の徴収方法の確認 ・傷病手当金などの給付金の申請方法の説明 ・休職中の連絡方法等の確認
休職中も定期的に連絡を取る	電話やメールで近況を確認する、または休職者近況報告書を提出してもらう
復職時期を相談・判断する	復職の意向を確認し、復職時のプランを作成

傷病手当金（次ページ）の申請

●休職者近況報告書の例

令和6年5月1日

休職者近況報告書

株式会社ビッグル 人事部長殿

　私は休職療養中でありますが、その経過状況について診断書を添えて、下記のとおり報告します。

氏名　大場　徹
住所　東京都練馬区平和台○-○-○

報告回数		2回目
傷病名		うつ病
休職開始日		令和 6 年 4 月 1 日
療養経過期間		2 月間
今後の所要療養見込期間		3 月間
療養の場所		自宅
療養の状況	□通院　通院頻度　月に1回	
	□入退院　入院年月日 令和　年　　月　　日 退院年月日 令和　年　　月　　日	
主治医の意見	・本人の状況 不眠に悩まされることは少なくなってきているが、意欲の低下はまだ改善されていない。 ・復職に向けての見通し 見通しのつく段階ではないが、不眠は改善傾向にあるので、徐々に復職のことも考えられるようになると思われる。まだしばらくは療養が必要。	

宛て先は求職者に記入させるのではなく、あらかじめ記載しておく

復職時期を判断するため、主治医に現況や見通しを記入してもらう

休職者の負担にならないように記入事項は必要最低限のものにとどめましょう。

06 傷病手当金を申請する

頻度	発生の都度	対象	休業者(ケガ・病気)	時期	休業した日の翌日から2年以内

POINT
- 休職中に給与が支払われていたら傷病手当金は支給されない
- 傷病手当金は通算で1年6カ月間受給できる

傷病手当金支給のための要件

ケガや病気を理由に休職した場合、次の3つの要件を満たしていると、健康保険組合などから傷病手当金の支給を受けることができます。

①健康保険の被保険者である

②業務外のケガや病気で就業できず、3日間連続して休み、4日目以降にも休んだ日がある

③休職期間中に給与が支払われていない。または支払われていても、傷病手当金の額より少ない

②のとおり、3日間が待機期間となり、4日目以降が支給対象となります。3日間には、土日祝などの公休日(所定休日)も含まれます。③については、給与が傷病手当金より少なければ、その差額が支払われます。傷病手当金の申請期限は、就業できなくなった日の翌日から数えて2年以内です。

なお、業務内でのケガや病気の場合は労災保険の対象となり、傷病手当金との重複申請はできません。

傷病手当金は通算で1年6カ月間支給される

傷病手当金は、支給開始日から通算1年6カ月間支給されます。途中で仕事に復帰し、その後に同じケガや病気が原因で休職した場合でも、通算して1年6カ月までは支給されます。

傷病手当金を受給するには、健康保険傷病手当金支給申請書を加入している健康保険組合に提出します。医師が意見を記入する欄がありますが、診断書を代わりとすることはできません。

ケガや病気のため、退職を余儀なくされることもあります。そうした場合、退職前に傷病手当金を受給していて、退職日に労務不能であれば、退職後も引き続き1年6カ月まで傷病手当金を受給できます。退職後は会社が申請することはできないので、従業員に申請方法を伝えましょう。

Advice 退職日に労務不能と判定されるには、退職日に欠勤していなければなりません(有給休暇もOKです)。退職日に出勤すると、その時点で傷病手当金の受給が中断してしまい、継続受給できません。

経理

人事

総務

「健康保険 傷病手当金支給申請書」の記入例

書類内容	傷病手当金の給付を受けるときに使用する申請書
届出先	事業所管轄の協会けんぽまたは健康保険組合

●2ページ目

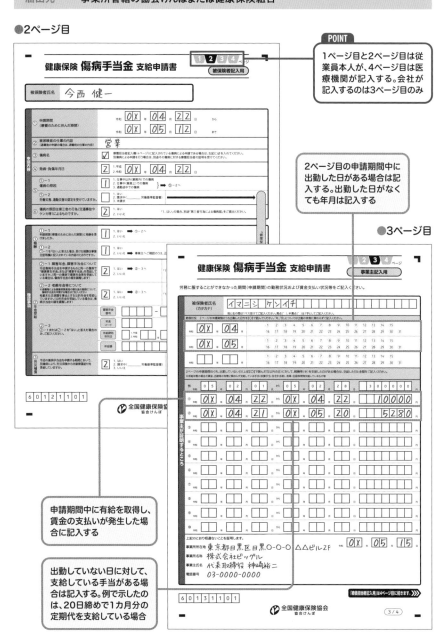

POINT

1ページ目と2ページ目は従業員本人が、4ページ目は医療機関が記入する。会社が記入するのは3ページ目のみ

2ページ目の申請期間中に出勤した日がある場合は記入する。出勤した日がなくても年月は記入する

●3ページ目

申請期間中に有給を取得し、賃金の支払いが発生した場合に記入する

出勤していない日に対して、支給している手当がある場合は記入する。例で示したのは、20日締めで1カ月分の定期代を支給している場合

07 労災で休業したときの手続き

| 頻度 | 発生の都度 | | 対象 | 休業者（労災） | | 時期 | 内容によって異なる |

POINT
- 労災補償と傷病手当金は併用できない
- 労災給付までの3日間は会社が補償する

労災保険からの給付金の額

　労働災害（労災）で会社を休まなければならなくなった従業員に対しては、健康保険組合からの傷病手当金ではなく、労災保険からの補償を受けることになります。傷病手当金と労災補償を同時に受けることはできません。

　労災によって休業した従業員は、休業4日目から労災保険の「休業補償給付」を受けられます（通勤災害の場合は「休業給付」）。原則として、労災認定されたケガや病気が治癒して、職場に復帰できるまで支給されます。

　給付金は、休業1日につき、給付基礎日額の80％相当額となります。給付基礎日額は、労災が発生した日の直前3カ月間に支払われた賃金（臨時に支払われた賃金や賞与は除く）の総額を暦日数で割って算出します。

　休業補償給付は休業初日から3日目までは支給されません。その間は、会社が1日につき平均賃金の60％を休業補償として支払わなければなりません。平均賃金は給付基礎日額と同じ計算方法で算出します。

労災申請は会社が代行することが多い

　労災保険からの休業補償を受ける際は、管轄の労働基準監督署に労働者災害補償保険 休業補償給付請求書（通勤災害であれば休業給付支給請求書）を提出します。従業員本人が提出するのが原則ですが、会社が申請を代行することもできます。実務的には、会社が代行することが多いようです。

　労働基準監督署に請求書を提出すると、労働基準監督署による調査を経て、労災保険の支給・不支給の決定がくだり、支給に決定すると、「支給決定通知」と「支払振込通知」が送られてきます。給付金は従業員の口座に直接振り込まれるので、会社が振込手続きをすることはありません。

Keyword **暦日数**　読み方は「れきじつすう」。たんに「暦日」ともいう。土、日、祭日を含めたカレンダー上の日数のこと。

「労働者災害補償保険 休業補償給付支給請求書」の記入例

書類内容	労災保険給付(休業補償給付)を受けるときに作成する書類
届出先	事業所管轄の労働基準監督署

●表面

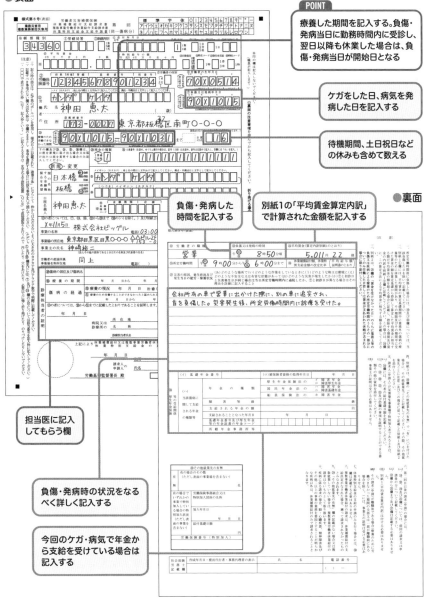

POINT 療養した期間を記入する。負傷・発病当日に勤務時間内に受診し、翌日以降も休業した場合は、負傷・発病当日が開始日となる

ケガをした日、病気を発病した日を記入する

待機期間、土日祝日などの休みも含めて数える

負傷・発病した時間を記入する

別紙1の「平均賃金算定内訳」で計算された金額を記入する

●裏面

担当医に記入してもらう欄

負傷・発病時の状況をなるべく詳しく記入する

今回のケガ・病気で年金から支給を受けている場合は記入する

08 介護休業・介護休業給付金の手続き

| 頻度 | 発生の都度 | 対象 | 休業者(介護) | 時期 | 介護休業終了日の翌日から2カ月後の月末まで |

POINT

- 介護休業は最大93日まで、3回まで分割取得が可能
- 介護休業給付金は雇用保険から支給される

介護休業の取得要件を確認する

従業員は、要介護状態の家族の介護を目的に、介護休業を取ることが認められています。介護休業を取得できるのは、勤続1年以上で、介護休業終了後6カ月以降も雇用を継続予定の従業員です。介護休業は要介護者1人につき、年間通算93日まで、最大3回に分けて取得できます。

介護休業を取得するには、休業開始予定日の原則2週間前までに、休業開始日・終了日等を書面（介護休業申出書）等で提出してもらいます。提出があったら、会社は速やかに休業開始予定日と終了予定日を書面で通知します。

なお、終了日については、1回に限り、従業員の都合で繰り下げられます。

介護休業給付金は休業終了後に申請する

介護休業期間中の従業員に対する賃金の支払い義務はありません。雇用保険から介護休業給付金として、「休業開始時賃金日額×支給日数×67％」の額が後払いで支給されます。

支給要件は原則として、休業開始日より前2年間に、雇用保険の加入期間が12カ月以上ある（11日以上就業した月を1カ月として計算）こと。要介護者の状態の目安として、2週間以上にわたり常時介護を必要とするとされています。介護休業期間中に就労した

場合は、1支給単位期間において就労日数が10日以下で、「休業開始時賃金日額×支給日数×80％以上の賃金が支払われていない」ことも要件です。

給付を受けるには、各介護休業終了日の翌日から2カ月を経過する日の属する月の末日までに、介護休業給付金支給申請書、介護休業申出書のコピー、介護休業期間中の出勤簿・賃金台帳等をハローワークに提出します。なお、介護休業中は社会保険料の免除がありません。

Advice 介護休業と間違いやすいものに、「介護休暇」があります。介護休暇は勤続6カ月以上の人が、要介護者1人につき年間5日まで取得できます。当日の申請が可能です。なお、賃金は原則無給です。

「介護休業給付金支給申請書」の記入例

書類内容　介護休業給付金の支給を申請する書類
届出先　　事業所管轄のハローワーク

雇用保険の被保険者番号を記入する

介護をする家族のマイナンバーを記入する

介護休業を開始した年月日を記入する

月ごとの介護休業取得日数を記入する。土日祝日などの休みも含めて数える

POINT

介護休業を取得した期間を月ごとに記入する

介護休業期間中に支払われた賃金額を記入する

介護休業を途中でやめた場合、その日を記入する

原則として、休業を取得する従業員に記入してもらう。ただし記載内容に関する確認書・申請等に関する合意書があれば、この欄の記入は省略できる

給与の締め日と支払い日、通勤手当の有無を記入する

この欄には記入しない

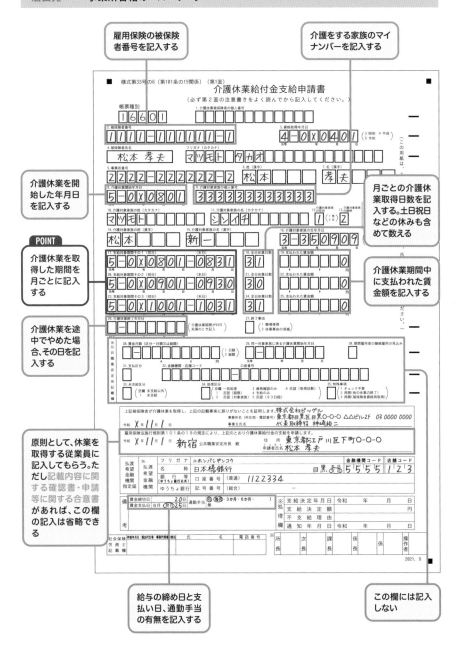

2021. 9

199

09 従業員の健康診断を準備する

| 頻度 | 発生の都度 | 対象 | 従業員 | 時期 | 種類による |

POINT
- 規模に関わらず、会社は従業員に健康診断を受けさせなければならない
- 健康診断の記録は5年間保管しなければならない

健康診断にはいくつか種類がある

会社は、従業員の健康を管理しなければならず、従業員に対する健康診断の実施が義務づけられています。健康診断には「一般健康診断」と「特殊健康診断」があり、一般健康診断には、①雇い入れ時の健康診断、②定期健康診断、③特定業務従事者の健康診断、④海外派遣労働者の健康診断、⑤給食従業員の検便」があります。

①は職種に関係なく常時使用する従業員を雇い入れる際に行い、②はその後1年以内ごとに1回、定期的に行う健康診断です。③は深夜業務や坑内に

おける業務など、法律で定められた14の業務に携わる従業員に対するもので、当該業務に配置換えがあった際と、その後6カ月以内ごとに1回実施します。④は6カ月以上海外に赴任する従業員に対し、赴任する際と帰国後に実施します。⑤は雇い入れの際と配置換えの際に行います。

特殊健康診断は、法律で定められた有害業務に常時従事する従業員が受ける健康診断で、雇い入れの際と配置換えの際、その後6カ月以内ごとに1回の実施が決められています。

健康診断の費用とその間の賃金について

健康診断の費用は会社負担です。一般健康診断を就業時間内に受ける場合の賃金については法律上の支払い義務はありませんが、健康診断の実施は法律上の義務であり、賃金を支払うことが望ましいと通達されています。特殊健康診断については、受診している時間も業務時間と認められ、賃金の支払

いが義務づけられています。

なお、会社は診断結果について、一般健康診断は5年、特殊健康診断は5〜40年（診断の種類による）の保存義務があります。また、常時50人以上を雇っている会社は、健康診断の結果を労働基準監督署に提出しなければなりません。

経理

人事

総務

健康診断の種類

健康診断の種類		対象となる従業員	実施時期	結果の保存期間
一般健康診断	雇い入れ時の健康診断	常時使用する労働者	雇い入れ時	5年
	定期健康診断	常時使用する労働者 （次項の特定業務従事者を除く）	毎年1回	5年
	特定業務従事者の健康診断	労働安全衛生法で指定されている業務に常時従事する労働者	配置換え時／ 6カ月以内ごと	5年
	海外派遣労働者の健康診断	海外に6カ月以上赴任する労働者	海外派遣時／帰国後、 国内業務への就業時	5年
	給食従業員の検便	事業に付属する食堂、または炊事場における給食の業務に従事する労働者	雇い入れ時／ 配置換え時	5年
特殊健康診断	有機溶剤健康診断／鉛健康診断／四アルキル鉛健康診断／特定化学物質健康診断	各物質等の取り扱い業務に常時従事する労働者	雇い入れ時／配置換え時／6カ月以内ごと	5年※
	高気圧業務健康診断	高圧室内業務または潜水業務に常時従事する労働者	雇い入れ時／配置換え時／6カ月以内ごと	5年
	電離放射線健康診断／除染等電離放射線健康診断	放射線業務に常時従事し、管理区域に立ち入る労働者／除染等業務に常時従事する労働者	雇い入れ時／配置換え時／6カ月以内ごと	30年
	石綿健康診断	石綿の粉じんを発散する場所に常時従事する労働者および過去に従事した労働者	雇い入れ時／配置換え時／6カ月以内ごと	40年
	じん肺健診	常時粉じん作業に従事する労働者および過去に従事した労働者	雇い入れ時／配置換え時／管理区分に応じて1～3年以内ごと	7年
	歯科医師による健診	塩酸、硝酸、硫酸、亜硫酸、フッ化水素等を発散する場所に常時従事する労働者	雇い入れ時／配置換え時／6カ月以内ごと	5年

※特定化学物質のうち特別管理物質の取り扱い労働者については30年

アルバイト・パートの健康診断

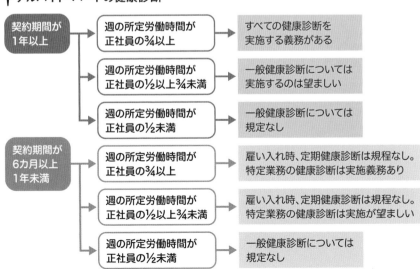

法定福利厚生と法定外福利厚生の違い

法定外福利厚生には何があるか

　会社が従業員に対し、給与や賞与以外に用意したサービスや制度のことを福利厚生といいます。従業員の生産性やパフォーマンスを向上させるためにも、従業員の満足度を高めることは会社にとって大切な使命です。その一環としてさまざまな福利厚生を導入する会社が増えています。

　福利厚生には、法律で定められた法定福利厚生と、会社が独自に用意した法定外福利厚生の2種類があります。法定福利厚生とは、社会保険（厚生年金保険・健康保険・介護保険）と労働保険（雇用保険・労災保険）、子ども・子育て拠出金です。子ども・子育て拠出金とは、子育て支援を名目に控除される税金のことで、会社が全額を負担します。

　法定福利厚生は法律上の義務なので、会社は必ず導入しなければなりませんし、従業員も保険料を支払いたくないからといって拒否はできません。

法定外福利厚生にはさまざまな種類がある

　法定外福利厚生には、通勤手当や住宅手当、家族手当など、賃金に上乗せされる各種手当や休暇制度などがあります。財形貯蓄制度も、法定外福利厚生の一種になります。

　「企業における福利厚生施策の実態に関する調査」（2020年度、労働政策研究・研修機構）によると、慶弔休暇制度、慶弔見舞金制度、病気休職制度は多くの会社が導入しています。そのほか、永年勤続表彰、人間ドック受診の補助、家賃補助や住宅手当などの各種手当などがあります。短時間勤務やフレックスタイム、テレワーク、時差出勤の導入なども法定外福利厚生のひとつに数えられます。

　福利厚生の充実は従業員のためだけではなく、会社のイメージアップにもつながります。売り手市場が続く採用情勢のなか、優秀な人材を確保し、会社の成長につなげるためにも、福利厚生の充実は必要な対策となっています。

第 8 章

年末調整など
年末年始の業務

会社は従業員の給与から毎月、源泉所得税を天引きしています。しかし、天引きしているのは概算額で、正しい所得税の額は年末にならないとわかりません。そこで、本来の額と天引きした合計額を比べて、過不足額を精算する作業が必要となります。これを「年末調整」といい、毎年12月に行います。税金に関わることなので、ミスのないようにするためにも、内容を確認しましょう。

01 年末調整のしくみと流れを確認する

| 頻度 | ― | 対象 | ― | 時期 | ― |

POINT

● 年末調整は決算時期とは関係なく、1月1日〜12月31日が対象
● 年末調整の対象となる賃金は支払い日をベースに考える

従業員の本来の所得税を確定させる作業

会社は毎月、従業員の給与から所得税及び復興特別所得税を徴収し、納付しています。しかし、この源泉徴収税額は概算の税率による計算のため、各種控除などを反映した実際の税額と差が生まれます。

そのため、年に一度、実際の所得税額を計算し、徴収した額のほうが多ければ従業員に還付し、少なければ追加で徴収・納付しなければなりません。この作業を年末調整といいます。

年末調整は会社の事業年度（決算月）とは関係なく、1月1日から12月31日までに支払った給与や賞与が対象となります。そのため、通常は12月に行います。

なお、対象となる賃金は支払い日をベースとします。たとえば、その年の12月に11月分の給与を支払い、12月分の給与を1月に支払う場合、前年の12月分から当年の11月分までの給与が、年末調整の対象となります。

年末調整の流れを確認する

年末調整の流れは次のとおりです。

11月になると、税務署から扶養控除等申告書など、年末調整に必要な書類が送られてきます。ただし、従業員の人数分が送られてくるわけではないので、国税庁のホームページからダウンロードするなどして従業員に渡し、提出してもらいます。

仕事が忙しいと後回しにされがちで

すが、提出期限を決めて、確実に提出してもらうことが大切です。また、記入ミスや記入漏れ、添付書類に不足がないか注意しましょう。

これらの書類の情報を基に年税額を計算し、過不足額を求めます。併せて源泉徴収票を作成し、従業員に交付。そのほか、**法定調書合計表**や給与支払報告書などを関係各所に提出します。

経理
人事
総務

Keyword **法定調書合計表**　その年に会社が給与などで支払った総額や税額などを記入した書類。

📌 年末調整の流れ

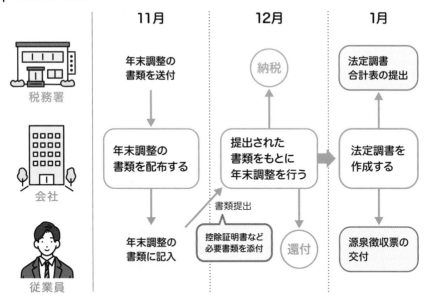

📌 年末調整の対象となる期間

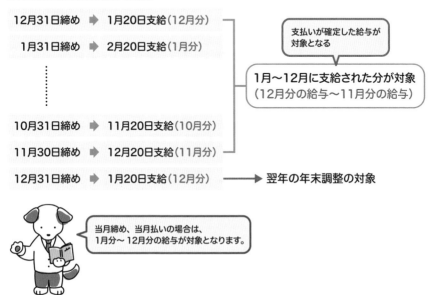

02 年末調整の対象となる従業員とならない従業員

| 頻度 | — | 対象 | — | 時期 | — |

POINT
- 給与所得者の扶養控除等（異動）申告書を提出している従業員が対象となる
- 年末調整の対象とならない従業員を確認する

年末調整の対象となる従業員

従業員の年末調整は会社の義務です。ほとんどの従業員がその対象となりますが、全員が対象になるわけではありません。

源泉徴収税額表には、甲欄・乙欄・丙欄の3つの税区分がありますが、年末調整の対象となるのは、甲欄で給与計算を行っている従業員です。甲欄は給与所得者の扶養控除等（異動）申告書を提出している従業員に適用します。

給与の支給を受ける人は原則として、扶養親族の有無や、正社員・パートタイマー・アルバイトを問わず、同申告書を提出することになっています。そのため、従業員のほとんどが年末調整の対象になります。ただし、同申告書を提出していても、給与の収入金額が2,000万円超の人と、災害減免法によって所得税の徴収猶予や還付を受けている人は対象外となります。

年末調整の対象にならない従業員

本来は甲欄を適用すべき従業員でも、給与所得者の扶養控除等（異動）申告書の提出を忘れている場合は年末調整を行いません。また、給与を2カ所以上から受け取っている従業員は、どちらか1社にしか同申告書を提出できないため、提出を受けていない会社では、同様に年末調整を行いません。

退職した従業員についても、原則として年末調整はしません。ただし、12月の給与を受け取ったあとに同月内に退職した人、死亡によって退職した人については年末調整を行う必要があります。

そのほか、乙欄または丙欄で給与計算を行っている従業員も対象外となります。乙欄は給与所得者の扶養控除等（異動）申告書を会社に提出していない従業員について、丙欄は日雇い労働者について適用する欄です。

Keyword **災害減免法** 災害によって住宅や家財が損害を受けたときに、一定の条件のもと、その年の所得税の徴収猶予や、所得税額の軽減または免除が受けられる制度。

経理

人事

総務

📌 年末調整の対象となる人・ならない人

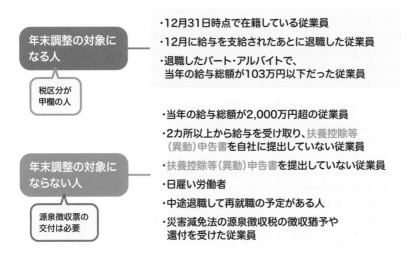

年末調整の対象に
なる人

税区分が
甲欄の人

・12月31日時点で在籍している従業員

・12月に給与を支給されたあとに退職した従業員

・退職したパート・アルバイトで、
　当年の給与総額が103万円以下だった従業員

年末調整の対象に
ならない人

源泉徴収票の
交付は必要

・当年の給与総額が2,000万円超の従業員

・2カ所以上から給与を受け取り、扶養控除等
　（異動）申告書を自社に提出していない従業員

・扶養控除等（異動）申告書を提出していない従業員

・日雇い労働者

・中途退職して再就職の予定がある人

・災害減免法の源泉徴収税の徴収猶予や
　還付を受けた従業員

📌 退職者の年末調整はどうするか？

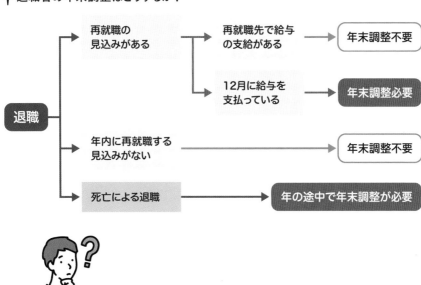

退職

再就職の
見込みがある

再就職先で給与
の支給がある → 年末調整不要

12月に給与を
支払っている → 年末調整必要

年内に再就職する
見込みがない → 年末調整不要

死亡による退職 → 年の途中で年末調整が必要

03 各種書類を配布・回収する

| 頻度 | 年1回 | 対象 | 12月まで勤務の役員・従業員 | 時期 | 11、12月 |

POINT

● 従業員に配布する書類は全部で3〜4種類
● 従業員の事情によって回収する書類は異なる

必要書類を11月中に配布・回収を完了させる

　年末調整の前に、会社から従業員に配布・回収が必要な書類があります。①給与所得者の扶養控除等（異動）申告書、②給与所得者の基礎控除申告書 兼 給与所得者の配偶者控除等申告書 兼 所得金額調整控除申告書、③給与所得者の保険料控除申告書、④給与所得者の（特定増改築等）住宅借入金等特別控除申告書 兼（特定増改築等）住宅借入金等特別控除計算明細書（以下「給与所得者の（特定増改築等）住宅借入金等特別控除申告書」）の4種類です。できるだけ、11月中に配布・回収とも済ませるようにしましょう。

従業員によって提出する書類は異なる

　①の給与所得者の扶養控除等（異動）申告書は、全従業員に提出してもらう書類で、当年分と翌年分の2部を配布・回収します。

　②の給与所得者の基礎控除申告書 兼 配偶者等申告書 兼 所得金額調整控除申告書は、基礎控除、配偶者（特別）控除、所得金額調整控除に必要な書類です。基礎控除は給与所得額が2,500万円以下の従業員に適用されるので、ほぼ全従業員に提出してもらいます。

　③の給与所得者の保険料控除申告書は、生命保険や地震保険、個人型確定拠出年金（iDeCo）の加入者、また生計を同一にする配偶者や親、子の代わりに国民年金や国民年金基金、国民健康保険の保険料を支払っている人が各控除を受けるために必要な書類です。

　住宅ローンの利用者（2年目以降）は、税務署から本人に送られた④の給与所得者の（特定増改築等）住宅借入金等特別控除申告書の当年分に必要事項を記入のうえ提出してもらいます。

　ほかに、当年に中途入社した従業員からは、前職の源泉徴収票を回収します。新卒社員についても、その年の入社前にアルバイト等の収入があれば、源泉徴収票を提出してもらいます。

経理

人事

総務

📌 年末調整で従業員に配布・回収する書類

書類の種類	書類の目的等	記入・回収のポイント
給与所得者の扶養控除等（異動）申告書 ※当年分と翌年分	当年分の申告書は扶養控除、住民税の計算に使用。翌年分の申告書は翌年1月からの給与計算に使用する	扶養控除を受けない従業員も含め、年末調整の対象となる全従業員に提出してもらう。昨年に提出してもらった申告書のコピーを渡し、訂正してもらう方法もある。なお、扶養親族がいる場合は、その人のマイナンバーも必要
給与所得者の基礎控除申告書 兼 配偶者控除等申告書 兼 所得金額調整控除申告書	基礎控除、配偶者控除、配偶者特別控除、所得金額調整控除の適用を受ける場合に必要。基礎控除は年間の合計所得金額が2,500万円以下なら誰でも受けられる	全従業員に提出してもらう。配偶者控除、配偶者特別控除を受ける場合は、配偶者のマイナンバーも必要
給与所得者の保険料控除申告書	生命保険、個人年金保険、介護医療保険、地震保険の保険料控除の適用を受ける場合に必要。扶養親族等の社会保険料を負担している人や、個人型確定拠出年金（iDeCo）の掛金を支払っている人も控除対象となる	控除を受ける従業員のみ提出してもらう。受ける控除に応じて、保険料控除証明書や小規模企業共済等掛金払込証明書の添付が必要
給与所得者の（特定増改築等）住宅借入金等特別控除申告書	住宅ローン控除の手続きは、初年度については本人の確定申告が必要だが、2年目以降は年末調整で行う。税務署から本人に届いた申告書の当年分を提出	控除を受ける従業員のみ提出してもらう。借入金の年末残高等の情報または住宅取得資金に係る借入金の年末残高等証明書の添付が必要
前職の源泉徴収票 ※会社から従業員への配布はなし	中途入社の従業員については、前職の収入を知るために、前職の源泉徴収票を提出してもらう。また、新卒社員もその年の入社前にアルバイト等をしていた場合は源泉徴収票を提出してもらう	前職の源泉徴収票が発行されていない、あるいは紛失してしまっている場合には、本人から前の職場に再発行の依頼をしてもらう。再発行されない場合は年末調整が行えないため、本人に確定申告をしてもらう

> 従業員に配布する際は、各書類の記入例や提出期限、添付が必要な書類の一覧表なども渡すと、記載ミスの防止につながり、年末調整がスムーズに進みます。

04 扶養控除等（異動）申告書の チェックポイント

| 頻度 | 年1回 | 対象 | 12月まで勤務の役員・従業員 | 時期 | 11、12月 |

POINT
- 同居していなくて扶養親族になる場合はある
- 扶養控除を受けられるのは16歳以上の扶養親族

扶養控除を受けるための書類

扶養控除を受けるために必要な給与所得者の扶養控除等（異動）申告書は年末時点の従業員の扶養親族に関する情報を記入する書類です。

扶養親族とは、配偶者以外の納税者（申告する従業員）に扶養されている6親等内の血族もしくは3親等内の姻族で、納税者と生計を同一とする人です。同居していなくても、生活費の仕送りや入院中の療養費を負担している場合は、生計が同一とされます。同居していない場合は、親族関係のわかる書類と、扶養親族への送金がわかる書類を添付してもらいます。

なお、扶養親族は所得税法上の定義です。一般にいわれる「扶養家族」や社会保険上の「被扶養者」とは対象範囲が異なります。

扶養親族の要件を満たしているか確認する

扶養親族が控除対象とされるには、いくつかの要件があるので、回収した申告書で確認していきます。

まず年齢が、12月31日時点で16歳以上であること。扶養控除は年齢によって控除額が異なるので、記入にミスがないかを確認しましょう。なお、16歳未満の親族は扶養控除の対象外ですが、住民税に影響することがあるので同申告書への記入は必要です。

扶養親族の年間合計所得金額については、48万円以下が要件です。給与収入のみの場合は、年収では103万円以下となります。

障害者控除を受ける場合も、同申告書に記入します。対象となるのは、申告者本人と生計を同一にする配偶者、扶養親族のいずれかで、身体障害者手帳や精神障害者保健福祉手帳の交付を受けている人です。このとき、扶養親族については、年齢が16歳未満でも対象になります。障害者控除は自己申告が原則で、障害者手帳などの書類の添付は必要ありません。

経理

人事

総務

「給与所得者の扶養控除等（異動）申告書」の記入例

書類内容	年末調整の対象となるすべての従業員に記入・提出してもらう書類
届出先	従業員から事業所へ（事業所で7年間保管）

扶養控除を受けられる16歳以上の要件を満たしているかを確認する

その年の12月31日時点で19歳以上23歳未満、または70歳以上などの場合、チェックの入れ忘れがないかを確認する

配偶者控除や配偶者特別控除に該当するか、配偶者の所得を確認する

別居している扶養親族の場合は、別居先の住所を記入する

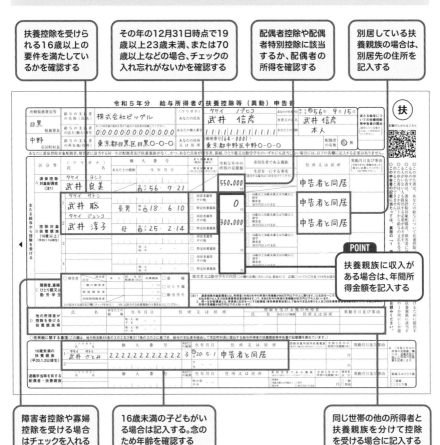

POINT
扶養親族に収入がある場合は、年間所得金額を記入する

障害者控除や寡婦控除を受ける場合はチェックを入れる

16歳未満の子どもがいる場合は記入する。念のため年齢を確認する

同じ世帯の他の所得者と扶養親族を分けて控除を受ける場合に記入する

●扶養控除額の一覧　※年齢はその年の12月31日現在の年齢

年齢	対象区分	扶養控除額
16〜18歳	一般扶養親族	38万円
19〜22歳	特定扶養親族	63万円
23〜69歳	一般扶養親族	38万円
70歳以上	同居老親等の老人扶養親族	58万円
	上記以外の老人扶養親族	48万円

Keyword 同居老親　老人扶養親族のうち、本人または配偶者の直系尊属（父母や祖父母など）で常に同居している人のこと。

05 基礎控除、配偶者控除等の申告書のチェックポイント

| 頻度 | 年1回 | 対象 | 12月まで勤務の役員・従業員 | 時期 | 12月 |

POINT
● 配偶者の所得額をチェックして配偶者（特別）控除の対象かを確認する
● 基礎控除は年間の合計所得金額が2,500万円以下なら誰でも受けられる

基礎控除は一定の所得以下の従業員が対象

基礎控除、配偶者控除、所得金額調整控除を受けるのに必要なのが、給与所得者の基礎控除申告書 兼 給与所得者の配偶者控除等申告書 兼 所得金額調整控除申告書です。

基礎控除は、年間の合計所得金額が2,500万円以下であれば適用されるため、多くの従業員が対象となります。

合計所得金額が、2,400万円以下は48万円、2,400万円超2,450万円以下は32万円、2,450万円超〜2,500万円以下は16万円の控除を受けられます。

所得金額調整控除は、給与収入が850万円超で、自身が特別障害者、あるいは子または特別障害者等を扶養している従業員に適用される控除です。

配偶者（特別）控除の対象かどうかを確認する

配偶者がいる従業員は、一定の要件を満たしていると、配偶者控除または配偶者特別控除を受けられます。いずれも、民法の規定による配偶者であり（内縁関係、事実婚は対象外）、申告者と生計が同一でなければなりません。

そのうえで、配偶者控除については、申告者本人の年間合計所得金額が1,000万円（給与年収1,195万円）以下で、配偶者の合計所得金額が48万円（給与年収103万円）以下であるこ

とが要件です。

一方、配偶者特別控除は申告者本人の合計所得金額は同じく1,000万円（給与年収1,195万円）以下で、配偶者の合計所得金額が48万円（給与年収103万円）超から合計所得金額133万円（給与年収201万円）以下の場合に適用されます。

それぞれ、右ページの表のとおり、申告者の所得額と配偶者の所得額によって控除額が変わります。

経理
人事
総務

Keyword **所得金額調整控除** 2020年から導入された制度で、給与収入が850万円超で、「本人が特別障害者に該当する」「23歳未満の扶養親族がいる」「特別障害者である同一生計配偶者または扶養親族がいる」のいずれかに該当する場合に、最大15万円の所得控除を受けられる。

「給与所得者の基礎控除申告書 兼 給与所得者の配偶者控除等申告書 兼 所得金額調整控除申告書」の記入例

書類内容	年末調整の対象となるすべての従業員に記入・提出してもらう書類
届出先	従業員から事業所へ（事業所で7年間保管）

申告する従業員の収入金額と所得金額を記入する。所得金額に間違いがないか検算する

配偶者の収入金額を記入する

配偶者の所得金額を記入する。48万円以下なら配偶者控除、48万超133万円以下なら配偶者特別控除が適用される

該当する欄にチェックを入れる

令和5年分　給与所得者の基礎控除申告書 兼 給与所得者の配偶者控除等申告書 兼 所得金額調整控除申告書

株式会社ビッグル
武井 信彦
東京都目黒区目黒〇-〇-〇

タケイ　ノブヒコ
東京都中野区中野〇-〇-〇

基・配・所

給与所得者の基礎控除申告書

給与所得　7,000,000　5,200,000

あなたの本年中の合計所得金額の見積額　5,200,000

基礎控除の額　48万円

配偶者控除等申告書

タケイ　ヨシミ
武井 良美
56　7　21

給与所得　1,200,000　650,000

配偶者の本年中の合計所得金額の見積額　650,000

配偶者控除の額　38万

所得金額調整控除申告書

控除額を記入する。左側の「控除額の計算」表の「区分I」と「区分II」が交差するところが控除額となる

●配偶者控除と配偶者特別控除の控除額

控除の種類		給与所得者の合計所得金額（給与所得だけの場合の所得者の給与等の収入金額）		
		900万円以下（1,095万円以下）	900万円超950万円以下（1,095万円超1,145万円以下）	950万円超1,000万円以下（1,145万円超1,195万円以下）
配偶者控除	配偶者の合計所得金額48万円以下	38万円	26万円	13万円
	老人控除対象配偶者	48万円	32万円	16万円
配偶者特別控除	48万円超95万円以下	38万円	26万円	13万円
	95万円超100万円以下	36万円	24万円	12万円
	100万円超105万円以下	31万円	21万円	11万円
	105万円超110万円以下	26万円	18万円	9万円
	110万円超115万円以下	21万円	14万円	7万円
	115万円超120万円以下	16万円	11万円	6万円
	120万円超125万円以下	11万円	8万円	4万円
	125万円超130万円以下	6万円	4万円	2万円
	130万円超133万円以下	3万円	2万円	1万円
	133万円超	0円	0円	0円

06 保険料や住宅借入金の控除申告書のチェックポイント

| 頻度 | 年1回 | | 対象 | 12月まで勤務の役員・従業員 | | 時期 | 12月 |

POINT

● 保険料控除を受ける従業員からは保険料控除証明書を添付してもらう
● 個人型確定拠出年金(iDeCo)の掛金は全額控除される

生命保険料、地震保険料の控除のポイント

給与所得者の保険料控除申告書は生命保険料控除、地震保険料控除、社会保険料控除、小規模企業共済等掛金控除を受ける従業員に記入・提出してもらう書類です。

生命保険には「一般の生命保険」「個人年金保険」「介護医療保険」があります。一般の生命保険と個人年金保険には、新契約(2012年1月1日以降に契約した保険)と旧契約(2011年12月31日以前に契約した保険)があり、計算式や限度額が異なります。添付書類として提出してもらう保険料控除証明書に「新」「旧」が記載されているのでチェックします。なお、生命保険料控除の対象は、保険料の支払い者が申告者(従業員)本人で、受取人が配偶者または親族の場合です(後述する個人年金保険については、受取人が本人でも可)。契約者が配偶者であっても、申告者が保険料を支払っていれば、控除を受けられます。

地震保険については「地震保険契約」と「旧長期損害保険」の2種類があり、こちらも計算式と控除額が異なります。保険料控除証明書で確認します。

社会保険料、iDeCo の掛金、住宅ローンの控除のポイント

生計を同一にしている配偶者や親、子の代わりに申告者が国民年金や国民健康保険などの社会保険料を支払った場合は、社会保険料控除として全額控除されます。国民年金と国民年金基金は保険料控除証明書の添付が必要です。

また、申告者本人が支払った個人型確定拠出年金(iDeCo)の掛金は全額控除されます。小規模企業共済等掛金払込証明書を添付してもらいます。

住宅ローン控除については、給与所得者の(特定増改築等)住宅借入金等特別控除申告書のほかに、税務署が交付する借入金の年末残高等の情報、または金融機関が交付する年末残高等証明書の添付が必要です。

経理

人事

総務

📌 生命保険料控除額の計算方法

●A.新契約（2012年1月1日～契約分）のみの場合の控除額

〈計算式〉

年間の支払い保険料	控除額の計算式
～2万円以下	支払い保険料の全額
2万円超～4万円以下	支払い保険料×½＋1万円
4万円超～8万円以下	支払い保険料×¼＋2万円
8万円超～	一律4万円

〈控除額〉

保険の種類	控除額
新生命保険（死亡・医療・介護）	最高4万円
新個人年金保険	最高4万円
介護医療保険	最高4万円
合計	最高12万円

●B.旧契約（～2011年12月31日契約分）のみの場合の控除額

〈計算式〉

年間の支払い保険料	控除額の計算式
～2万5,000円以下	支払い保険料の全額
2万5,000円超～5万円以下	支払い保険料×½＋1万2,500円
5万円超～10万円以下	支払い保険料×¼＋2万5,000円
10万円超～	一律5万円

〈控除額〉

保険の種類	控除額
旧生命保険（死亡・医療・介護）	最高5万円
旧個人年金保険	最高5万円
合計	最高10万円

●C.新契約と旧契約がある場合の控除額

	保険の種類	控除額
❶	新生命保険	Aで計算した控除額（最高4万円）
	旧生命保険	Bで計算した控除額（最高5万円）
	合計の上限額	最高4万円
❷	新個人年金保険	Aで計算した控除額（最高4万円）
	旧個人年金保険	Bで計算した控除額（最高5万円）
	合計の上限額	最高4万円
❸	介護医療保険	Aで計算した控除額（最高4万円）

「旧」の控除額が4万円超の場合、「新」で控除を受けないほうが、控除額が多くなります。

❶＋❷＋❸の上限

最高12万円

📌 地震保険料控除額の計算方法

保険の種類	年間の支払い保険料	控除額の計算式
地震保険	5万円以下	支払い保険料全額
	5万円超	5万円
旧長期損害保険	1万円以下	支払い保険料全額
	1万円超2万円以下	支払い保険料×½＋5,000円
	2万円超	1万5,000円

「給与所得者の保険料控除申告書」の記入例

書類内容	生命保険料や地震保険料などを支払っている従業員に記入・提出してもらう書類
届出先	従業員から事業所へ(事業所で7年間保管)

POINT
「新契約」と「旧契約」のどちらかに○印をつける。新・旧の別は保険料控除証明書を確認する

⑦欄が一般の生命保険料の控除額となる。上限額(前ページ)超の場合は上限額を記入する

地震保険料の控除額を記入する。上限額(前ページ)超の場合は上限額を記入する

当年中に支払った一般の生命保険料を最下部の「計算式I」に当てはめ、控除額を算出する

当年中に支払った一般の生命保険料を記入する。記入ミスがないか、保険料控除証明書を確認する

当年中に支払った地震保険料を記入する。記入ミスがないか、保険料控除証明書を確認する

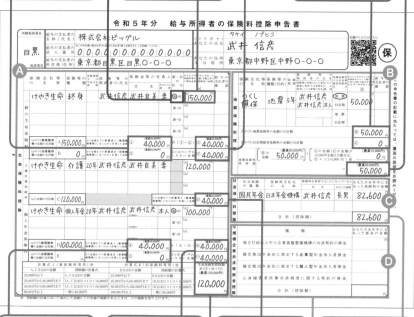

当年中に支払った個人年金保険料を最下部の「計算式I」に当てはめ、控除額を算出する

個人年金保険料の控除額を記入する。上限額(前ページ)超の場合は上限額を記入する

当年中に支払った介護保険料を最下部の「計算式I」に当てはめ、控除額を算出する

国民年金、国民年金基金、国民健康保険、健康保険、介護保険、厚生年金、後期高齢者医療保険の各保険料を支払った人が記入する。全額控除される

一般の生命保険料控除、介護医療保険料控除、個人年金保険料控除を合算する。上限額(前ページ)超の場合は上限額を記入する

個人型確定拠出年金(iDeCo)などの掛金を支払っている人が記入する

Ⓐ 生命保険料控除
(生命保険、介護保険、個人年金保険)

Ⓑ 地震保険料控除
(地震保険、旧長期損害保険)

Ⓒ 社会保険料控除
(国民年金、国民年金基金、国民健康保険、健康保険、介護保険、厚生年金、後期高齢者医療保険)

Ⓓ 小規模企業共済等掛金控除
(小規模企業共済、iDeCo、企業型DCなど)

経理
人事
総務

「給与所得者の（特定増改築等）住宅借入金等特別控除申告書」の記入例

書類内容　住宅ローン（2年目以降）を支払っている従業員に記入・提出してもらう書類

届出先　従業員から事業所へ（事業所で7年間保管）

控除の対象となる借入金の上限額が決まっているので、上限額の場合は上限額を記入する（上限額は居住年や住宅の種類で異なるので要確認）

記入ミスがないか、税務署が交付する借入金の年末残高等の情報、または金融機関が交付する年末残高等証明書を確認する

一人で借りている場合は、①の金額を転記する。連帯での借入金がある場合は、①のうち単独の借入金残高と、連帯での借入金残高に本人の負担割合を掛けた金額の合計を記入する

POINT

②の金額と、下記ロ＋ホ＋リの合計額の少ないほうの額を記入する

③に記載した金額に「居住用割合」を掛けた金額を記入する

従業員の年間所得の見積額を記入する。3,000万円を超えている場合は控除を受けられない

⑤欄の数字に控除率1%を掛けた金額を記入する（100円未満の端数は切り捨て）

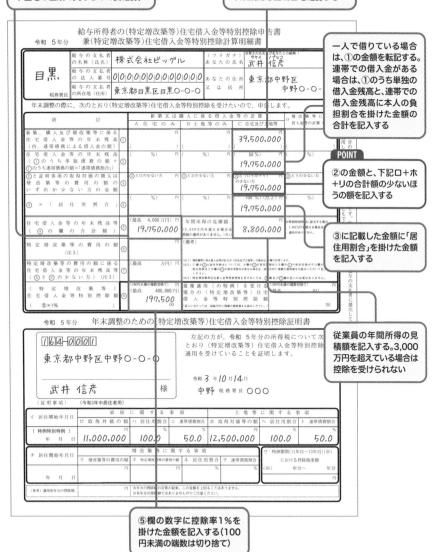

217

POINT

- 総支給金額から各種控除を差し引き、差引課税給与所得金額を算出する
- 課税所得金額から算出所得税額を出し、年調年税額を確定させる

総支給額、給与所得控除後の金額を算出する

年末調整を行う際には、まず1年間に実際に支払った給与と賞与の合計額（総支給金額）を、従業員ごとに算出します。この際、月額15万円以内の通勤手当や旅費規程による非課税の出張手当などは計算に含めません。入社前の収入も合計する必要があるため、新卒社員については入社年の1月から入社までにもらったアルバイト代の源泉徴収票、中途社員については前職の源泉徴収票を提出してもらいます。

総支給金額を計算したら、そこから給与等の収入金額に応じて給与所得控除を差し引き、給与所得控除後の金額を算出します。給与所得控除のしくみの理解のため220ページに計算方法を示しましたが、実務上は総支給金額が660万円未満の従業員については計算の必要はなく、税務署から送られてくる年末調整等のための給与所得控除後の給与等の金額の表（221ページ）に当てはめて算出します。

差引課税給与所得金額を算出する

次に、各種所得控除を差し引き、差引課税給与所得金額を算出します。差引課税給与所得金額は1,000円未満を切り捨て処理します。

所得控除は全部で14種類ありますが、年末調整時に受けることのできる所得控除は、基礎控除のほか、扶養控除、配偶者控除、配偶者特別控除、生命保険料控除、地震保険料控除、小規模企業共済等掛金控除、社会保険料控除、障害者控除、ひとり親控除、寡婦控除、勤労学生控除の11です。雑損控除、医療費控除、寄附金控除（ふるさと納税など）については、年末調整で控除することはできません。従業員本人が確定申告を行って控除します。

なお、住宅借入金等特別控除（住宅ローン控除）は所得控除ではなく**税額控除**のため、この時点では差し引きません。

経理

人事

総務

税額計算の手順

 STEP 1 総支給金額を算出

当年中の給与と賞与の支給額を合計する

POINT
・通勤手当などの非課税支給額は合算しない
・中途入社の従業員は前職での支給額も合算する

 STEP 2 給与所得控除後の金額を算出

総支給金額から「給与所得控除額」を差し引く

POINT
・総支給金額によって控除額が異なる
・給与所得控除後の給与等の金額の表を参照する

 STEP 3 差引課税給与所得金額を算出

給与所得控除後の金額から各種所得控除を差し引く

POINT
・住宅ローン控除はこの時点では差し引かない

STEP 4 算出給与所得金額を算出

課税給与所得に税率を掛けて、控除額を差し引く

POINT
・算出所得税額の速算表の数字を当てはめて計算する

 STEP 5 年調所得税額を算出

算出所得税額から住宅ローン控除を差し引く

POINT
・住宅ローン控除がない従業員は、算出所得税額が年調所得税額となる

 STEP 6 年調年税額を算出

年調所得税額に102.1%（復興特別所得税）を掛ける

POINT
・年調年税額が最終的な税額となる

Keyword 税額控除 所得控除が所得から控除する（差し引く）のに対して、税額控除は所得税から直接控除するもの。たとえば、控除額が10万円で所得税率20％の場合、所得控除による節税額は10万円×20％＝2万円、税額控除は10万円がそのまま節税額となる。

算出所得税額と年調年税額を計算する

続いて、差引課税給与所得金額を算出所得税額の速算表（右ページ）に当てはめ、算出所得税額を計算します。

最後に、算出所得税額から住宅ローン控除を差し引いて、年調所得税額を算出します。これが、最終的な課税対象となる金額となります。

この年調所得税額に102.1％をかけ、100円未満切り捨てた金額が年調年税額、すなわち年末調整により確定した1年間に収めるべき所得税＋復興特別所得税となります。

📌 給与所得控除後の金額の計算方法

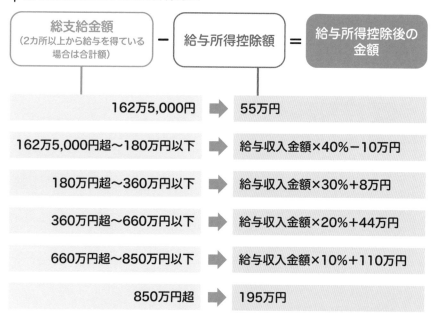

| 総支給金額
（2カ所以上から給与を得ている
場合は合計額） | − | 給与所得控除額 | = | 給与所得控除後の
金額 |

162万5,000円	➡ 55万円
162万5,000円超～180万円以下	➡ 給与収入金額×40％−10万円
180万円超～360万円以下	➡ 給与収入金額×30％＋8万円
360万円超～660万円以下	➡ 給与収入金額×20％＋44万円
660万円超～850万円以下	➡ 給与収入金額×10％＋110万円
850万円超	➡ 195万円

実務上は、総支給額が660万円未満の従業員については、上記の計算式ではなく、右ページ上の年末調整等のための給与所得控除後の給与等の金額の表に当てはめて、給与所得後の金額を求めます。なお、給与収入の金額が162万5,000円以下の場合、上記の計算結果と同表の金額にズレが生じます。

経理
人事
総務

年末調整等のための給与所得控除後の給与等の金額の表

(五)　　　　　　　　　　　　　　　　　　(3,972,000円～4,571,999円)

給与等の金額 以上	未満	給与所得控除後の給与等の金額	給与等の金額 以上	未満	給与所得控除後の給与等の金額	給与等の金額 以上	未満	給与所得控除後の給与等の金額
円	円	円	円	円	円	円	円	円
3,972,000	3,976,000	2,737,600	4,172,000	4,176,000	2,897,600	4,372,000	4,376,000	3,057,600
3,976,000	3,980,000	2,740,800	4,176,000	4,180,000	2,900,800	4,376,000	4,380,000	3,060,800
3,980,000	3,984,000	2,744,000	4,180,000	4,184,000	2,904,000	4,380,000	4,384,000	3,064,000
3,984,000	3,988,000	2,747,200	4,184,000	4,188,000	2,907,200	4,384,000	4,388,000	3,067,200
3,988,000	3,992,000	2,750,400	4,188,000	4,192,000	2,910,400	4,388,000	4,392,000	3,070,400
3,992,000	3,996,000	2,753,600	4,192,000	4,196,000	2,913,600	4,392,000	4,396,000	3,073,600
3,996,000	4,000,000	2,756,800	4,196,000	4,200,000	2,916,800	4,396,000	4,400,000	3,076,800
4,000,000	4,004,000	2,760,000	4,200,000	4,204,000	2,920,000	4,400,000	4,404,000	3,080,000
4,004,000	4,008,000	2,763,200	4,204,000	4,208,000	2,923,200	4,404,000	4,408,000	3,083,200
4,008,000	4,012,000	2,766,400	4,208,000	4,212,000	2,926,400	4,408,000	4,412,000	3,086,400
4,012,000	4,016,000	2,769,600	4,212,000	4,216,000	2,929,600	4,412,000	4,416,000	3,089,600
4,016,000	4,020,000	2,772,800	4,216,000	4,220,000	2,932,800	4,416,000	4,420,000	3,092,800
4,020,000	4,024,000	2,776,000	4,220,000	4,224,000	2,936,000	4,420,000	4,424,000	3,096,000
4,024,000	4,028,000	2,779,200	4,224,000	4,228,000				3,099,2
4,028,000	4,032,000	2,782,400	4,228,000	4,232,000				3,10
4,032,000	4,036,000	2,785,600	4,232,000	4,236,000				3,105,60

> 総支給額が該当する範囲を見つける

> 給与所得控除後の給与等の金額

> 総支給額が660万円以上の従業員については左ページの計算式で給与所得控除後の給与等の金額を算出します。1円未満の端数が出たときは切り捨てます。

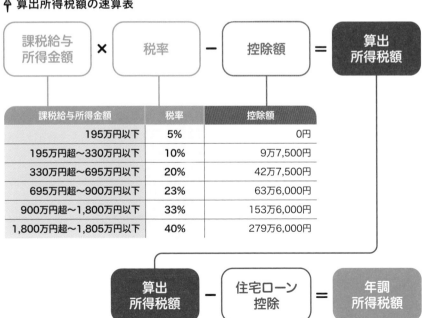

算出所得税額の速算表

課税給与所得金額 × 税率 － 控除額 ＝ 算出所得税額

課税給与所得金額	税率	控除額
195万円以下	5%	0円
195万円超～330万円以下	10%	9万7,500円
330万円超～695万円以下	20%	42万7,500円
695万円超～900万円以下	23%	63万6,000円
900万円超～1,800万円以下	33%	153万6,000円
1,800万円超～1,805万円以下	40%	279万6,000円

算出所得税額 － 住宅ローン控除 ＝ 年調所得税額

08 源泉徴収簿、源泉徴収票を作成し 過不足額の調整・納付を行う

| 頻度 | 年1回 | 対象 | 12月まで勤務の役員・従業員 | 時期 | 12月 |

POINT

- 源泉徴収簿の作成は法律上の義務ではないが、年末調整が効率的に行える
- 源泉徴収票については必ず作成・交付しなければならない

源泉徴収簿を作成しておくと、年末調整の際に便利

　源泉徴収簿とは、各従業員について、毎月の総支給金額（218ページ）、社会保険料や税金などの源泉徴収額、扶養親族の数などを記録しておき、年末調整の際にここまで見てきた各種申告書の情報を転記し、年調年税額（220ページ）および所得税の還付または追加徴収する金額を算出するための書類です。

　ただし、源泉徴収簿は法的に作成を義務づけられてはいません。

源泉徴収票の作成・交付は義務

　年末調整で各従業員について当年の税額を算出したら、給与所得の源泉徴収票（以下「源泉徴収票」）を作成します。源泉徴収票は、当年の総支給金額と徴収した税額を記載した書類です。正社員だけでなくアルバイトやパートにも発行する必要があります。また、市区町村へも提出しなければなりません。

　さらに、以下に該当する人については税務署へも提出が必要です。

①当年中の給与等の支払い金額が150万円超の役員（現に役員でなくても、当年中に役員だった人を含む）

②当年中の給与等の支払い金額が250万円を超える弁護士、司法書士等

③「①」「②」以外の人で、当年中の給与等の支払い金額が500万円超

④給与所得者の扶養控除等申告書を提出した退職者で、給与等の支払い金額が250万円超（役員は50万円超）

⑤給与所得者の扶養控除等申告書を提出したが、給与の支払い金額が2,000万円超のため年末調整しなかった者

⑥甲欄以外で給与等の支払い金額が50万円超

　本人に交付する源泉徴収票にはマイナンバーを記載しませんが、市区町村、税務署に提出するものについてはマイナンバーを記載します。提出期限はいずれも1月31日です。

経理

人事

総務

源泉徴収簿の作成のポイント

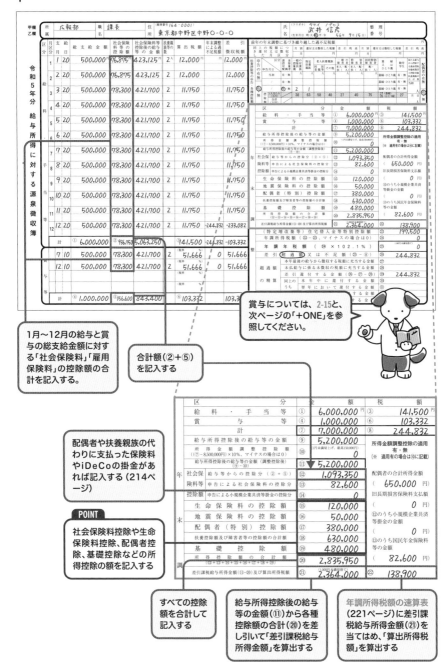

賞与については、2-15と、次ページの「+ONE」を参照してください。

1月～12月の給与と賞与の総支給金額に対する「社会保険料」「雇用保険料」の控除額の合計を記入する。

合計額（②+⑤）を記入する

配偶者や扶養親族の代わりに支払った保険料やiDeCoの掛金があれば記入する（214ページ）

POINT

社会保険料控除や生命保険料控除、配偶者控除、基礎控除などの所得控除の額を記入する

区　　　分	金　　額	税　　額
給料・手当等 ①	6,000,000 円	③ 141,500 円
賞　与　等 ④	1,000,000	⑥ 103,332
計 ⑦	7,000,000	⑧ 244,832
給与所得控除後の給与等の金額 ⑨	5,200,000	所得金額調整控除の適用
所得金額調整控除額（（⑦−8,500,000円）×10%、マイナスの場合は0） ⑩	0	有・無（※適用有の場合は⑩に記載）
給与所得控除後の給与等の金額（調整控除後）（⑨−⑩） ⑪	5,200,000	
社会保険料等 給与等からの控除分（②＋⑤） ⑫	1,093,350	配偶者の合計所得金額（ 650,000 円）
申告による社会保険料の控除分 ⑬	82,600	旧長期損害保険料支払額（ 円）
申告による小規模企業共済等掛金の控除分 ⑭	0	⑫のうち小規模企業共済等掛金の金額（ 0 円）
生命保険料の控除額 ⑮	120,000	
地震保険料の控除額 ⑯	50,000	⑬のうち国民年金保険料等の金額（ 82,600 円）
配偶者（特別）控除額 ⑰	380,000	
扶養控除額及び障害者等の控除額の合計額 ⑱	630,000	
基礎控除額 ⑲	480,000	
所得控除額の合計額（⑫＋⑬＋⑭＋⑮＋⑯＋⑰＋⑱＋⑲） ⑳	2,835,950	
差引課税給与所得金額（⑪−⑳）及び算出所得税額 ㉑	2,364,000	㉒ 138,900

すべての控除額を合計して記入する

給与所得控除後の給与等の金額（⑪）から各種控除額の合計（⑳）を差し引いて「差引課税給与所得金額」を算出する

年調所得税額の速算表（221ページ）に差引課税給与所得金額（㉑）を当てはめ、「算出所得税額」を算出する

税額の過不足分を納税する

年調年税額から源泉所得税を引き算した結果、マイナスになった場合は差額分を従業員に還付します。プラスになった場合は、差額分を追加徴収します。いずれも、12月または翌年1月に支払う給与や賞与で調整します。

税務署に対しては、1月に支払う源泉徴収税とともに、過不足分を申告・納税します。通常月と同じ給与所得・

退職所得等の所得税徴収高計算書の「年末調整による不足税額」欄または「年末調整による超過税額」欄に差額を記入し、1月10日までに申告・納税を済ませます。なお、還付額が1月に支払う源泉徴収税額より多くなった場合の納付額は0円となり、相殺しきれなかった分を「摘要」欄に記入し、2月分の源泉所得税で調整します。

ONE 賞与の所得税額の計算について

72ページで説明したとおり、賞与にかかる源泉所得税を算出する際の所得税率は、下記の賞与に対する源泉徴収税額の算出率の表を使って算出します。ただし、同表を使用するのは、前月に通常の給与が支払われている場合です。

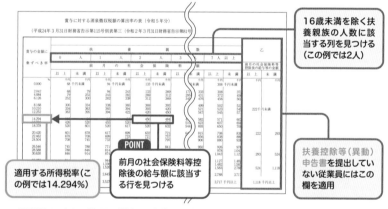

休職等により、前月の給与の支払いがない場合は、①「課税対象額÷6」で1カ月あたりの課税対象額を割り出す、②毎月の給与計算で使っている給与所得の源泉徴収税額表（56ページ）に課税対象額を当てはめ、1カ月分の所得税額を求める、③「1カ月分の所得税額×6」が所得税額となります。なお、賞与の算定期間が6カ月超の場合は「6」ではなく「12」で計算します。

また、前月の給与の10倍超の賞与を支払った場合は、前記の①で求めた金額に「前月の社会保険料等控除後の給与額」を加算して、②、③に進めます。

経理

人事

総務

書類内容	すべての従業員ごとにその年の給与・賞与・控除・源泉徴収額を記載した書類
届出先	従業員本人、従業員の居住地の市区町村役場、事業所管轄の税務署（対象者のみ）

その年に中途入社した従業員は、前職の名称・住所・退職日、給与額、所得税額、社会保険料額などを記入する

左から、1年間に支払った支払金額（給与・手当・賞与の合計額。通勤費など非課税となる手当を除く）、給与所得控除後の金額、所得控除の額の合計額を記入する

役員については役職名を忘れずに記入する

POINT
「受給者番号」は空欄でもかまわない

年調年税額を記入する

配偶者（特別）控除の額を記入する

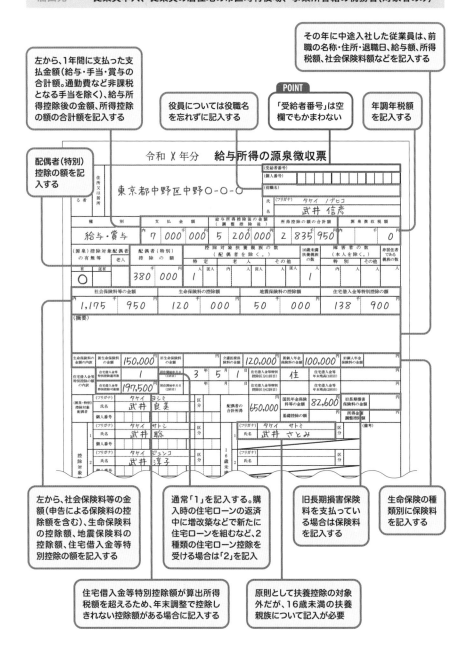

左から、社会保険料等の金額（申告による保険料の控除額を含む）、生命保険料の控除額、地震保険料の控除額、住宅借入金等特別控除の額を記入する

通常「1」を記入する。購入時の住宅ローンの返済中に増改築などで新たに住宅ローンを組むなど、2種類の住宅ローン控除を受ける場合は「2」を記入

旧長期損害保険料を支払っている場合は保険料を記入する

生命保険の種類別に保険料を記入する

住宅借入金等特別控除額が算出所得税額を超えるため、年末調整で控除しきれない控除額がある場合に記入する

原則として扶養控除の対象外だが、16歳未満の扶養親族について記入が必要

| 頻度 | 年1回 | 対象 | 12月まで勤務の役員・従業員 | 時期 | 1月 |

POINT
- 不動産について支払調書の提出が必要なケースがある
- 不動産を借りている場合は支払い先が個人か法人かで、提出が必要か異なる

建物や部屋を借りていた場合の支払調書

不動産を個人から借りて、当年中の同一人への家賃の支払い金額の合計が15万円超の場合は不動産の使用料等の支払調書の提出が必要です。

法人から借りている場合は、家賃を支払っているだけなら支払調書の提出は不要です。権利金や更新料等が15万円超だった場合は提出が必要になり

ます。敷金や保証金など契約終了後に返金されるものは対象外ですが、返還されないことが確定した場合、15万円超であれば提出が必要です。

原則15万円は消費税込み（地方消費税を含む）で判断しますが、消費税額が明確に区分されている場合は消費税抜きで判断してもかまいません。

不動産を購入した場合の支払調書

不動産を購入した場合、当年中の支払い金額が100万円超だったときは、不動産等の譲受けの対価の支払調書の提出が必要になります。不動産の購入には、交換・競売・現物出資・公売などの取引も含まれます。

また、不動産の売買または賃貸借に関して、当年中に同一人へ15万円超のあっせん手数料（仲介手数料など）を支払った場合は、不動産等の売買又は貸付けのあっせん手数料の支払調書を提出します。ただし、不動産の使用

料等の支払調書や不動産等の譲受けの対価の支払調書の「あっせんをした者」の欄に記入のある場合には、提出を省略できます。

上記3つの支払調書の提出先は、支払い事務を行った事務所等の所在地を管轄する税務署です。支払いが確定した日の翌年1月31日までに、法定調書合計表（次節）とともに提出します。国税庁のサイトからフォーマットをダウンロードできます。なお、いずれも支払い先への交付は不要です。

Keyword **競売** 債権の回収を図る手続きの1つで、債権者が法律に則って裁判所のもとで不動産を売却する。ちなみに、公売は滞納税金の回収を図る手続き。

経理

人事

総務

「不動産の使用料等の支払調書」の記入例

書類内容	事務所の家賃、権利金や更新料などを支払った場合に提出する書類
届出先	支払い事務を行った事業所管轄の税務署（対象者のみ）

家賃、更新料、礼金、地代、権利金など、支払い内容の区分を記入する

建物を借りている場合は、建物の構造（鉄筋、木造など）と用途（事務所、商店など）を記入。土地を借りている場合は、宅地・田・畑などの地目を記入する

賃借期間や月額などを記入する

貸主が法人の場合は法人番号、個人の場合はマイナンバーを記入する

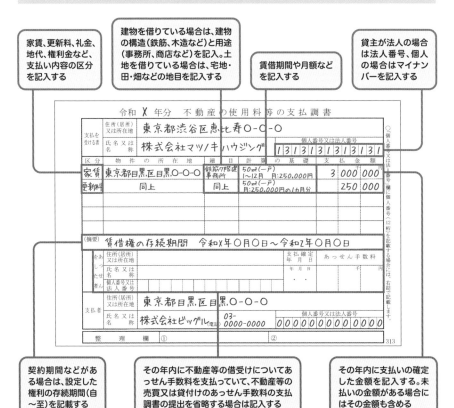

契約期間などがある場合は、設定した権利の存続期間（自〜至）を記載する

その年内に不動産等の借受けについてあっせん手数料を支払っていて、不動産の売買又は貸付けのあっせん手数料の支払調書の提出を省略する場合は記入する

その年内に支払いの確定した金額を記入する。未払いの金額がある場合にはその金額も含める

●不動産の使用料等の支払調書提出の際のポイント

支払い先が法人の場合、家賃や賃借料は含まない
➡ 家賃以外の支払いがなければ、支払調書自体を提出しなくてもよい

敷金や保証金など、契約終了後に返還されるものは対象外
➡ 返還されないことが確定している場合は申告が必要

支払い先に交付する義務はない
➡ もし交付するのであれば、支払い先が個人の場合はマイナンバーを記載しない

Advice 不動産の使用料等の支払調書については、催物の会場の賃借など一時的な賃借料や、陳列ケース、広告等のために建物の壁面などを一部使用する場合の賃借料、名義書換料も対象になります。

10 法定調書合計表を作成・提出する

| 頻度 | 年1回 | 対象 | 12月まで勤務の役員・従業員 | 時期 | 1月 |

POINT
- 支払調書の内容をまとめたものが法定調書合計表
- 全員分の源泉徴収票を税務署に提出する必要はない

支払調書とともに法定調書合計表も提出する

法定調書合計表は、1月31日までに提出が義務づけられている法定調書をとりまとめて集計したものです。

法定調書合計表に記載および添付しなければならない法定調書は、①給与所得の源泉徴収票、②退職所得の源泉徴収票、③報酬、料金、契約金および賞金の支払調書、④不動産に関する支払調書です。

このうち③の支払調書は、フリーランスや弁護士・税理士などに、原稿料や講演料などの報酬を支払った際に作成するものです。ただし、支払い金額が年間5万円以下（消費税等が区分さ

れている場合はその額を含めないでもOK）の人の分は作成する必要はありません。

法定調書のうち、①②の源泉徴収票以外は支払い先に交付する義務はありません。ただし、③については、確定申告などの際にあると便利なので、支払い先にも送付するのが一般的です。

なお、法定調書は原則として紙で提出しますが、前々年に提出した支払調書や源泉徴収票の数が100枚以上だった会社は、電子申告で行わなければなりません。

税務署に提出する源泉徴収票の要件を確認する

法定調書合計表は、法定調書の内容を集計すれば作成できます。給与所得の源泉徴収票については、源泉徴収していない従業員も含めて記入します。また、「源泉徴収票を提出するもの」という欄がありますが、この欄には税

務署へ提出する源泉徴収票の枚数を記入します。源泉徴収票はすべての従業員に交付しなければなりませんが、税務署に提出するのは、その年の給与等の支払い金額が150万円を超える役員などに限定されています（222ページ）。

経理

人事

総務

「給与所得の源泉徴収票等の法定調書合計表」の記入例

書類内容 1年間に給与や報酬などで会社が支払った総額と源泉徴収税額を報告する書類
届出先 事業所管轄の税務署

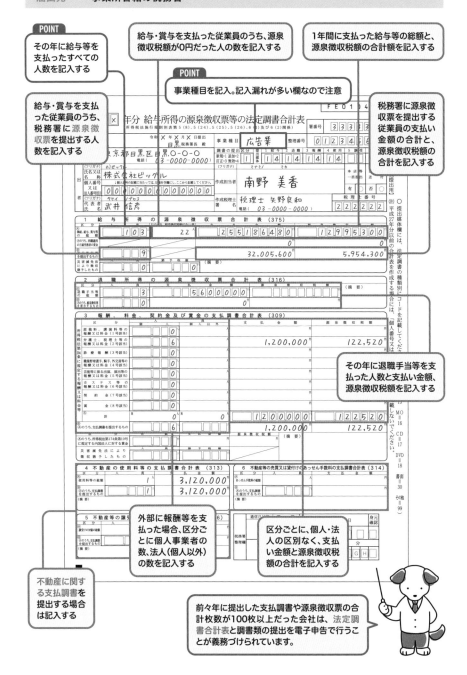

POINT
その年に給与等を支払ったすべての人数を記入する

給与・賞与を支払った従業員のうち、源泉徴収税額が0円だった人の数を記入する

1年間に支払った給与等の総額と、源泉徴収税額の合計額を記入する

POINT
事業種目を記入。記入漏れが多い欄なので注意

給与・賞与を支払った従業員のうち、税務署に源泉徴収票を提出する人数を記入する

税務署に源泉徴収票を提出する従業員の支払い金額の合計と、源泉徴収税額の合計を記入する

その年に退職手当等を支払った人数と支払い金額、源泉徴収税額を記入する

外部に報酬等を支払った場合、区分ごとに個人事業者の数、法人（個人以外）の数を記入する

区分ごとに、個人・法人の区別なく、支払い金額と源泉徴収税額の合計を記入する

不動産に関する支払調書を提出する場合は記入する

前々年に提出した支払調書や源泉徴収票の合計枚数が100枚以上だった会社は、法定調書合計表と調書類の提出を電子申告で行うことが義務づけられています。

229

11 給与支払報告書を作成・提出する

| 頻度 | 年1回 | 対象 | 12月まで勤務の役員・従業員 | 時期 | 1月 |

POINT
- 確定した所得を各市区町村に報告して住民税を確定させる
- 給与支払報告書は従業員の住所地である各市区町村に提出する

給与支払報告書は住民税確定のための書類

56ページで説明したように、住民税は前年の所得に基づいて課されます。年末調整によって所得が確定したら、それを従業員が居住する各市区町村に報告しなければなりません。

そのために提出するのが給与支払報告書です。給与支払報告書の情報をもとに、各市区町村はその年の住民税を計算して会社に通知し、会社は住民税を特別徴収することになります。

給与支払報告書の提出期限は1月31日です。

統括表は個人別明細表の表紙

給与支払報告書は統括表と個人別明細表をセットにして提出します。

統括表は12月中に各市区町村から送られてきます。個人別明細表の表紙のようなもので、会社の所在地や給与の支払い期間、支払い日、受給者総人数などの基本情報を記載します。

個人別明細表は、給与の支払いを受ける従業員の前年の収入や扶養状況などを記載するものです。年末調整で作成した各従業員の給与所得の源泉徴収票と内容は同じですが、給与等の支払い金額に関係なく、支払った年の1月

1日に在職していたすべての従業員について提出する必要があります。市区町村のサイトなどからフォーマットをダウンロードできますが、必要な内容が記載されていれば、自社で作成したものでもかまいません。

1月1日に在職していた従業員は、退職者についても給与支払報告書を提出しなければなりません。提出先は退職日に居住していた市区町村です。ただし、給与支払い金額が30万円未満の退職者については提出不要です。

Advice 転職してきた社員の年末調整を行うには、前職の源泉徴収票が必要です。万一、受け取れないときは、給与支払報告書には入社（転職）後に給与等から天引きした所得税の合計額をそのまま記入します。

経理

人事

総務

「給与支払報告書（総括表）」の記入例

| 書類内容 | 給与支払報告書（個人別明細書）を提出する従業員の数を、該当する市区町村に報告する書類 |
| 届出先 | 従業員の居住地の市区町村役場 |

前年度に該当市区町村から通知されている特別徴収義務者指定番号を記入する。新規に特別徴収を開始する場合などは、指定番号がないため、記入は不要

事業種目を忘れずに記入する

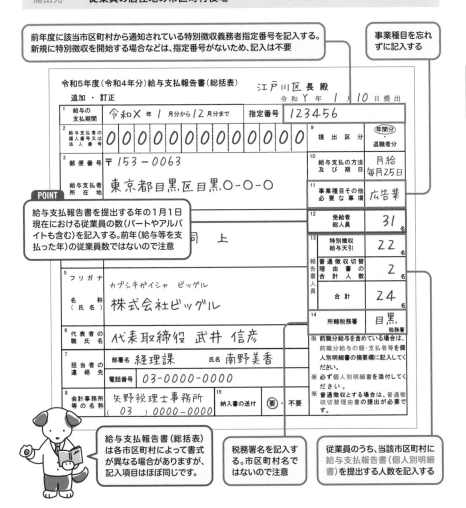

POINT

給与支払報告書を提出する年の1月1日現在における従業員の数（パートやアルバイトも含む）を記入する。前年（給与等を支払った年）の従業員数ではないので注意

給与支払報告書（総括表）は各市区町村によって書式が異なる場合がありますが、記入項目はほぼ同じです。

税務署名を記入する。市区町村名ではないので注意

従業員のうち、当該市区町村に給与支払報告書（個人別明細書）を提出する人数を記入する

●給与支払報告書の注意点

1 各市区町村に提出する
➡ 居住する従業員が1人でも、総括表をつけなければならない

2 従業員全員分の個人別明細表が必要
➡ 内容は源泉徴収票と同じなので、源泉徴収票と同じものを提出すればよい

3 退職した従業員のものも提出する
➡ 前年の給与支払い金額が30万円未満の場合は不要

障害者控除と
寡婦・ひとり親控除

障害者控除には3種類ある

　年末調整で行う所得控除のなかに、障害者控除と寡婦控除、ひとり親控除があります。

　障害者控除には「障害者」「特別障害者」「同居特別障害者」の3種類があり、それぞれ27万円、40万円、75万円の控除を受けられます。「障害者」は、障害手帳に身体上または精神上の障害があると記載されている人や、知的障害があると認定された人などが対象です。「特別障害者」の対象となるのは、障害者手帳が1級か2級の人、精神障害者手帳が1級の人、重度の知的障害者と判定された人、6カ月以上寝たきりで複雑な介護を必要とする人などです。特別障害者のうち、従業員本人と同居しているか、生計を一にしている配偶者や親族を「同居特別障害者」といいます。

　障害者控除を受ける場合は自己申告でも大丈夫です。原則として障害者手帳を提出する必要はありません。

寡婦控除とひとり親控除の違い

　寡婦とは、夫と死別・離婚後に再婚していない女性のことで、寡婦控除を受けることができます。ただし、寡婦控除を受けられるのは所得金額が500万円以下の人になります。所得金額には給与だけでなく、副業している場合の所得は不動産所得など、すべての所得が含まれます。寡婦控除の控除額は27万円になります。「寡婦」は女性のことなので、男性は対象外であること、また結婚をしたことがある人が対象なので未婚者は対象外であることに注意しましょう。

　ひとり親控除は、事実上の婚姻関係にある人がおらず、子どもがいる人が受けられる控除で、男性も対象です。寡婦控除と違って未婚の親も対象になります。こちらも所得金額の合計が、500万円以下であることが要件で、控除額は35万円です。

　寡婦控除とひとり親控除の併用はできず、どちらの要件にも当てはまる場合はひとり親控除のみが適用されます。

第 **9** 章

会社の資産を
管理する

備品などのモノを買ったら、それが固定資産になるか
どうかを判断しなければなりません。固定資産として
計上するか、全額を購入年に費用として計上するか、
税務上のルールや管理の仕方、廃棄・売却の方法を確
認しておきましょう。また、固定資産の一部となる棚
卸資産（在庫）の管理も大切です。

01 資産の種類を確認する

POINT

- 資産には、固定資産、流動資産、繰延資産の3種類がある
- 固定資産のうち、経年劣化する減価償却資産に注意する

経理上の資産には3種類ある

経理業務において、資産の管理は大切な業務です。資産というと預貯金や不動産、株式などの金融商品をイメージするかもしれませんが、資産とは、換金できる財産すべてのことです。

資産は、固定資産、流動資産、繰延資産に分けられます。

固定資産とは、事業のために使う長期間保有する資産のことです。有形固定資産（土地や建物、機械装置、車両など）、無形固定資産（営業権、特許権などの権利関係など）、投資・その他の資産（投資有価証券や出資金など）が該当します。固定資産のうち、土地や建物には固定資産税がかかります。また、機械装置やパソコン、コピー機などは要件によって、償却資産税の対象となります。

有形固定資産・無形固定資産ともに、経年劣化する（時の経過などによって価値が減少していく）減価償却資産と、経年劣化しないものに分けられます。減価償却資産は経理上、特殊な処理の仕方をします（256ページ参照）。

流動資産と繰延資産を理解する

流動資産とは、短期間で現金化できる資産です。現金、預金、売掛金、貸付金、棚卸資産などが、流動資産にあたります。棚卸資産とは、簡単にいえば在庫のことで、販売目的で所有する商品や仕掛品、原材料などです。

繰延資産とは、すでに支出した費用のうち、一時的に資産として認められるものです。費用なのですが、支出効果が長期間にわたるため、年度をまたいで資産とすることが認められています。具体的には、創立費、開業費、株式交付費、社債発行費、開発費の5つです。創立費は会社設立のためにかかった費用で、事務所の契約費用や定款作成費用など。開業費は、開業準備にかかった費用で、土地や建物等の賃借料、広告宣伝費などです。

📌 資産の種類

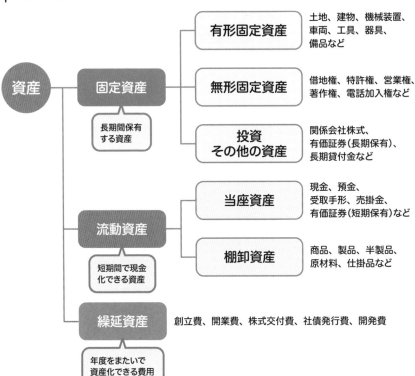

資産

固定資産
（長期間保有する資産）
- 有形固定資産　土地、建物、機械装置、車両、工具、器具、備品など
- 無形固定資産　借地権、特許権、営業権、著作権、電話加入権など
- 投資その他の資産　関係会社株式、有価証券（長期保有）、長期貸付金など

流動資産
（短期間で現金化できる資産）
- 当座資産　現金、預金、受取手形、売掛金、有価証券（短期保有）など
- 棚卸資産　商品、製品、半製品、原材料、仕掛品など

繰延資産
（年度をまたいで資産化できる費用）
創立費、開業費、株式交付費、社債発行費、開発費

📌 資産・負債・純資産の関係

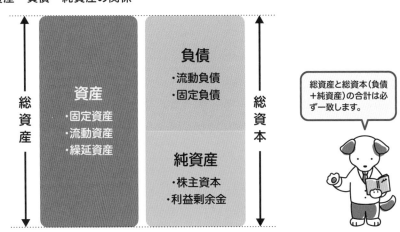

総資産
資産
・固定資産
・流動資産
・繰延資産

負債
・流動負債
・固定負債

純資産
・株主資本
・利益剰余金

総資本

総資産と総資本（負債＋純資産）の合計は必ず一致します。

02 固定資産を取得・管理する

| 頻度 | 発生の都度 | 対象 | — | 時期 | — |

POINT

- 固定資産かどうかを判断するポイントを確認する
- 固定資産の取得価額には、取得するために発生した費用も計上する

固定資産かどうかの判断ポイントと特例

固定資産を取得したら、固定資産台帳に登録します。固定資産かどうかは、「事業のために使用」「使用期間1年以上」「取得価額10万円以上」の要件を満たしているかどうかで決まります。使用期間が1年未満と推測される場合や10万円未満で購入したものは、固定資産台帳への登録は不要です。一般経費として、取得日に全額計上します。

固定資産のうち、有形固定資産と無形固定資産は減価償却の対象になります。ただし、少額の固定資産については減価償却の特例があります。取得価額が10万円以上20万円未満の資産については、一括償却資産として、通常の減価償却ではなく、3年間で均等償却できます。

また、従業員数500人以下の青色申告法人で、資本金または出資金が1億円以下などの要件を満たす場合は、2024（令和6）年3月31日まで（今後延長される可能性あり）に購入した取得価額30万円未満の固定資産については、少額減価償却資産特例として、全額を経費に一括計上できます（年間合計300万円まで）。

取得価額に含むもの、含まないもの

固定資産台帳には、取得価額を記入します。上述の基準もそうですが、税込経理の場合は税込価格、税抜経理の場合は税抜価格で処理します。

また、取得価額には、購入代金のほかに、運送料や設備の設置費用など、取得するために発生した費用も含まれます。

ただし、不動産取得税や自動車取得税、登録免許税やそのほか登記・登録のためにかかった費用、調査費用や測量・設計・基礎工事などで建設計画を変更したため不要となった費用、違約金、借入金の利子については、取得価額に含めません。一般経費として計上します。

経理

人事

総務

「固定資産台帳」の記入例

書類内容	事業に使用する固定資産の取得から処分に至るまでの経緯を管理する台帳
届出先	なし（事業所で7年間保管）

各固定資産の勘定科目や償却資産申告書（240ページ）の資産の種類に合わせるのが一般的。有形固定資産であれば、建物、建物附属設備、車両運搬具、工具器具備品、機械装置など

償却方法と償却率を記入する。償却率は耐用年数と償却方法によって決まる

設置場所を記入する。償却資産税は市区町村が異なると提出先が異なるため、固定資産を移動した場合はその旨も記入

固定資産台帳

会社名　株式会社ビックル　　　　　No.　11

資産名	営業車	資産番号	00011	設置場所	目黒営業所
区分	車両運搬具	勘定科目	車両運搬具	供用日	202V.10.1
耐用年数	6	償却方法	定率法	償却率	0.08

取得年月日	摘要	取得価額			減価償却費	帳簿価額
		数量	単価	総額		
202V.9.20	新規取得	1	－	2,500,000	－	－
202V.10.1	供用開始	1	－	－	－	2,500,000
202W.3.31	減価償却（初年度）	1	－	－	100,000	2,400,000
202X.3.31	減価償却（2年目）	1	－	－	192,000	2,208,000
202Y.3.31	減価償却（3年目）	1	－	－	176,640	2,031,360

耐用年数を記入する。国税庁の耐用年数表を参照

POINT
購入価格ではなく、取得価額である点に注意。運送料や購入手数料など、購入に際して付随してかかった費用も含めて記入する

減価償却費を記入する。定額法では「取得金額×償却率」、定率法では「未償却の残高×償却率」で算出する（256ページ）

帳簿価額を記入する。「前年における未償却残高（初年度目は取得価額）－減価償却費」で算出する

●固定資産かどうかの判断の目安

1 事業のために使用するものか？ ➡ 販売目的のものは棚卸資産となる

2 使用期間は1年以上かどうか？

3 取得価額が10万円以上か？ ➡ 使用期間が1年未満、取得価額が10万円未満のものは「消耗品」「事務用品」として仕訳する

一括償却資産、少額減価償却資産の特例に該当する場合でも、固定資産台帳へ登録が必要です。

03 固定資産を 廃棄・売却する

| 頻度 | 発生の都度 | 対象 | ― | 時期 | ― |

POINT

- 固定資産を廃棄・売却したときは「除却処理」をする
- 修理して資産価値が高まったら固定資産に計上しなければならない

固定資産を廃棄・売却したときの経理処理のしかた

固定資産を廃棄したり売却したりする場合は、固定資産の除却処理をしなければなりません。減価償却の途中で廃棄・売却する場合は、固定資産除却損もしくは固定資産売却損（益）として計上します。それとともに、固定資産台帳にも廃棄や売却の登録をします。

また、減価償却が終わっても、固定資産には残存価額と呼ばれる価値はあり、帳簿上には簿価1円の固定資産として残り続けています。そのため、減価償却が終わった固定資産も除却処理が必要です。廃棄するために費用がかかった場合は固定資産除却損、売却して利益が出た場合は固定資産売却益として計上します。

修繕費を固定資産に計上しなければならない場合

固定資産の多くはメンテナンスが必要です。機器の保守管理、車検の更新、店舗スペースの改装などにかかった費用は「修繕費」の勘定科目で、一般経費として計上します。

ただし、修理によって「固定資産の価値が高まった」「寿命が延長された」「倉庫を店舗に改良するなど用途を変更した」などの場合は、資産が増えたと判断されるため、修繕費ではなく、「資本的支出」として計上します。具体的には、修理費用を取得価額に加算し、減価償却していきます。

修繕費と資本的支出のどちらとするかの判断基準は、以下のいずれかに当てはまる場合は修繕費となります。

・修繕のための支出額が20万円未満
・3年以内に繰り返される修繕
・（資本的支出と修繕費が混在している場合）支出額が60万円未満、または支出額がその資産の前期末の取得価額のおおむね10％相当額以下

上記の基準に当てはまらないものは、資本的支出となります。

経理

人事

総務

📌 固定資産を廃棄・売却したときの処理

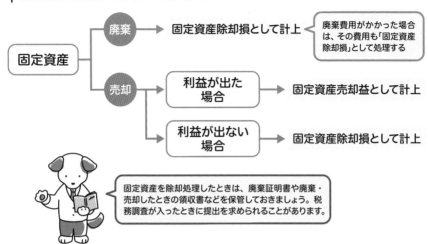

固定資産

廃棄 → 固定資産除却損として計上 — 廃棄費用がかかった場合は、その費用も「固定資産除却損」として処理する

売却
- 利益が出た場合 → 固定資産売却益として計上
- 利益が出ない場合 → 固定資産除却損として計上

固定資産を除却処理したときは、廃棄証明書や廃棄・売却したときの領収書などを保管しておきましょう。税務調査が入ったときに提出を求められることがあります。

📌 修繕費か資本的支出かの判断ポイント

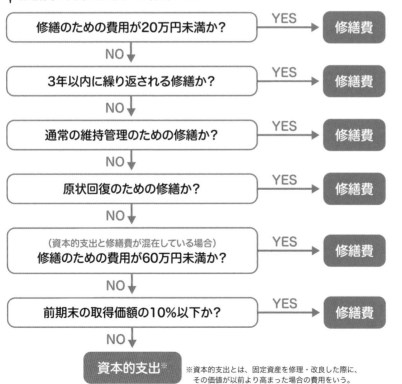

修繕のための費用が20万円未満か？　YES → 修繕費

NO ↓

3年以内に繰り返される修繕か？　YES → 修繕費

NO ↓

通常の維持管理のための修繕か？　YES → 修繕費

NO ↓

原状回復のための修繕か？　YES → 修繕費

NO ↓

（資本的支出と修繕費が混在している場合）
修繕のための費用が60万円未満か？　YES → 修繕費

NO ↓

前期末の取得価額の10％以下か？　YES → 修繕費

NO ↓

資本的支出※　※資本的支出とは、固定資産を修理・改良した際に、その価値が以前より高まった場合の費用をいう。

04 償却資産申告書を提出する

| 頻度 | 年1回 | 対象 | ー | 時期 | 1月1日から1月31日まで |

POINT

- 償却資産税は固定資産のうち、原則として有形減価償却資産に課せられる
- 毎年1月31日までに償却資産申告書を提出しなければならない

償却資産税の対象資産

償却資産とは、事業用資産のうち土地、家屋以外の資産のことです。毎年1月1日現在に所有する償却資産に対して、償却資産税が課せられます。

償却資産税は正式な名称ではなく、固定資産税の一種です。固定資産税というと、土地や建物などの不動産にかかる税金としてなじみ深いですが、償却資産税はパソコンや自動販売機など土地や建物以外の特定の減価償却資産に課せられるものです。

対象となる主な設備は、構築物、機械装置、器具備品などです。一方、車両運搬具（自動車税、軽自動車税の課税対象となるもの）、ソフトウェア、繰延資産のほか、耐用年数1年未満のものや、取得価額が10万円未満の償却資産および一括償却資産は対象外です。

ただし、少額減価償却資産として事業供用年度に全額必要経費に計上したものでも、10万円以上のものは対象になるので注意しましょう。

償却資産申告書の提出は毎年

償却資産は土地や社屋と違って、不動産登記簿などで把握できないため、償却資産が所在する市区町村（東京都なら各区の都税事務所）に償却資産申告書および必要に応じて種類別明細書を毎年1月31日までに提出します。

償却資産税は「課税標準額×税率」で計算します。税率は市区町村で異なりますが、標準的な税率は1.4％です。ただし、会社が納税額を計算する必要

はありません。提出した償却資産申告書の情報に基づき、市区町村側で納税額を決定し、通知されます。償却資産の課税標準額の合計が150万円未満の場合は免税となり、償却資産税は発生しません。150万円未満であっても、償却資産申告書の提出は必要です。なお、償却資産がまったくない場合は、備考欄に「該当資産なし」と記入して提出します。

経
理

人
事

総
務

📌 固定資産台帳への登録の要・不要と償却資産の対象

種類	取得価額	固定資産台帳への登録方法	償却資産の判定
少額減価償却資産	10万円未満	登録不要	対象外
一括償却資産	20万円未満	事業年度単位の合計額	対象外
少額減価償却資産特例	10万円以上30万円未満	個別	対象
その他の減価償却資産	制限なし	個別	対象

ただし、以下のものは対象外
・土地、家屋(附帯設備は除く)・ソフトウェア、権利書などの無形減価償却資産 ・自動車税や軽自動車税が課税されている資産

「償却資産申告書」の記入例

書類内容	土地・家屋以外の償却資産を自治体に申告して、固定資産税の納税額を計算してもらう書類
届出先	資産の所在する事業所を所轄する自治体

前年1月1日現在の償却資産の取得価格合計を種類別に記入する(前年度申告書の合計欄と同額を記入)

前年1月1日から12月31日の間に増減があった場合、金額を記入する。別紙「種類別明細書」の記入が必要

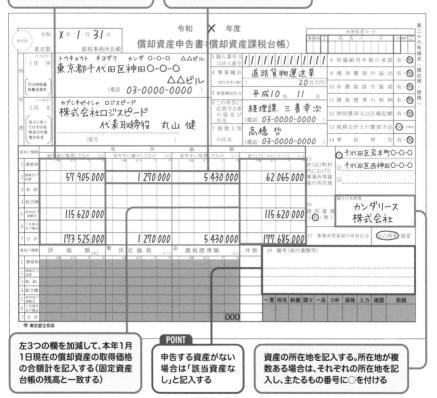

左3つの欄を加減して、本年1月1日現在の償却資産の取得価格の合計計を記入する(固定資産台帳の残高と一致する)

POINT
申告する資産がない場合は「該当資産なし」と記入する

資産の所在地を記入する。所在地が複数ある場合は、それぞれの所在地を記入し、主たるもの番号に○を付ける

05 棚卸資産を管理する

POINT
- 棚卸資産には商品・製品、原材料、半製品、仕掛品などがある
- 在庫を管理するために商品有高帳を作成する

棚卸資産の内容を確認する

　会社が販売目的で所有する商品や製品、その製造のために使われる原材料、半製品や仕掛品、消耗品で貯蔵中のもの（切手・収入印紙・タクシーチケット・高額な消耗品など）などを棚卸資産といいます。対象となるのは商品だけではないことに注意が必要です。

　商品や製品は仕入れたときは費用として処理し、売れれば収益となります。しかし、仕入れた商品がすべて売れるとは限りません。その場合は在庫として会社に残ります。このとき、当期に売れた分は費用とすることができますが、売れ残った分は来期に繰り越されます。当期に売れた分を「売上原価」、来期に繰り越されるものを「期末在庫」といいます。

　この期末在庫を計算することを棚卸といい、棚卸資産は決算書では流動資産に含まれます。

在庫の管理のために「商品有高帳」を作成する

　商品を仕入れたり販売したりすると、在庫も増減します。こうした在庫の管理のために使われる帳簿が、商品有高帳です。在庫の管理は棚卸資産の管理に直結するので、商品有高帳の作成は大切です。

　商品有高帳には、商品ごとに「入出庫日」「入庫数量・単価・入庫額」「出庫数量・単位・出庫額」を記入します。そのほかに、商品ごとの「残高（数量・単価・金額）」も記入します。

　商品有高帳を作成することで、在庫状況を正しく把握できるので、過剰在庫や不良在庫を抱えたり販売機会を逃したりすることがなくなります。

　棚卸資産は正しく申告しないと、正しい決算もできません。そのため会社は、帳簿上の棚卸資産と実際の棚卸資産が一致するかを確認する必要があります。これを実地棚卸といいます。商品有高帳は、帳簿と実地棚卸との差異を計算するための根拠にもなります。

経理
人事
総務

「商品有高帳」の記入例

書類内容	商品の種類別に在庫状況を記録する帳簿
届出先	なし（事業所で7年間保管）

商品名を記入する。商品ごとに商品有高帳を作成する

前月の在庫分を「前月繰越」として月初に記入する

仕入後の単価を記入する。棚卸資産の評価方法である「先入先出法」「移動平均法」のどちらを使うかによって単価の計算方法は異なる

商品有高帳

品名 ○○イベント記念ボールペン　　　　　　　　　　商品番号 121

日付	摘要	受入			払出			残高		
		数量	単価	金額	数量	単価	金額	数量	単価	金額
202X/4/1	前月繰越	10	100	1,000				10	100	1,000
202X/4/10	仕入	10	140	1,400				20	120	2,400
202X/4/16	売上				15	120	1,800	5	120	600
202X/4/20	仕入	20	130	2,600				25	128	3,200
202X/4/24	売上				10	128	1,280			
202X/4/30	次月繰越				15	128	1,920			
		40	−	5,000	40	−	5,000			
202X/5/1	前月繰越	15	128	1,920				15	128	1,920

仕入と売上ごとに数量・単価・金額を記入する。仕入れたときは「受入」欄に、売り上げたときは「払出」欄に記入する

「受入」欄、「払出」欄のそれぞれの合計を記入する

月末の日付を入れ、「次月繰越」として「払出」欄に残っている数量、単価、金額を記入する。通常は赤字で記入

ONE　先入先出法と移動平均法

　同じ商品を仕入れても、時期によって仕入単価が異なるケースもあります。その場合、在庫商品の単価をどうするかが問題になります。在庫の単価を決める方法には、代表的なものとして先入先出法と移動平均法があります。先入先出法は、先に仕入れた商品から順番に売っていくことを前提として、単価を決める方法です。移動平均法は、商品を仕入れるたびに平均単価を算出し、それを単価とする方法です。どの方法にするかは、会社が任意に決められます。なお、税務上は届出がない場合、期中の最終の仕入単価を適用する最終仕入原価法となります。

リース契約でも
固定資産になる？

リース契約と割賦契約の違い

　高額な機械設備やIT機器などをリース契約している会社も多いでしょう。リース契約のほかに割賦契約がありますが、両者の違いをご存じでしょうか。

　リース、割賦ともに、料金を月々支払うという点では同じです。しかし、割賦はリースと違って、契約期間が終了したあとは、所有権が契約者に移行します。簡単にいうと、リースは固定資産を借りて使用料を支払うもの、割賦契約は固定資産を分割払いで購入するようなイメージです。ただし、割賦契約でも、支払い期間中の所有権は留保されます。

減価償却が必要なリース契約とは

　リース契約の場合、機械設備などの所有権はリース会社にありますが、使用会社の固定資産となり、原則として減価償却の対象となります。ただし、以下のように減価償却しないケースもあります。

　リース取引にはファイナンス・リースとオペレーティング・リースの2種類があります。ファイナンス・リースとは、原則として中途解約できず、「リース料総額の現在価値がリース物件購入見積額のおおむね90％以上」か、「解約不能のリース期間が物件の経済的耐用年数のおおむね75％以上」のいずれかの条件を満たすリース契約のことを指します。それ以外をオペレーティング・リースといいます。また、ファイナンス・リースには、契約期間終了後に所有権が契約者に移行する「所有権移転ファイナンス・リース」と、所有権が移行しない「所有権移転外ファイナンス・リース」があります。前者は、内容的には割賦契約とほぼ同じです。

　減価償却の対象となるのはファイナンス・リースです。ただし、所有権移転ファイナンス・リースは通常の資産と同様の減価償却を行いますが、所有権移転外ファイナンス・リースは減価償却の方法が異なるので注意しましょう。

　オペレーティング・リースは、内容的にレンタルとほぼ変わらないものと見なされるため、減価償却の対象とはなりません。リース料金はその都度費用として計上することになります。

第 10 章

決算処理を行う

期末日時点の資産や負債を確定させ、1年間の会社の損益を計算することを決算といいます。会社の財政状態や1年間の経営成績をまとめたものが決算書で、日々の経理業務の最終的な目的は決算書の作成です。決算書は株主や金融機関に会社の現状を知らせるものであるとともに、正しく税務申告するためにも大切な書類です。決算の手順から税務申告書の作成・提出までの流れを確認しておきましょう。

01 決算の流れを把握しよう

| 頻度 | ― | 対象 | ― | 時期 | ― |

POINT
- 決算は、1年間の業績と累積された財政状態を書類にし、納税するもの
- 決算のスケジュールを組むためには、決算の流れを把握することが大切

年に1回の決算は会社法上の義務

決算とは、一定期間における業績と過去から累積された財政状態を確定させる一連の手続きのことです。

このうち、年次決算については原則として、事業年度の終了日の決算日（期末）の翌日から2カ月以内に決算書類を作成し、確定申告を行わなければなりません。法人税・法人住民税・特別法人事業税・法人事業税・消費税

の納付も同期限内に済ませます。期限を過ぎた場合、延滞税や無申告加算税などが課される可能性があります。

また、2期連続で遅れると、青色申告の承認が取り消され、少なくとも2年間は白色申告となります。青色申告で認められている欠損金の繰越控除などの節税メリットを受けられなくなるため、大きな痛手となります。

決算の流れと、作成が必要な書類

決算を効率的かつ正確に行うためには、日々の経理業務を間違いなく行っているとともに、申告期限から逆算し、余裕を持ったスケジュールを組み立てることがポイントです。

実作業としては、預貯金などすべての残高を確認するとともに、売上や費用の計上漏れがないかをチェックします。また、棚卸を行って在庫残高を調べ、売上原価（254ページ）を確定させます。固定資産の当期分の費用については減価償却費として、将来的に取

立不能の可能性の高い売掛金などについては貸倒引当金として計上します。

その結果を決算書（財務諸表）にまとめます。作成が必要なのは、貸借対照表、損益計算書、株主資本等変動計算書、個別注記表です（上場企業では、キャッシュフロー計算書も必要です）。

決算書を作成したら、定時株主総会を開催して、株主の承認を受けます。その後は前述のとおり、各税金についての確定申告書を作成して、所轄の税務署に提出し、税金を納付します。

経理
人事
総務

決算のスケジュール例（3月決算の場合）

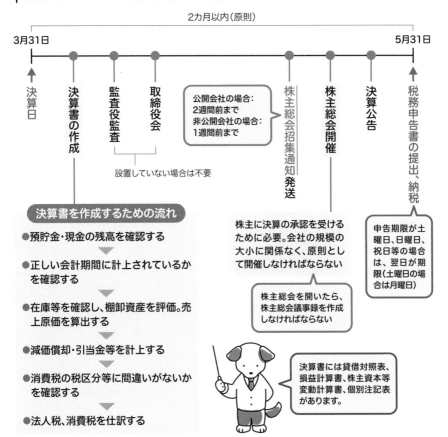

2カ月以内（原則）

3月31日 — 5月31日

- 決算日
- 決算書の作成
- 監査役監査
- 取締役会
- 公開会社の場合：2週間前まで　非公開会社の場合：1週間前まで
- 株主総会招集通知発送
- 株主総会開催
- 決算公告
- 税務申告書の提出、納税

設置していない場合は不要

決算書を作成するための流れ

- ●預貯金・現金の残高を確認する
- ●正しい会計期間に計上されているかを確認する
- ●在庫等を確認し、棚卸資産を評価。売上原価を算出する
- ●減価償却・引当金等を計上する
- ●消費税の税区分等に間違いがないかを確認する
- ●法人税、消費税を仕訳する

株主に決算の承認を受けるために必要。会社の規模の大小に関係なく、原則として開催しなければならない

株主総会を開いたら、株主総会議事録を作成しなければならない

申告期限が土曜日、日曜日、祝日等の場合は、翌日が期限（土曜日の場合は月曜日）

決算書には貸借対照表、損益計算書、株主資本等変動計算書、個別注記表があります。

ONE 決算公告とは？

　株式会社は定時株主総会で決算が確定したら、決算書を公告することが義務づけられています。大会社の場合は貸借対照表と損益計算書、大会社でない場合は貸借対照表を公告します。公告の方法には「官報での公告」「日刊新聞紙での公告」「電子公告」の3種類があります。定款に定めがない場合は「官報での公告」になります。

　決算公告を怠った場合、株式会社の取締役・監査役等の役員は「100万円以下の過料」の対象となりますが、官報でも数万円の費用がかかることもあって、ほとんどの中小企業は行っていないのが実状です（電子公告はURLの登記費用等を除けば、原則無料）。

02 当期分の帳簿を 確定させる

POINT

- 残高証明書が必要なものは早めに取り寄せる
- 売掛金、買掛金、仮払金は、当期に計上すべき取引の漏れに注意する

実際の残高と帳簿残高の過不足を確認する

右ページは、法人税等の計算方法です。所得金額が正しく計算されていないと、税額も正しく計算できません。決算の作業に入る前に、帳簿の内容をきちんと確定させることが大切です。

現金については、実際の残高と帳簿の残高を照合します。現金商売の業種や支店・営業所の多い会社では、紙幣や硬貨別に枚数と金額を数えると、帳簿と残高が一致しないときに、原因を発見しやすくなります。

預金については、通帳もしくは金融機関から期末日の残高証明書を取り寄せて、帳簿残高と突き合わせます。残高証明書の発行に日数がかかることもあるので、早めに請求しましょう。

現預金の残高が帳簿上の残高と一致しないときは、帳簿を修正します。原因が不明な場合は、「現金過不足」(112ページ)の勘定科目で処理します。

正しい会計期間に計上されているかを確認する

売掛金については、取引先別に残高を集計します。その際に、入金が翌期となるため、当期に計上漏れしているものがないかを確認します。売掛金、売上の計上日は注文日や代金の入金日ではなく、商品・サービスの提供日です(116ページ)。先に代金を受け取っていて、商品・サービスの提供が翌期になるものは売掛金ではなく、前受金となります。

買掛金も同様に、取引先別に残高を集計し、正しい会計期間に計上されているかを確認します。支払いが翌期でも、販売目的の商品や材料の仕入代金については、費用収益対応の原則(117ページ)により当期に計上します。反対に、当期に支払い済みでも、商品・サービスの提供を受けていないものは、買掛金ではなく前払金となります。

仮払金についても、すでに使った費用は対応する勘定科目に振り替えて、当期の費用として計上します。

経理

人事

総務

📌 普通法人（資本金1億円以下）の税額の計算方法・税率

●法人税・地方法人税（国税）

$$\text{法人税額} = \text{所得金額} \times \text{法人税率} - \text{各種税額控除}$$

$$\text{地方法人税額} = \text{法人税額} \times 10.3\%$$

地方法人税は「地方税」ではなく、国から各自治体に交付する「地方交付税」の財源となる「国税」です。

種別			税率
資本金1億円以下の法人など※1	課税所得800万円以下の部分	下記以外の法人	15%
		適用除外事業者※2	19%
	課税所得800万円超の部分		23.2%

※1 各事業年度終了の時において、相互会社、大法人、特定法人などに該当するものは除く
※2 通算制度における適用除外事業者を含む

●法人住民税（地方税）の標準税率

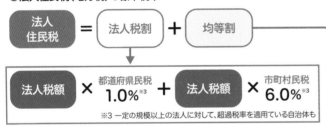

$$\text{法人住民税} = \text{法人税割} + \text{均等割}$$

$$\text{法人税額} \times \underset{1.0\%^{※3}}{\text{都道府県民税}} + \text{法人税額} \times \underset{6.0\%^{※3}}{\text{市町村民税}}$$

※3 一定の規模以上の法人に対して、超過税率を適用ている自治体も

資本金等の額	都道府県税均等割	市町村民税均等割	
		従業員数50人超	従業員数50人以下
1,000万円以下	2万円	12万円	5万円
1,000万円超1億円以下	5万円	15万円	13万円

※ 上記の金額は東京都の場合。地方自治体によって金額は異なる

●法人事業税・特別法人事業税（地方税・国税）の標準税率

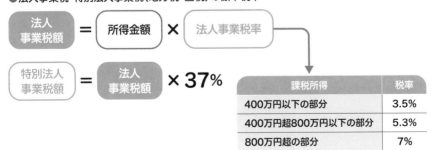

$$\text{法人事業税額} = \text{所得金額} \times \text{法人事業税率}$$

$$\text{特別法人事業税額} = \text{法人事業税額} \times 37\%$$

課税所得	税率
400万円以下の部分	3.5%
400万円超800万円以下の部分	5.3%
800万円超の部分	7%

03 期ずれしている取引を 経過勘定科目で処理する

| 頻度 | 年1回 | 対象 | ― | 時期 | 事業年度末前後 |

POINT
- 翌期の費用や収益となるものついては決算整理仕訳を行う
- 本来の事業活動以外の商品やサービスで継続的に授受しているものが対象

未払費用と未収収益

当期に計上すべき取引を判別し、該当しないものは、翌期への持ち越しがわかるように決算整理仕訳を行います。一定の契約に基づき、本来の事業活動以外の商品やサービスで継続的に授受しているものが主な対象です。以下の4つの経過勘定科目で処理します。

●未払費用

地代家賃、給与手当、水道光熱費、損害保険料など、決算日までに継続的に提供を受けた商品・サービスのうち、費用が未払いのものです。決算月が3月で、3月分の家賃を4月10日に支払う契約の場合、期末時点で3月分の家賃の支払いが済んでいません。こうしたときに未払費用として計上します。

同じ後払いとなる買掛金、未払金と混同しやすいので注意しましょう。買掛金は仕入れ代金が対象である点、未払金は単発で発生する費用に限られる点で、未払費用と異なります。

●未収収益

継続的に収入を得ている地代家賃や貸付金の利息などのうち、当期にサービスを提供した分で、支払い期日が翌期となるものです。売掛金、未収入金（未収金）と混同しないように注意しましょう。

前払費用と前受収益

●前払費用

保険や保守契約など翌期にまたがるサービスに対して、すでに代金の支払いが済んでいて、翌期にサービスの提供が残されているものに対応する費用です。前払金（248ページ）と混同しないように注意しましょう。

●前受収益

前受金のうち、未提供の部分を翌期以降に繰り延べる際に用います。地代家賃や貸付金の利息、サブスクリプションサービスなどのうち、翌期以降の代金を受け取っているものが対象です。

📌 前払費用の仕訳例

3年契約の損害保険料を支払った（期末：3月31日、保険料の支払い：前年11月1日）

〈手付金の受け取り時〉

借方勘定科目	借方金額	貸方勘定科目	貸方金額	摘要	
保険料	144,000	普通預金	144,000	損害保険料（3年分）	
借方合計	144,000	貸方合計	144,000	貸借バランス	0

支払った全額を計上

翌期12カ月分の権利を前払費用として、資産に振り替える（繰り延べる）

〈期末時〉

借方勘定科目	借方金額	貸方勘定科目	貸方金額	摘要	
前払費用	48,000	保険料	124,000	損害保険料（翌期分）	
長期前払費用	76,000			損害保険料（翌々期分）	
借方合計	124,000	貸方合計	124,000	貸借バランス	0

支払った保険料から、当期分の保険料（5カ月分）の20,000円と翌期分の48,000円を差し引いた金額を計上

〈翌期〉

借方勘定科目	借方金額	貸方勘定科目	貸方金額	摘要	
保険料	48,000	前払費用	48,000	損害保険料への再振替え	
借方合計	48,000	貸方合計	48,000	貸借バランス	0

期末に資産として計上した分を、再度、保険料に振り替える

期末では、従業員の給与の未払金についても注意しましょう。3月決算で「20日締め、当月25日」払いのような場合、3月21日から3月31日までの給与が未払費用となります。未払金とは異なるので注意しましょう。なお、役員報酬については日割の考え方はしないため、未払費用にすることはできません。

▶ONE 短期前払費用の特例

　前払費用に該当する場合でも、1年以内に役務（サービス）を受けるものについては、支払った日の属する事業年度の損金に算入してもいいことになっています。ただし、毎期継続して経費に計上することが前提です。ある事業年度は前払費用として処理し、ある事業年度では当期の損金とすることはできません。納税逃れの利益操作とみなされるからです。

04 棚卸資産を評価する

| 頻度 | 年1回 | 対象 | ― | 時期 | 事業年度末前後 |

POINT
- 棚卸資産の評価によって、売上原価および所得と納税額が違ってくる
- 完成品以外の棚卸資産も漏れなく評価する

在庫の価値を評価する

242ページで説明したとおり、棚卸資産とは、販売目的で一時的に保有している商品・製品・半製品・仕掛品および製造に必要な原材料などの総称です。決算では、期末における棚卸資産の在庫数量を確認し、その資産価値を金額に換算して計上します。

具体的な手順としては、まず実際の在庫数量を数えて（実地棚卸）、棚卸表を作成します。仕入れ先の工場や配送業者の倉庫にある商品、輸送中の商品も取りこぼしのないように数えます。一方、ディスプレー用の商品などは対象外とします。

実際の在庫数量と帳簿上の数量が合わない場合には、「（帳簿棚卸数量－実地棚卸在庫数量）×在庫単価＝棚卸減耗費」を算出し、「棚卸減耗費〇〇円／商品〇〇円」の仕訳で金額を一致させます。

棚卸資産の評価法

続いて、期末における棚卸資産を評価し、期末棚卸高を求めます。評価方法には「原価法」と「低価法」の大きく2つがあります。

原価法は、商品を仕入れた原価に基づいて評価する方法です。6種類の計算方法があり、どれを選んでもかまいませんが、計算結果は異なります。最も計算が簡単なのは、最後に仕入れた単価で評価する最終仕入原価法です。

一方、低価法は、原価法による評価額と、期末時点での時価を比べて、低いほうを評価額とするものです。低価法を採用するには、原価法のどの計算方法と比較するのか、事業年度の開始日の前日までに税務署へ棚卸資産の評価方法の届出を提出しなければなりません。低価法を一度選択すると、最低でも3年間は継続する必要があります。自分の会社がどのような評価方法を採

経理

人事

総務

Keyword 半製品　自社製品としては未完成だが、外部への販売が可能な状態の製造途中の製品。
仕掛品　原材料を加工しているが、そのままの状態では出荷・販売できない製造途中の製品。

📌 棚卸資産の計算方法

各商品の単価 × 期末の在庫数 = 当期棚卸資産高

● 棚卸資産の評価方法　棚卸資産の計算方法の違いは、「各商品の単価」の求め方の違い

名称			評価方法
原価法	個別法		期末棚卸資産の全商品について、実際の取得価額を個々に調べて評価額とする方法。基本的な方法だが手間がかかり、実際の計算は難しい
	先入先出法		実際の商品や原料の流れとは無関係に、先に入荷されたものから順に払い出されると仮定して単価を決定し、評価額を計算する方法
	平均原価法	総平均法	期首棚卸残高と期中仕入高の合計額をそれらの総数量で割った単価で、評価額を計算する方法
		移動平均法	仕入の都度{(残高金額＋仕入金額)÷(残高総数＋仕入総数量)}で単価を計算し、期末からいちばん近い単価で評価額を計算する方法
	最終仕入原価法		最後に仕入れたものが期末に残っていると仮定し、最終仕入単価で計算する方法
	売価還元法		期末棚卸資産の通常の販売価格に、一定の原価率を掛けて評価額を計算する方法。小売業など、商品数が多い業種で利用される事が多い
低価法			上記の原価法で計算した評価額と、期末時点の時価(再調達価額)を比較して、低いほうの価額を評価額とする方法

〈計算例〉

最後の仕入日：3月20日、期末：3月31日、年末の在庫数：150個
最後の仕入値（単価）：100円、3月31日時点での時価（単価）：90円

最終仕入原価法での計算

計算法　最後の仕入単価 × 年末の在庫数 = 期末棚卸高

100円 × 150個 = 15,000円

低価法での計算

計算法　最後の仕入単価 × 年末の在庫数 = 期末棚卸高

90円 × 150個 = 13,500円

このケースでは、低価法で計算したほうが有利になります。

253

用しているのか確認しましょう。

なお、実地棚卸の結果、

①災害で著しく損傷した

②季節商品で売れ残った

③新製品の発売により、陳腐化した

④破損や型崩れ、品質変化などにより

商品価値が下がった

以上のいずれかの理由により、正規の値段で販売できなくなった商品については、期末時点での処分可能価額（売却見込額）を評価額とすることができます。

売上原価を算出する

期末棚卸高が確定したら、右ページの計算式で、売上原価を算出します。総売上高から、この売上原価と販売費及び一般管理費を差し引いたものが、当期の所得となります。法人税等はこの所得をもとに計算します。

見方を変えると、売上原価が多いほど所得が減り、納税額が少なくて済むということです。さらにさかのぼると、当期の期末棚卸高が少ないほど、売上原価は多くなります。つまり、棚卸資産の評価が低いほうが、節税につながることを覚えておきましょう。

そのため、不良在庫を廃棄する場合には、廃棄した理由や廃棄したことを確実に証明できるようにしておく必要があります。廃棄損を計上するほど納税額が減るため、税務調査の際に厳しく追及されるからです。廃棄前の状態や廃棄業者への引き渡し時の様子を日付入りで写真に記録し、リストを作成しておくようにしましょう。

ONE　商品を扱わない業種にも仕掛品がある!

デザイン事務所やゲーム業界、建設業などでは、仕事の完了が事業年度をまたぐことが珍しくありません。売上を請求できるのは、翌期以降ということが多いのではないでしょうか。しかし、当期の作業分について、すでに外注費などを支払っていることも多いはずです。

このままでは、費用収益対応の原則からはずれてしまいます。そこで、支払いをしたときには「外注費（または仕入高）〇〇円／普通預金〇〇円」と仕訳し、決算にあたって「仕掛品〇〇円／外注費（または仕入高）」と仕訳します。そして翌期に「外注費（または仕入高　※「期首仕掛品棚卸高」でもOK）〇〇円／仕掛品〇〇円」として、仕掛品として繰り越した分を経費に戻します。

📌 売上原価の計算方法

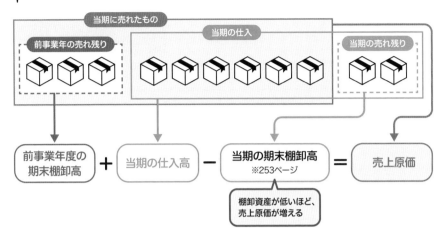

📌 売上原価と利益の関係

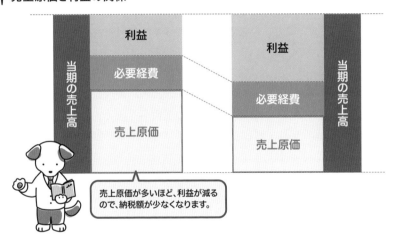

売上原価が多いほど、利益が減るので、納税額が少なくなります。

📌 棚卸の仕訳例

期末の棚卸により、期首の在庫と期末の在庫を振り替えた

借方勘定科目	借方金額	貸方勘定科目	貸方金額	摘要	
期首商品棚卸高	200,000	商品	200,000	期首分振替	
商品	500,000	期末商品棚卸高	500,000	期末分振替	
借方合計	700,000	貸方合計	700,000	貸借バランス	0

05 固定資産、繰延資産を処理する

| 頻度 | 年1回 | 対象 | 一 | 時期 | 事業年度末前後 |

POINT
- 固定資産は減価償却費として経費を計上する
- 繰延資産は会社法と税法で償却方法が異なる

耐用年数と減価償却費の計算方法

30万円以上の固定資産は購入した事業年度に全額経費として計上することはできません。数年にわたり、徐々に計上します。これを減価償却といい、その年に計上できる経費のことを減価償却費といいます。

減価償却を何年で行うかは、固定資産ごとの法定耐用年数によります。たとえば、パソコンであれば、法定耐用年数は4年です。4年かけて減価償却費を計上していくことになります。

減価償却費の計算方法は、大きく分けて定額法と定率法の2種類があります。定額法は毎年同額を償却、定率法は初年度に大きく償却して、その後、年々、償却費を減らしていくものです。

法人の場合、有形固定資産のうち建物や建物附属設備、構築物については定額法と決まっています。それ以外の有形固定資産については定率法が原則ですが、税務署へ届け出れば、定額法への変更も可能です。また、特許権や商標権などの無形固定資産は定額法です。なお、借地権、地上権、地役権といった土地の上に存在する権利や著作権は減価償却の対象外となります。

会計ソフトに登録する際の注意点

減価償却費自体は、会計ソフトの固定資産台帳に登録しておけば、自動計算してくれるため、難しいことではありません。注意が必要なのは、会計ソフトに固定資産を登録するときに正しい情報を入力することです。

取得価額には、購入代金のほかに運送料や設置費用なども含めなければなりません。一方、不動産取得税や自動車取得税、登録免許税、また割賦販売契約で取得した資産に対する利息などは含めないこともできます。

年の途中で購入した固定資産については、購入月から期末月の月数分だけ計上します（月末に購入した場合も1カ月として計算します）。

Keyword　地上権　借地人が土地を直接利用できる権利。所有者の許諾なしで建物の売却等が可能。
地役権　自分の土地が便益を受けるために、他人の土地を使用できる権利。

経理
人事
総務

📌 主な固定資産の耐用年数

資産	構造・細目		耐用年数
建物	鉄筋鉄骨コンクリート造または鉄筋コンクリート造	事務所	50年
		店舗	39年
		工場、倉庫*	38年
	金属造 4mm超	事務所	38年
		店舗	34年
		工場、倉庫*	31年
	金属造 3mm超4mm以下	事務所	30年
		店舗	27年
		工場、倉庫*	24年
	金属造 3mm以下	事務所	22年
		店舗	19年
		工場、倉庫*	17年
	木造または合成樹脂	事務所	24年
		店舗	22年
		工場、倉庫*	15年
	木造モルタル造	事務所	22年
		店舗	20年
		工場、倉庫*	14年
車両	小型車(0.66リットル以下)		4年
	その他(貨物・報道用を除く)		6年
	自転車		2年

＊一般用

資産	構造・細目		耐用年数
建物附属設備	電気設備	蓄電池電源設備	6年
		その他	15年
	給排水、衛生、ガス設備		15年
	冷暖、暖房、通風、ボイラー	冷暖房設備(冷凍機の出力22kW以下)	13年
		その他	15年
	消火、排煙、災害報知設備		8年
	可動間仕切り	簡易なもの	3年
		その他	15年
事務用品	事務机・椅子	金属製	15年
		木製	8年
	応接セット	接客業務用	5年
		その他	8年
	冷暖房機器		6年
	電子計算書	パソコン(サーバーを除く)	4年
	その他(FAXなど)		5年
	コピー機		5年
無形固定資産	特許権		8年
	商標権		10年
	ソフトウェア	複写して販売するための原本	3年
		自社利用目的	5年
	営業権		5年

📌 中古品を購入した場合の計算方法

●法定耐用年数を超えたものを購入した場合

法定耐用年数 × 20% ＝ その資産の耐用年数

●法定耐用年数内のものを購入した場合

(法定耐用年数 － 経過年数) ＋ 経過年数 × 20% ＝ その資産の耐用年数

中古品を購入した場合は、個別に耐用年数を見積もります。前ページの計算式を参考にしてください。

なお、減価償却費の計算の対象は、期末に使用している固定資産（減価償却資産）に限られます。期中に売却や廃棄したものについては、その時点で固定資産売却益、固定資産売却損、固定資産除却損の勘定科目で仕訳します（238ページ）。

繰延資産の償却

減価償却資産と同じように、何年かかけて償却するものに繰延資産があります。費用でありながら、その支出効果が期をまたいで及ぶものです。

会社法上の繰延資産には、創立費、開業費、株式交付費、社債発行費、開発費があります。それぞれ定められた償却期間内に、定額法で償却するか、任意の時点で一括償却するかを選ぶことができます。

このほか、税法上の繰延資産（下表）があります。こちらについてはいったん長期前払費用（103ページ）として資産に計上してから、定められた年数で償却していきます。償却限度額は「繰延資産の取得価額×（その事業年度の月数*÷効果の及ぶ期間の月数）」で計算します（*当期に購入した場合は「支出の日から事業年度終了の日までの月数」）。繰延資産に該当するかどうかの判断は難しいため、税務署などに相談しましょう。

🔖 繰延資産の種類

●会社法上

勘定科目	対象	償却期間
創立費	会社の設立のために要した費用。司法書士報酬や登録免許税、設立前の事務所の敷金・従業員の給与・消耗品費・交通費など	5年
開業費	会社設立後、開業準備のために要した費用。事務所の敷金や礼金、机や椅子などの消耗品費、ホームページの制作費など	5年
株式交付費	新株発行等のために要した費用。司法書士報酬や登録免許税、金融機関等の取扱手数料など	5年
社債発行費	社債を発行するために要した費用。広告費、登録免許税、金融機関等の取扱手数料、目論見書等の印刷費など	社債の償還期限内
開発費	新技術や新市場の開拓などに要した費用。毎年、定期的に支出される費用は除く	3年

●税法上

対象	償却期間
自己が便益を受ける公共施設や共同的施設の設置または改良のための費用	共用施設耐用年数の70％に相当する年数（共同設備の場合は5年）
建物や設備を借りる、または使用のために支出する費用や立退料	建物の場合その建築物の耐用年数の70％に相当する年数（設備等の場合は5年）
製品や技術の提供を受けるために支出する頭金や権利金	5年（契約年数が5年未満の場合はその契約期間の年数）
製品等の広告宣伝用の材料を代理店などに贈与したことに伴う費用	その資産の耐用年数の70％相当の年数（耐用年数がそれ未満の場合はその耐用年数）
同業者の協会・団体への加入など、その他の便益を受けるために支出した費用	5年

経理

人事

総務

📌 減価償却費の仕訳例

期末に年間の減価償却費を計上した

有形固定資産で間接法の場合。直接法の場合、該当の固定資産の勘定科目を使用 ※どちらも選択可能

〈有形固定資産、定額法の場合〉

借方勘定科目	借方金額	貸方勘定科目	貸方金額	摘要	
減価償却費	800,000	減価償却累計額	800,000	建物減価償却	
減価償却費	400,000	減価償却累計額	400,000	車両減価償却	
借方合計	1,200,000	貸方合計	1,200,000	貸借バランス	0

固定資産のグループ別に年間合計額を算出

〈無形固定資産、取得価額500,000円、耐用年数5年、定額法の場合〉

借方勘定科目	借方金額	貸方勘定科目	貸方金額	摘要	
減価償却費	100,000	ソフトウェア	100,000	ソフトウェア減価償却	
借方合計	100,000	貸方合計	100,000	貸借バランス	0

無形固定資産については各内容のわかる勘定科目を使用

期末に年間の一括償却資産について減価償却費を計上した

借方勘定科目	借方金額	貸方勘定科目	貸方金額	摘要	
減価償却費	410,000	一括償却資産	410,000	一括償却資産償却	
借方合計	410,000	貸方合計	410,000	貸借バランス	0

410,000円＝180,000円（前々期の取得価額の合計）×1/3 ＋630,000円（前期の取得価額の合計）×1/3＋420,000円（当期の取得価額の合計）×1/3

一括償却資産については、取得した事業年度ごとに取得価額を合計し、3期にわたって全額を償却する

〈取得時（当期分）の仕訳〉

借方勘定科目	借方金額	貸方勘定科目	貸方金額	摘要	
一括償却資産	420,000	普通預金	420,000	コピー機3台購入	
借方合計	420,000	貸方合計	420,000	貸借バランス	0

📌 繰延資産の仕訳例

開業費として計上してあった30万円を3期目に一括償却した

借方勘定科目	借方金額	貸方勘定科目	貸方金額	摘要	
繰延資産償却	300,000	開業費	300,000	償却	
借方合計	300,000	貸方合計	300,000	貸借バランス	0

06 法人税・消費税を計上する

| 頻度 | 年1回 | 対象 | ― | 時期 | 事業年度末前後 |

POINT

● 引当金のうち、貸倒引当金は損金になる
● 決算書の作成前に法人税や消費税の納税予定額を仕訳する

必要に応じて貸倒引当金を計上する

前節までの作業で決算書の作成に必要な基本的な仕訳は完了です。ここからは最後の詰めとなります。

まず、将来発生することが確実視される費用がある場合、必要に応じて引当金を計上します。引当金には、修繕引当金、賞与引当金、退職給付引当金などがありますが、これらは実質的に積立金と変わりないため、損金にはなりません。社内で各資金がどれだけ留保されているかを確認できるようにしておくための仕訳となります。

損金になるのは貸倒引当金のみです。貸倒引当金は原則として資本金1億円以下の企業に認められているもので、売掛金や貸付金などが回収不能になった場合に備えて、事前に損失額を見積もって計上しておくものです。計算が複雑なため、計上が必要な場合は税務署や税理士などに相談しましょう。

法人税等の納税額を仕訳する

最後に必要なのは、法人税などの引き当てです。当期の法人税・法人住民税・法人事業税・消費税を納付するのは翌期に入ってからですが、決算では当期の費用として計上します。そのため、それぞれの税額を計算し、当期の帳簿に仕訳し、決算書に反映させなければなりません。

法人税等の税率および計算方法は右ページのとおりです。ただし、一般的には、税理士などに計算してもらうか、専門の法人税申告ソフトを利用するため、転記するだけで済みます。

消費税額については、一般的な会計ソフトであれば自動集計されます。こちらも当期の帳簿に仕訳しなければなりません。注意点は、会計ソフトの設定時に、原則課税・簡易課税の選択を間違えないこと。また、原則課税では、各ソフトのエラーチェック機能を利用するなどして、税区分に間違いがないかを確認しましょう。

経理

人事

税務

⚑ 法人税、法人住民税、法人事業税・特別法人事業税、消費税関連の仕訳例

期末に法人税、法人住民税、法人事業税・特別法人事業税を計上した

借方勘定科目	借方金額	貸方勘定科目	貸方金額	摘要	
法人税等	180,000	未払法人税等	180,000	当期分の法人税、住民税及び事業税額	
借方合計	180,000	貸方合計	180,000	貸借バランス	0

翌期に法人税、法人住民税、法人事業税・特別法人事業税を納付した

借方勘定科目	借方金額	貸方勘定科目	貸方金額	摘要	
未払法人税等	180,000	普通預金	180,000	法人税納付	
借方合計	180,000	貸方合計	180,000	貸借バランス	0

> 前事業年度の消費税の納付額が48万円超の事業者は、税務署から納付書が届く

消費税の中間申告・納付をした

借方勘定科目	借方金額	貸方勘定科目	貸方金額	摘要	
仮払金	330,000	普通預金	330,000	消費税中間申告	
借方合計	330,000	貸方合計	330,000	貸借バランス	0

> 税抜経理では「未払消費税等」、税込経理では「租税公課」の勘定科目でもOK

消費税の確定納税額を計上した

> 仕入や経費で支払った消費税の総額

> 消費税の中間納付をしていた場合

〈税抜経理の場合〉

借方勘定科目	借方金額	貸方勘定科目	貸方金額	摘要	
仮受消費税等	1,500,000	仮払消費税等	720,000	消費税精算仕訳	
		仮払金	330,000	中間消費税	
		未払消費税等	449,800	確定納付額	
		雑収入	200	消費税精算仕訳差異	
借方合計	1,500,000	貸方合計	1,500,000	貸借バランス	0

> 売上時に預かった消費税の総額

> これから支払わなければならない消費税の納税額

> 税抜経理では、消費税の端数処理の影響で、仮受消費税と仮払消費税に差額が生じるため、「雑収入」「雑損失」で仕訳して調整する

〈税込経理の場合〉

借方勘定科目	借方金額	貸方勘定科目	貸方金額	摘要	
租税公課	449,800	未払消費税等	449,800	確定納付額の未払処理	
借方合計	449,800	貸方合計	449,800	貸借バランス	0

> 税込経理では、上記の未払処理をせず、翌期に「租税公課449,800／現金449,800」の一度の仕訳で済ますこともできる。自社の処理方法を要確認

翌期に消費税を納税した（税抜経理、税込経理とも）

借方勘定科目	借方金額	貸方勘定科目	貸方金額	摘要	
未払消費税等	449,800	普通預金	449,800	確定消費税額　申告納付	
借方合計	449,800	貸方合計	449,800	貸借バランス	0

07 決算書の最終確認を行う

| 頻度 | 年1回 | 対象 | ― | 時期 | 事業年度末前後 |

POINT
- 決算書の目的、つくり、数字の理解がミスの発見に不可欠
- 決算書が読めるようになると、経理の仕事や経営状態への理解が深まる

貸借対照表の確認ポイント

決算書に不備がないかを確認するには、決算書の見方を知っておく必要があります。決算書のつくりがわかると、日々の業務への理解も深まります。

貸借対照表が示すのは、企業の一定時点の財政状態です。借方（左側）が資産、貸方（右側）が負債と純資産で、常に「資産＝純資産＋負債」となります。勘定科目の5つのグループ（101ページ）のうちの3つで構成されます。

自己資金3,000万円、借入7,000万円で1億円の土地を購入した場合、資産となるのは1億円の土地、純資産は自己資金の3,000万円、融資を受けた7,000万円が負債となります。見方を変えると、左側の資産は「資金の使途」、右側の負債と純資産は「資金の調達方法」を示しているともいえます。

会計上の資産は資金の使途にすぎないため、財政状態の判断には、資金の調達方法の確認が重要です。1年以内に返済期限の訪れる流動負債（買掛金・短期借入金など）の合計額が、現金化しやすい流動資産（現金・預金・売掛金など）を上回っている場合は要注意です。急な返済に対応できません。

損益計算書の確認ポイント

損益計算書は、当期の利益もしくは損失を示しています。前述の勘定科目のグループの残り2つの「収益－費用」で利益を計算します。その際、費用は段階的に差し引き、どのような活動で上げた利益かがわかるように、以下の5つの利益が記載されています。

①**売上総利益**

「売上高－売上原価（254ページ）」で計算します。粗利のことです。

②**営業利益**

「売上総利益－販売費及び一般管理費」で計算します。本来の営業活動で上げた利益です。

③**経常利益**

「営業利益＋営業外収益（受取利息、有価証券売却益など本来の営業活動以外からの収益）－営業外費用（支

経理

人事

総務

262

貸 借 対 照 表

（令和 X 年 3 月 31 日現在）

（単位：千円）

資　産　の　部		負　債　の　部	
科　目	金　額	科　目	金　額
【流動資産】	17,260	【流動負債】	18,470
現金及び預金	5,240	支払手形	1,240
受取手形	820	買掛金	5,380
売掛金	7,428	短期借入金	3,000
商品及び製品	2,582	未払費用	500
仕掛品	1,030	未払消費税	2,700
原材料及び貯蔵品	540	未払法人税等	3,830
前払費用	200	預り金	1,820
未収入金	300	【固定負債】	65,700
貸倒引当金	△880	長期借入金	53,700
【固定資産】	109,410	その他の固定負債	12,000
［有形固定資産］	102,510	負債の部合計	84,170
建物	25,224	純　資　産　の　部	
建物附属設備	2,500	【株主資本】	
機械装置	11,515	［資本金］	10,000
車両運搬具	3,500	資本金	10,000
工具器具備品	371	［資本剰余金］	10,000
土地	59,400	資本準備金	10,000
［無形固定資産］	1,600	［利益剰余金］	23,500
ソフトウェア	1,600	利益準備金	3,000
［投資その他の資産］	5,300	繰越利益剰余金	20,500
投資有価証券	2,800		
その他投資等	2,500		
【繰延資産】	1,000		
開業費	1,000	純資産の部合計	43,500
資産の部合計	127,670	負債および純資産合計	127,670

他人資本

資金の調達方法

自己資本

負債の部と純資産の部で集めた資金の使途

第 **10** 章

決算処理を行う

流動資産と固定資産の違いは、短期的に現金化しやすいか、しにくいか。流動負債と固定負債の違いは、支払い期限が1年以内か、1年超かです。101ページで説明した勘定科目のグループとの関係も確認しましょう！

払利息、有価証券評価損など本来の営業活動以外からの損益）」で計算します。会社の収益力を示します。

④税引前当期純利益

「経常利益＋特別利益－特別損失」で計算します。経常利益の対象外である災害による損害や固定資産の売却損益なども含んだ、純粋な会社の儲けを示します。

⑤当期純利益

「すべての収益－すべての費用」で計算します。会計期間における最終的な利益で、「当期利益」「最終利益」とも呼ばれます。

株主資本等変動計算書、個別注記表の確認ポイント

株主資本等変動計算書は、当期における純資産の増減を、資本金、新株予約権、資本剰余金、利益剰余金（104ページ）の4つに分けて示しています。記載内容に間違いがないか、最低限、以下について確認しましょう。

・純資産合計が貸借対照表の純資産の金額と一致しているか
・繰越利益剰余金の当期純利益が損益計算書の当期純利益の金額と一致しているか
・純資産合計の当期末残高が貸借対照表の純資産の金額と一致しているか

最後の個別注記表は、貸借対照表や損益計算書などについての補足情報をまとめて記載するものです。株式の公開会社か非公開会社かで、記載が必要な項目が決まっていて、「会計方針を変更した場合の変更内容や理由」「過去の決算書に誤りがあった場合の内容」などについてはすべての会社に記載義務があります。ただし、未作成の場合でも罰則はありません。

これらすべての決算書が完成したら、株主総会（268ページ）で承認を得ます。法人税申告書（266ページ）の「決算確定の日」欄には、この承認日を記載します。

📌 株主資本等変動計算書(例)

自 令和 W 年 3 月 31 日　至 令和 X 年 4 月 1 日

| | 株主資本 | | | | | | |
| | 資本金 | 資本剰余金 | | 利益剰余金 | | | 自己株 |
		資本準備金	資本剰余金合計	利益準備金	繰越利益剰余金	利益剰余金合計	
当期首残高	10,000	10,000	10,000	3,000	15,700	18,700	
当期変動額							
剰余金の配当	0	0	0	0	0	0	
当期純利益	0	0	0	0	4,800	4,800	
当期変動額合計	0	0	0	0	4,800	4,800	
当期末残高	10,000	10,000	10,000	3,000	20,500	23,500	

損益計算書の見方

損 益 計 算 書

（自 令和 W 年 4 月 1 日　至 令和 X 年 3 月 31 日）

（単位：千円）

科　目	金　額	
【売上高】		
売上高	66,280	
売上高合計		66,280
【売上原価】		
当期商品仕入高	52,096	
合計	52,096	
売上原価		52,096
売上総利益		14,184
【販売費及び一般管理費】		
販売費及び一般管理費		13,442
営業利益		742
【営業外収益】		
受取利息及び配当金	2	
その他	8	
営業外費用合計		42
経常利益		703
【特別損失】		
固定資産売却損	358	
特別損失合計		358
税引前当期純利益		345
法人税、住民税及び事業税		48
法人税等調整額		0
当期純利益		297

損益計算書の5つの利益の関係を図で示すと、このようになります。

08 法人税等、消費税を申告・納税する

| 頻度 | 年1回 | 対象 | ― | 時期 | 翌期の開始日から2カ月以内 |

POINT
- 法人税や消費税は、申告書以外に必要な添付書類が多いので注意
- 地方税と消費税の申告・納付期限は決算日の翌日から2カ月以内

決算書、勘定科目内訳明細書、別表を添付する

決算書の結果に基づき、各種確定申告書を作成し、申告・納税します。

法人税と地方法人税は、法人税申告書で申告しますが、ほかに複数の添付書類が必要です。1つは勘定科目内訳明細書です。決算書の勘定科目のうち、指定された16種の内訳を記します。また、企業会計に基づく決算書の数字を税務会計（122ページ）にのっとった数字に調整する別表や、期末時点での取引状況などを記載した法人事業概況説明書も必要です。別表は種類が多く、互いに連動しているため、一般の経理担当者が作成するのは困難です。通常は税理士などに作成してもらいます。

このほか、少額減価償却資産特例（236ページ）や、中小企業が所得800万円以下の部分に対して軽減税率の適用を受ける場合には、適用額明細書の添付も必要になります。

地方税と消費税を申告・納税する

法人が利益に応じて地方に申告納税する税金は「法人住民税（都道府県民税・市町村民税）」「法人事業税・特別法人事業税」の2つです。

法人住民税（都道府県民税）と法人事業税・特別法人事業税は、道府県民税 事業税 特別法人事業税 確定申告書（第六号様式）を県税事務所等に提出して申告します。法人住民税（市町村）は、第二十号様式の書類を市役所等へ提出します。ただし、東京都23区を本店等の所在地とする法人は、法人住民税（都道府県民税・市町村民税）をまとめて申告します。都税事務所に、都民税 事業税 特別法人事業税 確定申告書（第六号様式）と均等割額の計算に関する明細書を提出します。

なお、消費税の確定申告については、必要書類は右ページのとおりです。提出先は管轄の税務署です。

いずれの税金も、申告・納付期限は決算日の翌日から2カ月以内です。

経理

人事

総務

「適用額明細書」の記入例

書類内容	租税特別措置法を適用する場合に、該当する条項や適用額などを記載する書類
届出先	所轄の税務署

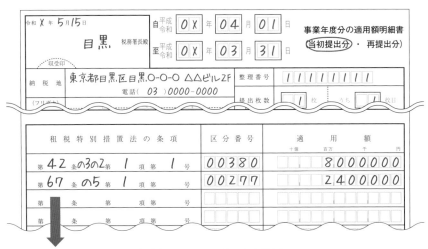

●中小企業(資本金1億円以下)が適用することの多い主な特例

特例	租税特別措置法の条項	区分番号	適用額(転記元)
中小企業者等の法人税率の特例	第42条の3の2第1項第1号	00380	別表1次葉の45欄の金額
少額減価償却資産の取得価格の損金算入の特例	第67条の5第1項	00277	別表16(7)の8欄の金額
特定の基金に対する負担金等の損金算入の特例(セーフティ共済)	第66条の11第1項	00374	別表10(7)の27欄の金額

📌 消費税の確定申告に必要な主要書類

申告書・付表	原則課税	簡易課税
申告書第一表 消費税及び地方消費税の申告書	○	○
申告書第二表 課税標準額等の内訳書	○	○
付表1-3 税率別消費税額計算表 兼 地方消費税の課税標準となる消費税額計算表	○	―
付表2-3 課税売上割合・控除対象仕入税額等の計算表	○	―
付表4-3 税率別消費税額計算表 兼 地方消費税の課税標準となる消費税額計算表	―	○
付表5-3 控除対象仕入税額等の計算表	―	○

株主総会のルールと議事録のポイント

株主総会で決算を承認してもらう

決算書を作成したら、原則として株主総会を開いて、決算書を承認してもらう必要があります。決算期ごとに1回開催する株主総会のことを「定時株主総会」と呼びます。取締役会を設置している会社は、法務省令で定める要件に該当する場合には、取締役会が承認すれば株主総会の承認は不要です。ただし、この場合でも株主総会の開催・報告は必要です。また、株主が1人の場合でも、決算の承認のために株主総会を開かなければなりません。

法人税の申告時期が各事業年度の終了日の翌日から2カ月以内となっているため（申告期限を延長している場合は3カ月以内）、定時株主総会は決算日から2～3カ月以内に開催するのが一般的です。通常は定款に開催日をいつとするか記されています。公開会社は開催日の15日前、非公開会社は8日前までに招集通知を発送しなければなりません。

株主総会議事録を作成する

株主総会を開いたら、株主総会議事録を作成しなければなりません。議事録には、以下の項目を記載します。

- 開催日時と場所
- 出席した取締役員などの氏名
- 株主総会で議長を務めた人物の氏名
- 議事録を作成した人物の氏名
- 報告事項の内容やそれに関する質疑応答の内容、決議事項の賛否など
- 会社法の規定に基づいて述べられた意見

株主総会議事録の書き方については法律上の決まりはなく、上記事項が記載してあれば、どのような体裁でもかまいません。作成期限についても決まりはありませんが、早めに作成するに越したことはありません。

第 **11** 章

必要に応じて
行う業務

管理部門は日々の業務を正確に行うだけでなく、事業
活動においてイレギュラーに発生する業務に適切に対
応することも大切です。第11章では、登記事項証明
書の取得、就業規則の届け出、36協定の届け出など
のほか、未収金が発生したときや取引先が倒産したと
きの対応方法など、必要に応じてその都度対応しなけ
ればならない業務について説明していきます。

01 登記事項証明書を取得する

| 頻度 | 発生の都度 | 対象 | — | 時期 | — |

POINT
- 会社情報を調べるときは法人登記事項証明書を取得する
- 一般に法人登記簿謄本と呼ばれるのは、履歴事項証明書のこと

法人登記事項証明書と不動産登記事項証明書

　登記事項証明書とは、会社や不動産について、法令で公開が義務づけられている基本情報を記載した証明書です。大きく2種類あり、法務局（オンライン申請を含む）で取得します。

　法人登記事項証明書には、社名、本社の住所、設立年月日、事業内容、資本金、役員の氏名、代表者の氏名・住所などが記載されています。取引開始時に相手の会社を確認したり、法人口座の開設や融資の申し込み、労災・雇用・社会保険の手続き、補助金・助成金・事業許認可の申請をしたりする場合に必要になります。

　不動産登記事項証明書には、不動産の所在地、面積、所有者の情報などが記載されています。権利関係の確認など、おもに不動産取引の際に使います。

請求時に記載内容を選択できる

　どちらの登記事項証明書も細分化されていて、たとえば、法人登記事項証明書の場合、4種類があります。

　履歴事項証明書は、一般に法人の登記簿謄本と呼ばれるもので、現在効力がある登記事項と、一定期間内に抹消・変更された事項等が記載されています。抹消・変更された事項については取り消し線が引かれています。

　現在事項証明書は、現在効力のある登記事項のみを記載したものです。

　閉鎖事項証明書は、過去の登記事項が記載されたものです。移転前の本店の情報や解散した会社の情報を調べることができます。

　代表者事項証明書は、代表者に関する現在効力のある登記事項（住所など）が記載されています。訴訟時など使用する場面は限られます。

　代表者事項証明書を除く3つについては、全部事項証明書と、請求時に記載事項を選択できる一部事項証明書があります。どちらも交付請求にかかる手数料は同じです。

経理

人事

総務

📌 法人登記事項証明書の種類

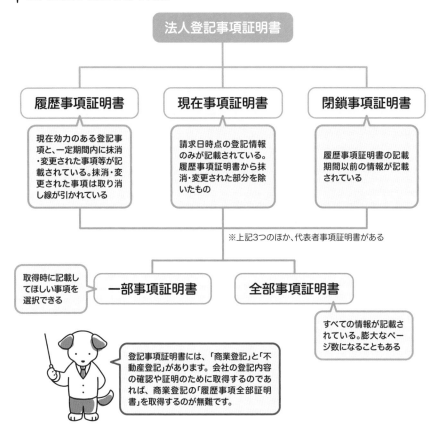

法人登記事項証明書

履歴事項証明書
現在効力のある登記事項と、一定期間内に抹消・変更された事項等が記載されている。抹消・変更された事項は取り消し線が引かれている

現在事項証明書
請求日時点の登記情報のみが記載されている。履歴事項証明書から抹消・変更された部分を除いたもの

閉鎖事項証明書
履歴事項証明書の記載期間以前の情報が記載されている

※上記3つのほか、代表者事項証明書がある

取得時に記載してほしい事項を選択できる

一部事項証明書

全部事項証明書

すべての情報が記載されている。膨大なページ数になることもある

登記事項証明書には、「商業登記」と「不動産登記」があります。会社の登記内容の確認や証明のために取得するのであれば、商業登記の「履歴事項全部証明書」を取得するのが無難です。

📌 登記事項証明書の取得方法

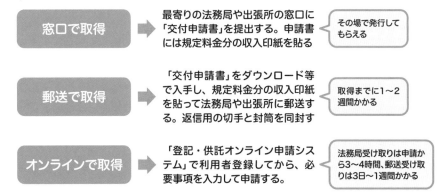

窓口で取得 ➡ 最寄りの法務局や出張所の窓口に「交付申請書」を提出する。申請書には規定料金分の収入印紙を貼る

その場で発行してもらえる

郵送で取得 ➡ 「交付申請書」をダウンロード等で入手し、規定料金分の収入印紙を貼って法務局や出張所に郵送する。返信用の切手と封筒を同封す

取得までに1~2週間かかる

オンラインで取得 ➡ 「登記・供託オンライン申請システム」で利用者登録してから、必要事項を入力して申請する。

法務局受け取りは申請から3~4時間、郵送受け取りは3日~1週間かかる

02 就業規則を届け出る

| 頻度 | 発生の都度 | 対象 | ― | 時期 | ― |

POINT
- 内容が同じ就業規則なら一括で届出を行うことができる
- 意見書に反対意見があっても就業規則は受理される

就業規則を作成・変更したら届出が必要

従業員が常時10人以上働く事業場を持つ会社は就業規則（30ページ）を作成し、管轄の労働基準監督署に届け出なければなりません。就業規則を変更した場合も、その都度、届出が必要です。届け出る際には、就業規則、意見書、就業規則（変更）届の3点を、それぞれ2部提出します。そのうちの1部は会社用として、労働基準監督署で受付印をもらったものを保管します。届け出る際には、就業規則に「絶対的必要記載事項」と「相対的必要記載事項」が記されているかどうかを確認します。

なお、事業所が複数ある会社は事業所単位で作成しますが、内容が同じであれば、本社で一括して届け出ることができます。

反対がある場合は「意見書」を添付

前記「意見書」とは、就業規則の内容について、従業員の代表の意見を記載した書類のことです。

従業員の過半数が加入する労働組合がある場合は、労働組合が従業員の代表者となります。労働組合がない場合は、従業員から代表者を選出してもらいます。事業所が複数ある場合は、事業所ごとに選出が必要です。なお、会社による代表者の指名や、**管理監督者**が代表者になることはできません。

就業規則の内容について、従業員の代表から反対があった場合でも、反対意見を書いた意見書を提出すれば、就業規則は受理されます。就業規則を変更する場合も、そのたびに必要となります。

このように反対意見をそのまま放置しておいても、法律的には問題となりませんが、労務管理上は適切とはいえません。従業員と話し合いの場を持つなどして、対応するようにしましょう。

経理
人事
総務

Keyword **管理監督者** 労働条件の決定やその他労務管理に関して経営者と一体的な関係にある者を指す。部長などの管理職でも、労働条件などの規則が適用されている場合は従業員代表として選出できる。

「就業規則（変更）届」の記入例

書類内容　就業規則を新規に作成または変更した場合に届け出るための書類

届出先　　事業所管轄の労働基準監督署

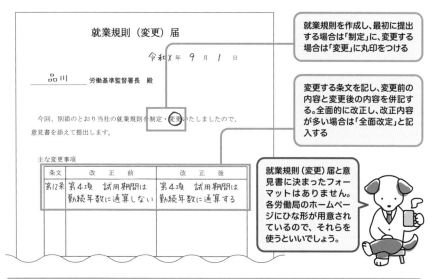

就業規則を作成し、最初に提出する場合は「制定」に、変更する場合は「変更」に丸印をつける

変更する条文を記し、変更前の内容と変更後の内容を併記する。全面的に改正し、改正内容が多い場合は「全面改定」と記入する

就業規則（変更）届と意見書に決まったフォーマットはありません。各労働局のホームページにひな形が用意されているので、それらを使うといいでしょう。

「意見書」の記入例

書類内容　就業規則を新規に作成または変更した場合に届け出るための書類

届出先　　事業所管轄の労働基準監督署

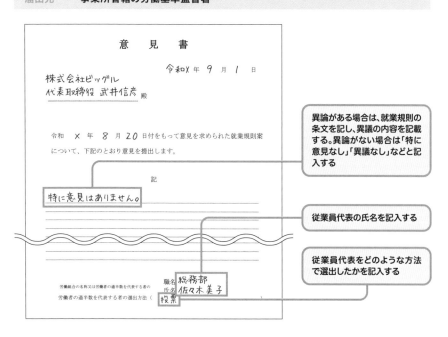

異論がある場合は、就業規則の条文を記し、異議の内容を記載する。異論がない場合は「特に意見なし」「異議なし」などと記入する

従業員代表の氏名を記入する

従業員代表をどのような方法で選出したかを記入する

03 時間外労働・休日労働に関する協定届を提出する

| 頻度 | 発生の都度 | 対象 | ― | 時期 | ― |

POINT

- 36協定の締結後、労働基準監督署への届出が必要になる
- 特別条項付き36協定を結べば、36協定を超える残業が認められる

残業をさせるためには労使協定が必要

従業員に残業や休日出勤をしてもらわなければならないこともあります。会社は、法律で決められた時間内で、既定の賃金を支払えば、従業員に残業や休日出勤を命じることはできますが、そのためには時間外労働・休日労働に関する協定届を労働基準監督署に提出しなければなりません。この時間外労働・休日労働に関する協定が、一般に「36協定」（44ページ）と呼ばれる労使協定のことです。

36協定は労使協定なので、たとえ従業員が1人しかいなくても、会社と従業員の代表とが協議したうえで36協定に関する協定書を作成し、締結する必要があります。

36協定を超える残業を命じるための協定

この36協定に関する協定書に基づいて、時間外労働・休日労働に関する協定届を作成し、労働基準監督署に提出します。提出期限の定めはありません。ただし、同協定届には36協定の効力が発生する起算日を記載しますが、提出が起算日から遅れた場合、遅れた分の日数における時間外労働や休日労働は労働基準法違反となるので、起算日より前に提出しましょう。

36協定を締結しても、月45時間・年360時間を超える時間外労働は原則認められません。「特別条項付き36協定」を締結すれば、繁忙期や緊急時に限り、月100時間未満・年720時間以内が上限となります。ただし、適用期間は年6カ月まで、2〜6カ月の平均残業時間が80時間以内に収まるようにしなければなりません。

36協定の有効期間についての定めはありませんが、労働基準監督署からの通達もあり、基本的には1年以内として締結するのが一般的です。つまり、毎年、協定届の提出が必要です。

経理

人事

総務

「時間外労働・休日労働に関する協定届」の記入例

書類内容 従業員に法定時間を超えた労働や法定休日に労働させるのに必要な、労使間の36協定を締結していることを届け出るための書類 **届出先** 事業所管轄の労働基準監督署

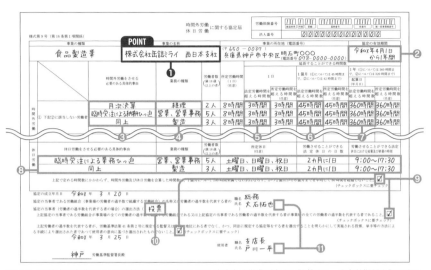

❶POINT 36協定は事業所ごとに締結する必要があるので、支店名や営業所名まで記載する　❷有効期間を記入する。労働基準監督署の通達では「1年が望ましい」とされている　❸理由を具体的に記入する　❹部署名ではなく、細分化した業務名を記入する　❺1日の残業時間を記入する。1日あたりの残業時間に規定はないので、1カ月の残業時間の上限から逆算して算出する　❻1カ月の残業時間を記入する。上限45時間以内　❼1年の残業時間を記入する。上限360時間以内　❽休日労働についても定める場合は記入する　❾忘れずにチェックボックスにチェックを入れる　❿従業員代表をどのように選んだのかを記入する　⓫協定届と協定書を兼ねる場合は押印が必要になる

「時間外労働・休日労働に関する協定届（特別条項）」の記入例

書類内容 36協定で定めた通常の時間外労働の上限を超えてもらうために必要な労使間の協定が締結していることを届け出るための書類 **届出先** 事業所管轄の労働基準監督署

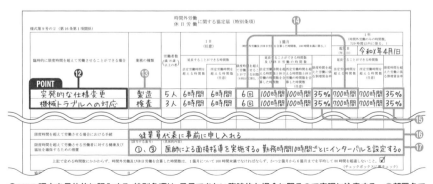

⓬POINT 理由を具体的に記入する。特別条項は、予見できない臨時的な場合に限るので表現に注意する　⓭部署名ではなく、細分化した業務名を記入する　⓮特別条項に定めた時間外労働をさせるには年6回、残業時間の上限は1カ月100時間以内、1年間720時間以内　⓯法律で定められた割増率（25%）以上の割増率を記入する　⓰特別条項に定めた時間外労働をさせるときの手続きを記入する　⓱特別条項に定めた時間外労働をする従業員に対しては健康確保措置を講じなければならない。裏面に記載された措置から該当する番号と、措置の具体的な内容を記入する

04 未収金が発生した ときの対応

| 頻度 | 発生の都度 | 対象 | ― | 時期 | ― |

POINT

● 取引先から入金がない場合は、まず担当者に確認する
● 督促状や催告書でも入金がない場合は法的手段に訴える

売掛金の回収には時効がある

2020年4月以降に発生した売掛金の回収の時効は支払い期限から5年、それ以前の売掛金については2年です。回収不能に陥らないように、未収金が発生したら、まずはメールや電話で原因を確認し、支払い期日を伝えます。

それでも支払われない場合は、内容証明郵便で催告書を送付します。内容証明郵便とは、差出人が作成した謄本（複写した文書）を郵便局が保管しておくもので、いつ、どのような文書を、誰に差し出したかを公的な記録として残すことができます。これにより、前述の時効が6カ月延長されます。

なお、謄本の作成にあたっては、1行の文字数に制限があるなどルールが決まっています。郵便局等で確認してください。

支払督促、民事訴訟、少額訴訟による解決

催告書を送付しても入金されない場合は法的な手続きに進みます。その間、時効は中断されます。最も簡単なのは、証拠を提出する必要のない支払督促です。相手の住所地を管轄する簡易裁判所に支払督促申立書を提出し、裁判所に支払督促を発令してもらいます。

相手が支払督促を受け取ってから、2週間以内に異議を申し立てなかった場合は、強制執行の申し立てを行えます。裁判所は預金や財産を差し押さえて、未収金を回収できるようにします。

相手が2週間以内に異議申し立てを行った場合は、地方裁判所または簡易裁判所で民事訴訟の手続きへと移ります。民事訴訟は未回収金が140万円以下であれば簡易裁判所で、140万円超であれば地方裁判所で行われます。

なお、未収金が60万円以下の場合は、少額訴訟制度も利用できます。弁護士を立てることなく、訴訟を行える制度で、訴えが認められれば、相手に支払い義務が発生します。従わない場合は、強制執行が可能になります。

経理

人事

総務

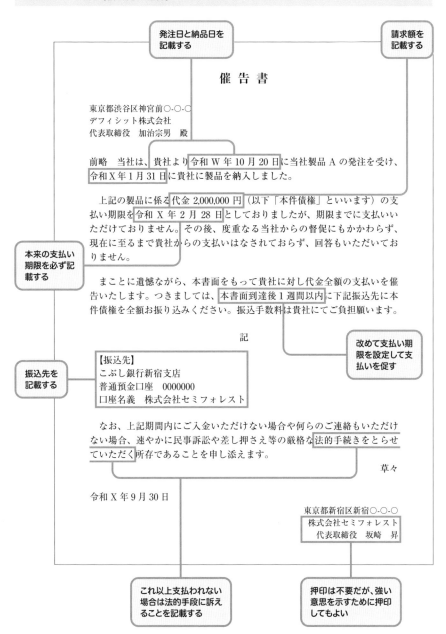

「催告書」の記入例

書類内容 債権者から債務者に対して債務の履行を要求する文書
届出先 なし(相手先に送付)

発注日と納品日を
記載する

請求額を
記載する

催 告 書

東京都渋谷区神宮前○-○-○
デフィシット株式会社
代表取締役 加治宗男 殿

前略 当社は、貴社より令和 W 年 10 月 20 日に当社製品 A の発注を受け、
令和 X 年 1 月 31 日に貴社に製品を納入しました。

　上記の製品に係る代金 2,000,000 円(以下「本件債権」といいます)の支
払い期限を令和 X 年 2 月 28 日としておりましたが、期限までに支払いい
ただけておりません。その後、度重なる当社からの督促にもかかわらず、
現在に至るまで貴社からの支払いはなされておらず、回答もいただいてお
りません。

本来の支払い
期限を必ず記
載する

　まことに遺憾ながら、本書面をもって貴社に対し代金全額の支払いを催
告いたします。つきましては、本書面到達後 1 週間以内に下記振込先に本
件債権を全額お振り込みください。振込手数料は貴社にてご負担願います。

記

改めて支払い期
限を設定して支
払いを促す

振込先を
記載する

【振込先】
こぶし銀行新宿支店
普通預金口座　0000000
口座名義　株式会社セミフォレスト

　なお、上記期間内にご入金いただけない場合や何らのご連絡もいただけ
ない場合、速やかに民事訴訟や差し押さえ等の厳格な法的手続きをとらせ
ていただく所存であることを申し添えます。

草々

令和 X 年 9 月 30 日

東京都新宿区新宿○-○-○
株式会社セミフォレスト
代表取締役 坂崎 昇

これ以上支払われない
場合は法的手段に訴え
ることを記載する

押印は不要だが、強い
意思を示すために押印
してもよい

05 取引先が倒産した ときの対応

| 頻度 | 発生の都度 | 対象 | — | 時期 | — |

POINT
- 法的に倒産した場合は、裁判所から通知が届く
- 回収不能となった債権は貸倒損失として計上する

債権届出書を忘れずに提出する

取引先が不渡りを出したなどの倒産情報が入った場合はすぐに相手先の実情を確認します。債権リストを作成し、自社が納入した商品の引き渡しを求めるなど、債権の回収に動きます。

未発送商品については納品にストップをかけたいところですが、契約内容によってはできないこともあります。契約書を確認しましょう。

取引先が破産手続きや会社更生手続き、民事再生手続きなどの法的整理に入ると、売掛金や未収金をすべて回収するのは難しくなります。裁判所から通知とともに再生債権届出書または更生債権届出書・破産債権届出書が送られてきます。裁判所の管轄下に置かれるため、個別の取り立てはできなくなります。債権を少しでも回収するためにも、債権届出書を期限内に必ず返送しましょう。債権届出書には債権の種類・内容、未回収となっている金額、契約で定めた利息と遅延損害金のほか、担保権や相殺予定などがあれば、そちらも記入します。

取引先が倒産したときの損金算入時期

それとともに、申立代理人弁護士や破産管財人に、自社の納入商品や担保物件などの持ち出しや処分をしないように申し入れします。

債権の回収が不能になった分については、会計上は貸倒損失として計上します。貸倒損失を損金算入するにあたっては、いくつかのパターンがあります。上述の法的整理によって、債権者集会による協議等で切り捨てられた金額については、決定のあった事業年度に全額損金として計上できます。事実上の貸倒れについては、回収ができないことが明らかになった事業年度に損金として計上します。ただし、債務者の財務状況に関する書類（試算表等）を入手して、回収不能であることを証明する必要があります。

経理

人事

総務

📌 取引先が倒産した際の対応

① 事業継続の有無を確認

不渡りを出した場合などは、即倒産という事態にはならないこともある。また、法的に倒産した場合も、民事再生などは事業を継続できる可能性もあるので情報収集が重要となる

② 倒産手続きの方法を確認

法的な倒産には「破産」「会社更生」「民事再生」「特別清算」があり、それぞれ債権の回収方法が変わってくる。弁護士などとも相談して、遅滞なく対応する

③ 自社の債権額を確認

売掛金や手形債権などの債権の種類、金額を確認して債権リストを作成する。売買契約書や納品書、請求書なども準備。担保を取っている場合は、そちらも確認する

④ 債権届出書を提出する

取引先が法的整理を選んだ場合、裁判所から再生債権届出書または更生債権届出書・破産債権届出書が送られてくるので、期限までに必ず提出する

📌 損金への計上のしかた

●法律上の貸倒れ

貸倒れの定義	処理年度	損金計上額
会社更生法や民事再生法など法令の規定によって切り捨てられた債権がある	事実が決定した事業年度	切り捨てられた金額
債権者集会の協議や当事者間協議の決定により切り捨てられた債権がある		
債務者の債務超過の状態が相当期間（3〜5年程度）継続し、書面にて債権放棄をする旨を債務者に通知した	書面で債権放棄の通知をした日	書面による債務免除額

●事実上の貸倒れ

貸倒れの定義	処理年度	損金計上額
債務者の資産状況、支払い能力等から、債権全額が回収不能なことが明らかになった（一部でも回収できる場合は該当しない）	債権全額を回収できないことが明らかになった事業年度	債権全額－処分価格

●形式上の貸倒れ（売掛債権のみが対象で、貸付金等は対象外）

貸倒れの定義	処理年度	損金計上額
継続的な取引先との取引を停止してから1年以上経過した（担保を取っている場合は除く）	「取引停止時」「最後の支払い期限」「最後の支払い時」のうち、最も遅い時期から1年以上経過した事業年度	売掛債権－1円※1円は、帳簿に資産が残っていることを記録しておくための備忘価額
同一地域の債務者に対する売掛債権の総額が、取立費用より少なく、支払いを督促しても弁済がない	督促しても弁済がない日	

法律上の貸倒れについては、損金算入をし忘れた場合、その後の事業年度に更生の請求（訂正を求める手続き）をすることができます。一方、事実上の貸倒れと形式上の貸倒れについては、その後の事業年度に損金算入することは認められないので注意しましょう。

279

06 従業員と連絡が取れなくなったときの対応

| 頻度 | 発生の都度 | 対象 | ― | 時期 | ― |

POINT
- 何度か連絡しても欠勤が続く場合は自然退職の手続きをとる
- 自然退職は就業規則に定めがないとできない

自然退職の手続きをとる

従業員と連絡がつかなくなった場合、家族に知らせ、連絡を取ってもらいます。一人暮らしの従業員については、病気や事故、事件に巻き込まれている可能性もあるので、安否確認のために自宅を訪問して確認します。

それでも連絡が取れない場合は、就業規則の規定にしたがって対応します。通常、就業規則には「自然退職」の条項があります。自然退職とは、たとえば「30日以上連絡が取れないときには、当該期間の満了日を以って退職となる」など、ある期間が満了したときや要件を満たしたときに、自動的に労働契約が終了することをいいます。

就業規則に規定がない、あるいは従業員が10人以下で就業規則そのものがない場合は、自然退職の手続きを行えません。無断欠勤開始日に黙示の意思表示があったものとみなし、会社が退職日（30日以上の期間を設けるのが一般的）を決定します。

なお、いずれの退職の場合も、通常、自己都合退職として扱います。

連絡が取れたときの注意点

退職の手続きを行う前に、連絡が取れない従業員に対して内容証明郵便（276ページ）で、連絡を取れない状況が続いていること、何日以上所在不明が続いた場合は退職となることを明記した書面を送付します。

また、連絡が取れなくなる前に働いた分の賃金は支払い義務があります。欠勤控除などを差し引いたうえで、期日どおりに支払いましょう。

連絡が取れた場合は、理由を慎重にヒアリングしましょう。職場や取引先によるハラスメントの被害にあっている可能性もあります。一方で、過度な詮索や干渉はパワハラとなることもあるので注意が必要です。

経理

人事

総務

📌 自然退職の手順

就業規則を確認する	就業規則に規定されている日数と、自然退職となる事由に当てはまるかを確認すること。会社から何の連絡もしないと不当解雇となる恐れもあるので、会社から本人に対して、いつ、どのような方法で、何回コンタクトしたかを記録に残しておくとよい。また、自然退職の前に、「○月○日までに連絡が取れない場合は自然退職とする」旨の通知をしておく
本人に通知する	本人と連絡が取れない場合は郵送で通知する。その際は内容証明郵便で送り、記録を残しておく。本人が受け取ったかどうか郵便局に確認し、受け取っていない場合は特定記録郵便にするなどして、会社が送ったことを証明できる方法で再度郵送する。また、社内に残されている私物の処理などに関すること、自然退職後の税金の取り扱いなどについても知らせる
離職票を発行する	自然退職が決まったら、10日以内に離職票を発行するなど、通常の退職者と同様の手続きを取る。離職票の発行の際には、退職理由を記入する欄があるが、自然退職の場合は、「休職期間満了時に復職できないため自然退職」などと記載すればよい。離職票を郵送する際は、「離職票在中」と朱書きするのがベター。就業規則と退職通知書を添付する
退職金を確認する	自然退職でも、就業規則に退職金の規定がある場合は退職金を支払わなければならない場合があるので確認する。支払い時期や金額については本人に通知しておく。「休職期間は勤続年数に含めない」という規定が就業規則にない場合は、休職期間を勤続年数に含めたほうが無難。社内のハラスメントが原因など会社側に問題がなければ、自己都合退職でよい

📌 従業員と連絡が取れた場合の対応

無断欠勤の理由を聞く

高圧的な態度にならないように注意する。解雇や退職をちらつかせるような言動も慎む。また、過度な詮索や干渉はパワハラとされることもあるので注意

> 社内のハラスメントが原因だったときは、会社には「安全配慮義務」が義務づけられている。被害の申告があれば職場環境の整備を見直すこと

復職できるかを確認する

酌むべき事情がある場合は、復職の可能性を探る。体調不良や精神疾患の場合は一定の配慮が必要。休職を勧めて正式な手続きを踏むように促すなどの対応を取る

> 面談の結果、復職が適切でない場合は退職を促す（退職勧奨）。退職するかどうかの決定権は従業員にあるので、退職を強制するような言動は慎む

休職する場合は制度を説明

体調不良など休職をして様子を見るのが適切な場合は、休職中の賃金や社会保険の扱い、休職期間などの説明を忘れずにする

> 休職期間満了後の復職プロセスや、復職できない場合の処置についても話し合っておくのが望ましい

281

07 未払賃金を請求されたときの対応

| 頻度 | 発生の都度 | 対象 | ― | 時期 | ― |

POINT
- 請求内容を精査して対応を決める
- 見解に相違がある場合は合意書を取り交わす

会社側にミスがあった場合の対応

従業員は在職中・退職後にかかわらず、未払賃金を請求できます。「会社側のミスなどで未払賃金が発生した」「従業員よりも有効な客観的証拠を集められない」場合は、未払賃金を支払わなければなりません。2023年4月から、中小企業でも月60時間を超える時間外労働の割増率が50％になりましたが、従来の割増率で計算してし

まっているようなミスは起こり得ます。支払いの必要がある場合は、金額等に対する同意を得て、支払い方法などを決めていきます。

また、退職者からの請求は、書面による場合がほとんどです。請求額や支払い期日が記されているはずです。期日までに支払わないと、労働基準監督署に申告される可能性が出てきます。

請求内容に誤認がある場合の対応

未払いの事実確認に時間がかかるときは、従業員が指定した支払い期日までにその旨と回答できる日を伝え、同意を得ます。未払賃金の時効は3年なので、請求された未払賃金が3年以内のものかどうかをまず確認します。続いて請求内容・金額が適正かを確認するために、賃金台帳や出勤簿、タイムカード、就業規則などの必要書類をそろえます。そのほか、シフト表の確認や同僚へのヒアリングなどを行い、客観的な事実に基づいて再計算します。

検証の結果、金額などに相違があれば、根拠と理由を明記したうえで書面にて回答します。見解に大きな隔たりがある場合は、本人と直接会って話し合い、理解してもらったうえで合意書を取り交わしましょう。

なお、未払賃金を支払った場合の税務上の処理については、過去にさかのぼって賃金を修正して支払う場合と、損害賠償的に支払う場合、また法人税法上と所得税法上で異なります。税理士等に相談してください。

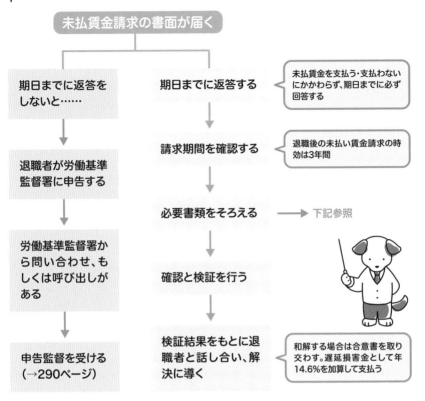

📌 未払賃金請求への対応の流れ

未払賃金請求の書面が届く

期日までに返答をしないと……

↓

退職者が労働基準監督署に申告する

↓

労働基準監督署から問い合わせ、もしくは呼び出しがある

↓

申告監督を受ける（→290ページ）

期日までに返答する

> 未払賃金を支払う・支払わないにかかわらず、期日までに必ず回答する

↓

請求期間を確認する

> 退職後の未払い賃金請求の時効は3年間

↓

必要書類をそろえる → 下記参照

↓

確認と検証を行う

↓

検証結果をもとに退職者と話し合い、解決に導く

> 和解する場合は合意書を取り交わす。遅延損害金として年14.6%を加算して支払う

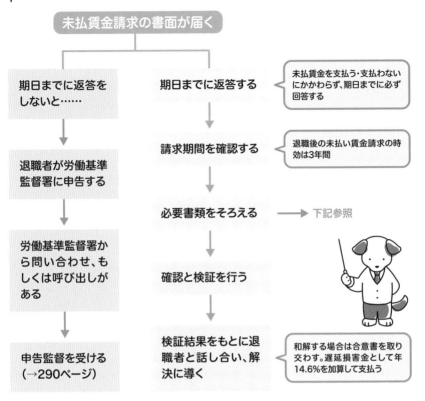

📌 未払いの争点となる主な証拠

証拠	ポイント
タイムカード	請求期間の出社時間と退社時間を確認する
勤怠記録	休日出勤や欠勤、休暇などを確認する
業務日報	直行直帰をした日などの勤務状況を確認する
社員証などの入退館記録	タイムカードと見比べて矛盾がないかを確認する
会社のPCに残っているログイン記録	ログイン記録が残っている場合は確認する
業務上のメール	業務時間外に業務上のメールを送っているか確認する
就業規則、雇用契約書	時間外労働についての規定を確認する

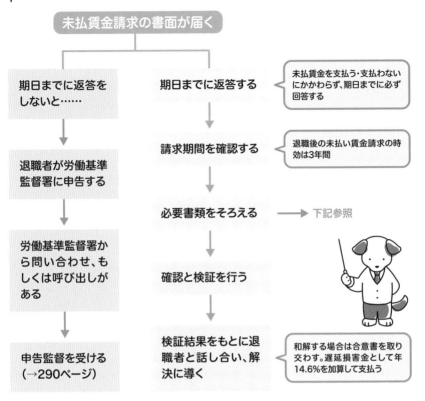

08 税務調査への対応

| 頻度 | 発生の都度 | 対象 | — | 時期 | — |

POINT
- 税務調査は事前通告されるので、調査前にしっかり準備を整える
- 調査の結果、問題があると追加で税金を納付する

税務調査を断ることはできない

税務調査には、「強制調査」と「任意調査」の2種類があります。

強制調査とは、脱税の疑いが強い場合に裁判所の令状をとって"マルサ"と呼ばれる調査官が行う調査で、家宅捜索と同じ強制力があります。事前連絡なしで実行されますが、脱税金額が1億円超で、悪質な隠蔽工作が行われていると想定される場合に限るため、対象になる会社は限定的です。

一方、一般的な会社が受けるのが任意調査です。名称こそ"任意"ですが、税務署の調査官には質問検査権という権限が与えられており、実質的には強制で、任意調査とはいえ税務調査を拒否することはできません。

以下、任意調査について説明していきます。

事前通告を受けて日程を調整する

任意調査の場合、通常は税務署から事前通告があって、日程調整を行ったうえで実施されます。通告なしの抜き打ち調査が行われるのは全体の5%程度といわれ、現金商売など調査日までに売上金額を不正に調整しやすいような業種が中心です。

事前通告は、調査の2〜3週間前になされることが多いようです。調査の開始日、場所、調査の対象となる税目・課税期間、調査の目的などが知らされます。税務署に税務代理権限証書を提出していれば、顧問税理士に連絡がいきます。

日程については、多少の調整は可能です。調査当日は10時から16時くらいまで、丸一日かかることも多いので、時間のとれる日にちを伝えましょう。前出の税務代理権限証書を提出している場合は、税務調査当日に顧問税理士に立ち会ってもらうことができます。また、顧問税理士に一任することも可能で、その場合、会社から必ずしも人が立ち会う必要はありません。

経理

人事

総務

📌 税務調査の流れ

流れ	概要	
税務調査の事前申告	電話や文書によって税務調査を行う旨の通知がある。調査の開始日、場所、調査の対象となる税目、調査の対象となる課税期間、調査の目的などが告げられる	調査日の2〜3週間前に通知がある
日程を調整する	顧問税理士のほか、経理担当者や社長も同席できるように日程を調整して、調査官に連絡し、税務調査日を決める	決算が2月〜5月の会社は7月〜12月、6月〜翌1月の会社は1月〜6月の間に行われることが多い
事前準備を行う	調査官の求めに応じて、すぐに必要な書類やデータを提示できるように準備する	電子帳簿やPDFなどデータで保存しているものも、速やかに提示できるようにしておく
想定問答を行う	顧問税理士がいる場合は想定問答を作ってもらい、どのように回答するかを考えておく	事業年度をまたぐ売上や費用、業務で使用することの想像しづらい経費、交際費などについて説明できるようにしておく
調査当日	顧問税理士が立ち会う場合はおおむね一任できる。顧問税理士がいない場合も、担当者が調査官に付きっきりでいる必要はなく、書類の提示などの指示があった際に、その都度対応する	社長は会社概要を聞かれることが多いので、初日の午前中に対応してもらい、その後は担当者のみでもOK

申告ミスなし → 調査終了

申告ミスあり → 修正勧告勧奨

税務調査で用意すべき書類

税務調査を受けるうえで大切なのは、事前準備です。そのための事前通告なので、調査官も準備ができているものとして訪れます。資料の提示が遅いなどの事態が続くと帳簿類の整備状況に疑念をもたれるとともに、調査時間が長引くことになります。

事前準備としては、まず帳簿類の書類を準備しておくことが大切です。総勘定元帳や授受した請求書・領収書など右ページの表の書類を、少なくとも直近3期分用意します。

また、顧問税理士とも相談して、質問されそうな事項をリスト化し、想定問答までしておくことをおすすめします。なかでも、期末近くに金額が増えた取引や、役員への貸付、グループ会社間の取引などは、脱税の疑いがもたれやすいため、きちんと説明できるように準備しておきましょう。

調査当日と調査結果の通知

調査当日は、調査官から求められる書類を速やかに提示し、質問されたことに答えればいいだけです。大切なのは要求されたことにだけ応えることです。調査官はときに雑談のような話もしますが、すべてが調査目的のための質問であると心得て、余計な話はしないようにしましょう。

もし質問に対して、すぐに資料が見つからなかったり、事実確認が必要であったりする場合は、後日回答するとしても問題ありません。

調査が終わると、1〜2カ月後に調査結果が通知されます。問題がなければ申告是認となり、申告是認通知書が送られてきます。

問題のある場合は、調査官が申告内容の指摘事項を伝えに再訪します。調査官から指摘された不備を認める場合は帳簿書類などの修正を行い、修正申

経理

人事

総務

ONE 修正申告と更正処分の違い

更正処分といっても、税務署から罰則的な厳しい処分が下されたり、印象を悪くしたりするわけではありません。修正申告が税務署の指摘を受けて自ら誤りを認めて追徴税額を決定するのに対して、更正処分は税務署の権限で追徴税額を決定する点に違いがあります。両者とも追徴税額に変わりはありません。

なお、更正処分の内容に異議がある場合には、不服申し立てをして裁判で争うことができます。

告をして、不足する税額を納付します。その際、延滞税や加算税などペナルティとして課される税金も合わせて納付します。

調査官の指摘に納得せず、修正申告を行わない場合は更正処分となります。税務署側で申告の誤りを正して、納付すべき税額を通知してきます。

📌 税務調査の前に準備しておく書類（3期分）

種別	必要な書類
帳簿・申告書	総勘定元帳、入金出金振替伝票、現金出納帳、税務申告書、決算書、決算内訳書、事業概況書、消費税申告書、固定資産台帳、売掛帳、買掛帳など
売上	見積書、請求書、領収書、契約書、納品書、検収通知書など
経費	外注先や仕入先からの請求書・発注書・納品書、領収書綴り、クレジットカードの明細書、銀行振込の記録など

種別	必要な書類
人件費	源泉徴収簿、給与台帳、年末調整関係書類、タイムカード、社会保険関係の書類、特別徴収の住民税の通知書、退職金関係の書類、役員報酬の改定や役員退職金などに関する議事録・計算明細など
棚卸	棚卸表
その他	株主総会議事録、取締役会議事録、預金通帳、手形帳、定款、会社の組織図や座席表など

📌 税務調査で調べられるポイント

種別	調査のポイント
売上	☑売上に計上漏れがないか ☑計上漏れが意図的なものかミスなのか ☑売上として計上されている時期が適正か ☑売上を翌期に繰り延べていないか ☑売上と原価の計上時期が一致しているか
人件費	☑架空の人件費がないか ☑給与計算が合っているか ☑給料に計上すべきものが外注費として処理されていないか ☑税金の天引きは適正に処理されているか ☑役員報酬や親族への給与は適正か
一般経費	☑私用の飲食代などが交際費として処理されていないか ☑架空経費、過大経費はないか ☑事業とは関係のない費用が計上されていないか
在庫や資産	☑仕入と在庫が合っているか ☑本来在庫に計上すべき仕入を過大に計上していないか ☑棚卸資産に計上漏れがないか ☑資産に計上すべきものが費用として処理されていないか ☑外注先等の預け在庫は計上されているか ☑積送品の計上漏れはないか
その他	☑役員の社宅家賃の計算は適正か ☑消費税の課税区分は適正か ☑グループ会社間の取引は適正か

POINT
- 年金事務所の調査は書面を中心に行われる
- 社会保険の加入漏れ、標準報酬月額などについて調査される

年金事務所の調査は書面が原則

頻度などは不明ですが、日本年金機構でも、社会保険の手続き等について調査を行っています。原則として調査官の訪問はなく、書類を介して行われますが、調査官が訪問するケースもあります。

年金事務所から調査通知書が届くので、指定された期日までに必要書類を返送（郵送）または持参します。年金事務所はその書類をもとに、算定基礎届や賞与支払届の提出漏れのほか、資格取得や喪失手続きなどが正しく行われているかを調べます。

なお、社会保険適用事業所に該当しながら未加入の事業所については、年金事務所の職員が訪問して調査を行うケースもあるようです。

社会保険料の支払い漏れがないかを調査

年金事務所の調査において必要となる書類は賃金台帳の写しなど、右ページのとおりです。これらを用意し、年金事務所に渡します。このうち調査票は、通知書に同封されているもので、所定の書式に記入するだけです。

年金事務所が特に重点的に調べるのは「社会保険の加入漏れがないか」「標準報酬月額が正しく届出されているか」の2点です。

前者は正規社員だけでなく、パートやアルバイト、契約社員、嘱託、試用期間中の従業員など、常時働いている従業員全員が適切なタイミングで社会保険に加入しているかどうかがチェックされます。

後者は具体的には、算定基礎届の提出時に残業代や交通費が計上されているか、賞与支払届や随時改定に伴う報酬月額変更届の提出漏れがないか、賃金台帳の金額と届け出ている額に違いはないか、などです。

調査の結果、不正が認められれば是正が求められます。税金などと違って罰則はなく、正しい保険料を納付することになります。

経理

人事

総務

📌 年金事務所に送付する書類

● **調査票**
　➡ 通知書に同封されているものに記入して送付

> 設立年月日や事業内容、事業所整理番号などを記入する

● **賃金台帳の写し**
　➡ 役員も含めて全従業員のものを提出する

> 社会保険に加入していない従業員のものも提出する

● **出勤簿またはタイムカードの写し**
　➡ どちらかを提出すればよい

> 賃金台帳で出勤日数と労働時間が確認できる場合は提出不要

● **源泉所得税領収書の写し**
　➡ 直近のものを提出

> 調査の内容によっては、労働者名簿、雇用契約書（労働条件通知書）、就業規則や賃金規程、算定基礎届などを提出するケースもあります。通知書の記載を確認しましょう。

📌 調査される主な内容

❶ 社会保険の加入手続きについて

> パート・アルバイトで正社員の勤務時間の¾以上勤務しているのに、加入していない人はいないかどうか。適用事業所の場合は週20時間以上等の要件を満たしているのに加入していない人はいないか

> 入社時から加入しているかどうか。試用期間や有期雇用期間中に未加入の人はいないかどうか

> ２つ以上の事業所から給与を受けている従業員の手続きは適切か

> 役員の加入は適切に行われているか

❷ 給与・賞与などの報酬について

> 加入時の標準報酬月額が適切に設定されているかどうか

> 交通費などの各種手当や残業代などの賃金を報酬に含めているかどうか

> 報酬額の変動にともなって、正しく随時改定の手続きがされているかどうか

> 算定基礎届の提出の際、間違いなく報酬の届け出を出しているか

> 賞与の支払い時に社会保険料を適切に徴収しているかどうか

> 賞与支払届は正しく提出されているか

10 労働基準監督署の定期監督等への対応

| 頻度 | 発生の都度 | 対象 | ー | 時期 | ー |

POINT
- 労働基準監督署による調査は原則として抜き打ちで行われる
- 残業時間や残業代などが法令の範囲内かを調べられる

労働基準監督署の調査には4種類ある

労働基準監督署による調査には「定期監督」「申告監督」「災害時監督」「再監督」の4種類があります。

定期監督は一般的な調査で、原則、指定された期日に、事業所の担当者が労働基準監督署に必要書類を持参して調査を受けます。

調査されるのは、労働環境に関する法令違反がないかどうかです。就業規則や賃金台帳などから、残業時間や深夜労働・休日労働が法令の範囲内で行われているか、賃金が適切に支払われているかなどを確認します。

場合によっては、実際の労働環境を確認するために、事業場への立ち入りや従業員へのヒアリングが行われることもあります。

調査の結果、問題があった場合は、口頭での指導や指示が行われます。より重大な違反があった場合は、「使用停止等命令書」や「**是正勧告書**」などの書面が交付されます。

労働時間や残業代、労働環境などを調査

申告監督は、労働者からの相談、告訴や告発などに基づいて実施される調査です。証拠を押さえるために、抜き打ちで行われることが少なくありません。担当者が不在などの場合は、調査日を変更してもらえることもあります。

災害時監督は、労働災害が発生したときに、原因究明のために行われる立ち入り検査です。

再監督は、過去に労働法令違反があって是正勧告（指導）を受けた会社が、その後、違反内容が正しく是正されているかを確認するための調査です。

なお、労働基準監督官には、取り調べや捜索差し押さえ、逮捕・送検も行うことのできる特別司法警察職員としての権限があるため、いずれの調査も拒否することはできません。

Keyword **是正勧告書** 労働基準監督署の立ち入り検査後に、法令違反があった場合に交付される書面で、違反事項、指示内容、改善対応までの期日などが記載されている。

労働基準監督署による調査の種類

調査の種類	調査内容	実施のタイミング等
定期監督	労働基準法や労働安全衛生法などに違反していないかを確認する一般的な調査	事前通告がある場合と、抜き打ちで実施される場合がある
申告監督	在籍する従業員や退職者などから相談や告発があったときに行われる調査	事前通告がある場合と、抜き打ちで実施される場合がある
災害時監督	労働災害が起こった時に、原因究明と再発防止のための調査	労働災害が起こったとき（軽微な労働災害では実施されないことも）
再監督	過去に是正勧告を受けた会社が違反内容を是正しているかを確認するための調査	時期は不明。是正勧告を受けた事業場の約10社に1社に実施

定期監督の流れ

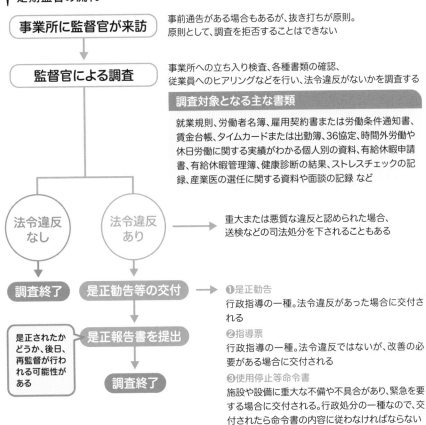

事業所に監督官が来訪
事前通告がある場合もあるが、抜き打ちが原則。原則として、調査を拒否することはできない

監督官による調査
事業所への立ち入り検査、各種書類の確認、従業員へのヒアリングなどを行い、法令違反がないかを調査する

調査対象となる主な書類
就業規則、労働者名簿、雇用契約書または労働条件通知書、賃金台帳、タイムカードまたは出勤簿、36協定、時間外労働や休日労働に関する実績がわかる個人別の資料、有給休暇申請書、有給休暇管理簿、健康診断の結果、ストレスチェックの記録、産業医の選任に関する資料や面談の記録 など

法令違反なし → 調査終了

法令違反あり → 重大または悪質な違反と認められた場合、送検などの司法処分を下されることもある

是正勧告等の交付
❶是正勧告 行政指導の一種。法令違反があった場合に交付される
❷指導票 行政指導の一種。法令違反ではないが、改善の必要がある場合に交付される
❸使用停止等命令書 施設や設備に重大な不備や不具合があり、緊急を要する場合に交付される。行政処分の一種なので、交付されたら命令書の内容に従わなければならない

是正報告書を提出 → 調査終了
是正されたかどうか、後日、再監督が行われる可能性がある

索引

監修者紹介

土屋裕昭（つちや・ひろあき）

税理士、CFP、登録政治資金監査人
早稲田大学政治経済学部卒業。設立間もないベンチャー企業から上場企業まで幅広いクライアントをもつ。特に中小企業のサポートを得意としている。著書・共著に『60分でわかる！ インボイス＆消費税 超入門』、『60分でわかる！ 電帳法＆経理DX 超入門』（以上、技術評論社）、『小さな会社は「決算だけ」税理士に頼みなさい！』（ダイヤモンド社）、『税理士ツチヤの相続事件簿』（星雲社）など多数。

佐藤敦規（さとう・あつのり）

社会保険労務士
中央大学文学部卒業。一般企業に勤務後、46歳からFP・社会保険労務士に転身。現在、社会保険労務士法人に勤務。「マネー現代」などのウェブメディアなどで執筆。著書に『リスクゼロでかしこく得する 地味なお金の増やし方』（クロスメディア・パブリッシング）、『45歳以上の「普通のサラリーマン」が何が起きても70歳まで稼ぎ続けられる方法』（日本能率協会マネジメントセンター）など多数。

- ■ 装丁　　　　井上新八
- ■ 本文DTP　　加納啓善（山川図案室）
- ■ 本文イラスト　こつじゆい
- ■ 担当　　　　和田規
- ■ 執筆協力　　小野憲太朗
- ■ 編集　　　　株式会社ノート

図解即戦力

小さな会社の経理・人事・総務の仕事がこれ1冊でしっかりわかる本

2024年1月6日　初版　第1刷発行
2024年3月14日　初版　第2刷発行

監修者	土屋裕昭、佐藤敦規
発行者	片岡 巌
発行所	株式会社技術評論社 東京都新宿区市谷左内町21-13 電話　03-3513-6150　販売促進部 　　　03-3513-6185　書籍編集部
印刷／製本	株式会社加藤文明社

©2024　株式会社ノート

定価はカバーに表示してあります。
本書の一部または全部を著作権法の定める範囲を超え、無断で複写、複製、転載、テープ化、ファイルに落とすことを禁じます。
造本には細心の注意を払っておりますが、万一、乱丁（ページの乱れ）や落丁（ページの抜け）がございましたら、小社販売促進部までお送りください。送料小社負担にてお取り替えいたします。

ISBN978-4-297-13895-0　C0034　　　　Printed in Japan

◆ お問い合わせについて

・ご質問は本書に記載されている内容に関するもののみに限定させていただきます。本書の内容と関係のないご質問には一切お答えできませんので、あらかじめご了承ください。

・電話でのご質問は一切受け付けておりませんので、FAXまたは書面にて下記問い合わせ先までお送りください。また、ご質問の際には書名と該当ページ、返信先を明記してくださいますようお願いいたします。

・お送りいただいたご質問には、できる限り迅速にお答えできるよう努力いたしておりますが、お答えするまでに時間がかかる場合がございます。また、回答の期日をご指定いただいた場合でも、ご希望にお応えできるとは限りませんので、あらかじめご了承ください。

・ご質問の際に記載された個人情報は、ご質問への回答以外の目的には使用しません。また、回答後は速やかに破棄いたします。

◆ お問い合せ先

〒162-0846
東京都新宿区市谷左内町21-13
株式会社技術評論社　書籍編集部
「図解即戦力
小さな会社の経理・人事・総務の仕事が
これ1冊でしっかりわかる本」係
FAX：03-3513-6181
技術評論社ホームページ
https://book.gihyo.jp/116
またはQRコードよりアクセス